KB195926

전국공공운수사회서비스노동조합 의료연대본부 대구지역지부

우리 하나

경북대병원노동조합 **30년사** 1988~2017

전국공공운수사회서비스노동조합 의료연대본부 대구지역지부

우리 하나

경북대병원노동조합 **30년사** 1988~2017

발행일 ｜ 2022년 3월 25일

기획 ｜ 전국공공운수사회서비스노동조합 의료연대본부 대구지역지부

글 ｜ 이황미

펴낸이 ｜ 양규헌

출판 ｜ 하내 hannae2007@hanmail.net

주소 경기도 고양시 일산동구 공릉천로493번길 61 가동

전화 031-976-9744 팩스 031-976-9743

등록 2009년 3월 23일(제318-2009-000042호)

제작·관리 ｜ 정경원

표지 디자인 ｜ 토가 김선태

본문 디자인 ｜ 정육남

인쇄·제본 ｜ 디자인 단비

표지 붓글씨 ｜ 방초 정경화

이 도서는 전국공공운수사회서비스노동조합 의료연대본부 대구지역지부가 발주한 프로젝트의 결과물로
만들어졌습니다.

ISBN 979-11-85009-27-8 03300 ₩ 30,000원

*이 도서의 국립중앙도서관 출판예정도서목록(CIP)은 서지정보유통지원시스템 홈페이지(http://seoji.nl.go.kr)와
국가자료공동목록시스템(http://www.nl.go.kr/kolisnet)에서 이용하실 수 있습니다.

전국공공운수사회서비스노동조합 의료연대본부 대구지역지부

우리 하나

경북대병원노동조합 **30년사**
1988~2017

글 이황미

발간사

하루하루가 투쟁이었던 우리의 역사를 묶어냈습니다

30년의 역사를 기록하고 책으로 펴내는 작업을 시작하고 2년을 넘겼습니다.

코로나로 인해 노동조합 중심에 있었던 많은 간부와 조합원을 만나지 못해 더욱 생생한 기록을 담지 못한 것이 너무 아쉽습니다. 초창기 노조를 만들면서 흥분했던 때, 악질 병원장 시절에 탄압으로 구속되고 해고돼 몸 고생 맘고생 했던 때, 어려운 가운데서도 그 시절을 회상하며 '노동조합 30년사'를 발간하니 한 시름 놓게 됩니다.

노동조합 활동은 왜 하루하루가 투쟁일 수밖에 없었을까요?

30년 전 대부분 노동조합이 인간답게 살고 싶다고 노동조합을 만들었고, 억눌렸던 임금인상과 근로조건 개선을 이루었습니다. 하지만 자본가들은 노동조합 요구에 대응하는 전략으로 노동자를 치밀하게 쥐어짰습니다. 1995년 신자유주의 광풍은 공공병원인 경북대병원에서도 성과주의 경쟁으로, 부서 구조조정으로, 노동강도 올리기 경쟁과 부서별 인력 줄이기 경쟁과 최대 인건비 절감 경쟁으로, 정규직 자리를 비정규직으로 전환해가는 정책이 판을 쳤습니다. 그러나 우리 노동조합은 결코 가만히 있지 않았습니다. 매일매일 투쟁하지 않으면 노동자와 노동조합이 온전히 살아남을 수 없다고 생각했습니다. 오로지할 수 있는 것은 투쟁뿐이었습니다. 그래서 2000년 34일 파업, 2004년 24일 파업 등 비정규직 정규직 전환을 요구하는 투쟁으로 파열구를 냈습니다. 그리고 고강도 노동으로 병든 조합원들은 병원사업장 최초로 31명 근골격계 집단산재 승인 투쟁을 만들어 냈습니다.

매일 매일의 투쟁이 결국 전체의 투쟁이 되었고, 그 힘으로 꿈만 같았던 '비정규직 없는 병원'을 현실로 만들 수 있었습니다. 1995년 경북대병원에도 1호 비정규직이 들어왔고, 그 후 외주·용역 비정규직 노동자는 800명을 넘어섰습니다. 그때는 모두 정규직화 하는 일이 불가능해 보였습니다. 하지만 경북대병원노동조합은 포기하지 않고 쉼 없이 투쟁하고 조직해서 비정규직 스스로가 투쟁에 나서게 했습니다. 그리고 결국 모두 정규직화를 이루어냈습니다.

이 모든 투쟁은 바로 경북대병원노동조합이 기본원칙을 충실히 실천해 왔기 때문에 가능했다고 생각합니다. 주체적으로 민주적으로 토론하고, 투쟁 정신을 놓치지 않고 매일매일 투쟁해온 결과라고 봅니다. 당연히 대구지역지부, 상급노조와 지역노조의 연대가 있어서 그 투쟁이 가능했고 승리를 만들 수 있었습니다. 노동조합의 기본원칙을 충실히 실천해온 30년의 기록이 이후 노동조합 활동에도 도움이 되었으면 합니다. 30년의 역사 속에서 여전히 남아있는 기업별 노동조합의 한계는 전체 노동조합이 나아가는 방향 속에서 앞으로 많은 고민을 해가야 할 것입니다.

노동조합 30년 투쟁의 역사를 한 권의 책으로 펴내게 돼서 가슴 뿌듯합니다. 어려운 조건 속에서도 시간 내서 자료 수집과 정리에 함께 해주신 전·현직 간부와 조합원 동지들에게 감사드립니다. 그리고 경북대학교병원노동조합의 역사가 한국노동운동사에 남도록 정리해주신 '노동자역사 한내'에도 감사드립니다.

2022년 3월 25일

전국공공운수사회서비스노동조합 의료연대본부 대구지역지부
지부장 **이정현**

노동조합 30년을 기억하며

현 분회장 **김영희**

노동조합 역사가 30년이 되고 나니 "내 청
춘 돌리도~"라고 외치고 싶습니다. 김영희
의 청춘은 노동조합에 묻었고, 노동조합
30년 역사와 함께 늙어가고 있습니다.

청춘 시절 다른 사람들 연애하고 다닐
때 저는 야간 현장순회로 연애를 대신했고,
연애보다는 잠을 1시간 더 자고 싶었습니다. 잠보였던 제가 노동조합
하면서 제일 힘들었던 건 잠을 자지 않고 일했던 기억입니다. 특히나
파업 때 간부들은 3~4시간 자면서 늘 수면 부족에 시달렸고, 로비 농
성장에서 큰 대자로 쓰러져 부족한 잠을 보충했던 기억이 납니다. 천
막농성을 하면서도 야간순회 끝나면 그때부터 선전물 쓰고 잠시 자
고 아침 조출 선전전 하면서 두 달간 거의 수면 부족에 시달려야 했던
시절입니다. 저는 노조하면 야간순회가 기본이고 간부들은 잠 못 자
면서 활동하는 것이 당연하다고 생각했는데 노조 활동에서도 워라벨
을 얘기하는 요즘 후배들을 보면 격세지감입니다. 이렇게 얘기하면
꼰대인가요?

청춘을 바치고 싶진 않았는데 결과적으로는 노동조합과 함께 웃
고 울며 늙어가는 신세가 되었네요. 하지만 후회는 없습니다. 비록 잠
도 못 자고 힘들었지만, 노동조합이 있었기에 현장의 많은 부분을 바

꿀 수 있었습니다. 청소 주차 용역노동자들을 정규직으로 할 수 있을까? 3급 자동승진이 될까? 꿈같았던 요구들을 이룰 수 있었으니까요.

동지들, 함께 꿈꿉시다! 혼자 꾸는 꿈은 꿈으로 끝나지만, 함께 꾸는 꿈은 현실이 됩니다. 지금까지 그래왔듯이 노동조합을 통해 세상을 바꿉시다. 저의 마지막 꿈은 현장에서 간호사로 정년퇴직하는 것입니다. 모두 함께 꿈꾸어 주세요.

3대 위원장 **황현섭**

경북대병원노동조합과 함께한 30년 세월이 오롯이 담긴 '노동조합 30년사' 발간을 진심으로 자축합니다.

그동안 수많은 전투의 나날 속에서 함께했던 동지들, 이제 100일 뒤면 저는 이곳을 떠나지만 함께해온 동지들의 열정을 가슴 가득 담고 언제 어디서라도 힘 받으며 살아가겠습니다. 그리고 투쟁의 현장에서 반갑게 만납시다.

4대 문화부장 **김경자**

짧지 않은 30년이라는 노동조합의 역사 속에 경북대병원노동조합은 한 집단을 대변한다고 감히 소개할 수 있습니다. 1980년대 노동조합을 알게 된 조합원, 1990년대에 들어와 참여한 조합원, 2000년대 이후

MZ시대에 들어와 노동조합을 알게 된 조합원 모두에게 조금씩 다른 의미로 각인돼 있겠지만, 내게는 30년 전에도 노동을 팔았고 지금도 노동의 대가를 받는 노동자의 입장에서 변한 게 없습니다. 어찌 보면 가장 치열하고 궁핍했지만 가장 많은 에너지와 열정을 쏟아부었던 것이 경대병원노조의 역사이기에 내 젊은 날의 초상이라고 감히 말할 수 있습니다.

1990년대 풍류를 책임졌던 문화부장을 맡았을 때, 경북대병원 안마당에서 노동가요와 "올림픽 주최국이 12만 원이 웬 말이냐"는 구호로 병원을 떠나가게 외쳤습니다. 근로조건을 지켜내기 위해 에너지를 쏟아부으며, 한목소리를 내기 위해 풍물을 배우고 익혔습니다. 연대투쟁으로 다른 사업장의 고충도 알게 되고 연대의 힘이 얼마나 위대한지도 알게 됐습니다. 그 연대활동을 시작한 데는 하나밖에 없던 소모임인 문화부의 힘이 있었다고 생각합니다. 지금도 노동조합의 소모임들이 활성화되고, 그 소모임들이 조합원을 결집해내는 장이 되었으면 하는 바람이 있습니다.

나에게 가장 충격적인 기억은 이선 성부 시설 조합원늘이 대거 노동조합을 탈퇴했을 때입니다. 감히 빗대어서는 안 되지만 독립운동하신 분들이 어떤 마음으로 그 역할을 감당했을까 하는 생각에 우리의 현실이 큰 아픔으로 다가왔습니다. 그런 시절을 겪어온 경대병원노조의 해답은 이전에도 그랬고 지금도 그렇듯 "뭉치면 살고 흩어지면 죽는다"가 아닐까 생각합니다. 함께 가정을 이루고 자식을 양육하듯, 조금은 멀어졌다고도 할 수 있지만 함께했던 동지들이 있는 노동조합에 대한 애정만은 변함이 없으며 앞으로도 노동조합과 조합원에 대한 사랑과 관심은 늘 영원할 것입니다.

　30년 역사 속에 선배로서 우리의 역할은 묵묵히 그 자리에서 노동조합을 지켜나가는 것이라고 생각합니다. 노동조합이 없어 단체협약과 근로조건을 빼앗긴다면 지키기도 되돌리기도 힘들다는 점을 명심했으면 좋겠습니다.

5대 위원장 김수경

병원 입사 때 조직된 노동조합, 뭣도 모르고 시작한 노동조합. 이제 퇴직을 코앞에 두고 노동조합 역사를 책으로 발간하는 것까지 보니, 갓난쟁이가 커가듯 노동조합의 장성한 모습이 꼭 다 키운 자식을 보는 것 같아 가슴 밑바닥에서 뜨끈한 게 올라오는 것은 나이 탓일까요.

　앞으로도 병원 곳곳에서 일하는 젊은이들이 새역사를 만들어 갈 것이란 굳은 믿음을 보냅니다.

6대 사무장 최동익

'노동조합 30년사' 발간을 진심으로 축하 드립니다.

　1988년 엄혹한 시기에 노동조합을 설립해 온갖 회유와 협박에도 굴하지 않고 당당하게 맞서며 직종 간의 차이를 넘어섰습니다. 조합원권리, 차별철폐, 구조조정 저지, 비정규직의 정규직화, 노동 안전을 투쟁으로 쟁취해 현장을 지켜냈습니다. 노동조합 무력화 시도에도 꿋꿋하게 30년간 민주노조를 지켜온 경북대분회에 무한한 신뢰와 지지를 보냅니다. 현장을 지켜내고 노동 존중, 의료공공성 강화를 위한 투쟁에 함께하겠습니다.

7대 부지부장 백분남

노동조합과 생사고락을 함께한 30년, 20대 초반에 경북대병원에 들어와 30년이 훌쩍 넘어버렸네요. 노동조합 창립멤버로서 처음부터 끝까지 생사고락을 함께한 간부와 조합원들이 더욱 생각나고 눈물겹습니다.

뒤돌아보자니 감회가 새롭습니다. 투쟁의 역사를 말하자면 너무도 힘들었지만, 그래도 동지애가 불탔던 그때가 그립습니다. 매년 행사처럼 파업하던 그 시절, 투쟁하면 경북대병원을 따라올 곳이 없을 정도로 대단했던 그때가 있었기에 지금까지도 올 수 있었다고 생각합니다. 현장에서 한목소리를 낼 수 있고 당당하게 일할 수 있는 것도 노동조합의 울타리 덕이 아닌가 싶습니다.

코로나19로 자주 볼 수 없고 만날 수 없어 안타깝지만 간부들이 지금까지도 한결같이 보이지 않게 늘 수고하시는 거 잘 압니다. 우리의 복지를 위해, 현장의 어려운 일들을 해결하기 위해, 늘 가장 낮은 데서 가장 열악하고 힘든 사람들 편에 서서 일하는 노동조합이 자랑스럽습니다.

8대 사무장 **김경희**

경북대병원노동조합의 역사가 이제 세대가 바뀌는 30년을 지나고 있네요. 지금의 경대병원노조의 역사는 어떻게 이루어졌을까 생각해봅니다.

먼저 30년 역사를 함께한 선배 노동자들이 바친 청춘, 열정이 들어가 있습니다. 그리고 저처럼 노조가 생기고 난 이후 가입해 투쟁의 순간마다 함께한 조합원들의 의지와 행동이 그 역사에 녹아있습니다. 또 세대는 바뀌었지만 여전히 노조에 가입하는 신규 조합원들의 용기가 30년을 지나는 노조의 역사에 녹아있습니다.

30년 역사를 정리하는 뜻깊은 시간을 축하하며, 경대병원노조가 끊임없이 투쟁하고 숨 쉬며 살아있는 노동조합이 되기를 희망해 봅니다.

9대 복지부장 **오정숙**

노동조합은 모두가 "Yes" 할 때 "NO" 라고 대답할 수 있는 용기입니다. 경북대학교병원노동조합의 30번째 뜻깊은 생일을 진심으로 감축드립니다.

IMF 외환위기사태로 모두가 힘들어 고통받던 1997년에 경북대학교병원에 입사해 노조는 '빨갱이' '집단이기주의 조직'이라는 생각이 남아있는 채 노조에 가입했습니다. 그러나 지금, 내 일터에서 웃으며 누릴 수 있는 비결은 온몸을 불사르며 희생하고 사투를 벌였던 노동 조합이 든든한 버팀목이 돼주었기 때문이라고 생각합니다. 2003년 집행부 복지사회부장으로 일하면서 우리의 권리를 보장받기 위해 함께 웃고, 함께 울며, 공권력과 온몸으로 부딪혀 싸워 일구어낸 크고 작은 감동의 성과들이 지금도 생생하게 파노라마처럼 스쳐 지나갑니다. 그해에는 근골격계질환으로 고통받으며 일하던 조합원 31명이 끈질기게 이어간 투쟁으로 병원사업장 최초 집단 산업재해 인정도 받아냈습니다. 2004년에는 모두가 "삶의 질은 향상되어도 삶의 터전은 빼앗기게 된다"며 극구 반대했던 '주 5일 근무제'를 대정부 투쟁으로 쟁취해 내는 큰 성과도 일궜습니다.

귀족노조라는 따가운 눈총을 받으며, 투쟁의 자리를 지켜내던 경북대병원노동조합은 불가능을 가능케 하는 불굴의 의지와 능력을 갖춘 경북대병원인들이 모인 조직이기에 경북대병원의 미래이자 희망이라고 생각합니다.

11대 분회장 직무대행 **박우서**

경북대병원 노동운동사에 조금이나마 함께 했다는 것을 자랑스럽게 생각합니다. 이정현 지부장의 건강하고 환한 얼굴을 오래 보고 싶습니다. 이정현 지부장과 함께할 수 있어서 행복했습니다.

어느덧 노동조합 창립 30년이라니 감회가
새롭습니다.

　1991년 입사하고 그해부터 대의원을 하
면서 노동조합의 필요성을 몸소 체험하고
투쟁이라는 것도 알게 됐습니다. 그 계기로
대의원을 4년 정도 연임하다 부위원장까지
맡아 심적으로 부담은 됐지만 노동조합에 작은 보탬이 되고 싶었던
마음이 컸습니다.

　2007년 사무장을 하면서 비정규직 투쟁을 했고, 처음으로 간병인
을 위한 투쟁을 시작하면서 많은 성과를 거뒀습니다. 그 투쟁을 시작
으로 동산병원, (구)경상병원, 경북대병원 노조 간부들이 회의를 통해
투쟁을 만들어 내기 위해 노력하면서, 많은 어려움이 있었지만 대구
지역지부를 출범하게 됐습니다. 현장 간부로 오랫동안 활동하다 처
음 전임으로 사무장을 맡아서 너무나 큰 투쟁으로 심신이 힘들었지
만, 그간에 관례로 사용해온 사무실과 식권을 빼앗아가는 병원의 만
행을 보며 조합원을 설득하고 함께 투쟁해 간병인분회까지 만드는
성과도 거뒀습니다. 동산병원 식당 외주화 투쟁에도 지역지부가 중
심에서 함께 투쟁하면서 연대의 힘이 얼마나 중요한지도 알게 됐습
니다.

　투쟁의 힘, 연대의 힘, 노동자를 위한 투쟁, 그 길에 함께하겠습
니다.

'노동조합 30년사'를 발간한다는 소식에 몹시 기대되고 흥분됩니다.

　　역사란 인간의 삶과 고뇌가 녹아들어 있어서 과거의 주요 인물이나 역사적인 사건을 통해서 지혜와 교훈을 얻을 수 있다고 배웠습니다. 경대병원노조가 30년 역사를 통해서 선배 노동자들의 삶과 가열찬 투쟁의 기운을 듬뿍 받아 더 나은 건강한 노조로 발전해 갔으면 합니다. 정규직 선배노동자들이 후배 노동자를 위해 모든 요구를 포기하고 "비정규직을 정규직으로"라는 단 하나의 요구로 34일간 파업투쟁을 펼쳤던 2000년, 투쟁 이후에 무노동 무임금 때문에 적금을 깨고 또 대출까지 받아야 했다는 이야기를 자랑스럽게 무용담처럼 전하는 조합원들, 이런 조합원들이 경대병원노조의 살아있는 역사가 아닌가 싶습니다.

　　요즘은 시간이 어찌나 빨리 가는지 잡을 수가 없네요. 시간이 안 간다고 느껴지면 젊은 거라 하고, 시간이 빨리 지나간다고 느껴지면 나이를 먹은 거라고 합니다. 내일 무엇을 할지 고민하기보다는 벌써 "그때 그 시절 참 좋았다"라며 흐뭇한 미소를 지을 나이가 되었습니다. "그때 그 투쟁 너무 좋았다"라며 흐뭇한 미소를 지으며 정년퇴직하는 날까지 조합원으로서 열심히 살아가겠다는 다짐을 다시금 해봅니다.

서른 살, 이립而立 또는 입지立志라고도 합니다. 뜻을 세우는 나이로 알고 있습니다. 처음부터 경북대병원노동조합은 뜻과 목표, 이념을 가지고 시작했습니다. 시작은 작았을지라도 우리는 노동조합 역사를 만들고 뜻을 지켜 낸 선배들과 조합원들 덕분에 어느덧 어른으로 성장했습니다. 이 과정에서 희로애락이 얼마나 많았겠습니까? 그러나 노여움보다는 기쁨, 슬픔보다는 기쁨이 많았기에 현재 우리는 공공운수노조 의료연대 대구지역지부를 이끄는 한 축으로 당당하게 설 수 있었습니다. 그리고, 전임자들의 희생과 투쟁이 없었다면 현재도 없다고 할 수 있기에 이 지면을 빌려 감사의 마음을 전합니다.

요즘은 과거 이야기를 하면 '꼰대'라고 합니다. 그러나 노동조합은 과거 이야기를 빼면 노동조합이라고 말할 수 없습니다. 서로를 감싸주는 동지애, 승리를 위해 투쟁했던 그 많고 많은 고민과 힘들었던 나날들, 대하소설이라도 쓸 만큼의 회의들. 그 과거들에 최선을 다했기에 지금도 우리는 노동조합을 이어가고 있습니다.

이제 우리는 매일매일 새로운 역사를 만들어가고 있습니다. 힘들고 어려운 과거보다 즐겁고 활기찬 현재, 희망이 있는 미래를 위한 투쟁에 함께 하겠습니다. 늘 그래왔듯이 중심성을 잃지 않는 노동조합이 되었으면 좋겠습니다.

14·15대 사무장 **김대일**[1]

노동조합 30돌을 축하합니다. '노동조합 30년사'를 발간하면서 이렇게 짧게나마 글을 올리게 되어 영광입니다. 무슨 말을 적으면 좋을까 생각하니 지난 일들이 주마등처럼 머릿속을 지나갑니다.

참 많이 일들이 있었지만 역시 경북대병원노동조합은 투쟁을 빼고는 말할 수 없겠네요. 제가 사무장을 하면서도 파업투쟁과 집회를 엄청나게 많이 한 것 같습니다. 그중에서도 2014년 파업은 벌써 7년이나 지났는데 저한테도 잊을 수 없는 투쟁이고, 노동조합에도 중요한 변곡점이 되는 투쟁입니다. 이번 기회에 30년 역사를 돌이켜보면서 과거를 반성하고, 더 크게 도약할 수 있는 경대병원노조가 되길 진심으로 바랍니다. 제가 생각하는 노동조합의 본질은 끊임없이 투쟁하며 현장을 바꿔나가고, 노동자들의 삶의 질을 높여 나가는 것입니다. 힘들고 지친 노동자들의 친구가 되고, 어둠 속의 한 줄기 빛과 같은 경대병원노조가 되길 바랍니다.

늘 그래왔듯 투쟁하는 곳에서 함께 하겠습니다. 투쟁!

---

1 치과 소속. 치과병원이 2017년에 분리·독립해 노동조합도 치과 대의원구역에서 새로운 치과병원분회로 독립, 대구지역지부에 함께하고 있다.

16대 부분회장 **방수진**

정권의 무분별한 칼부림에 맞서 우리는 끝까지 싸워 지켰습니다. 정권의 공공기관 구조조정과 가짜정상화에 맞서 온몸으로 싸웠던 그 날들, 벼랑 끝에 서 있는 느낌이었지만 더는 물러설 곳도 없고 물러나서도 안된다는 생각으로 무조건 지켜야 했습니다.

아무리 두들겨 맞아도 끌려나가는 일이 있더라도 함께 버틸 수 있는 동지가 있기에 끝까지 지켜냈습니다. 매일 매일 머릿속으로 되새기며 지켜온 그 날들을 생각하니 또다시 울컥하고 먹먹함이 밀려옵니다. 함께 해야만 지킬 수 있고 바꿀 수 있다는 것을 몸소 느끼고 다시금 뼛속까지 새길 수 있는 시간이었습니다.

마침내 정권 퇴진이 되었지만 그것으로 끝난 것이 아니었습니다. 노동자로 살아가는 동안 끝날 때까지 끝난 게 아니라는 것을, 노동조합이라는 우산 속에서 동지들과 함께 발맞춰 나아갈 때 비로소 지킬 수 있음을, 누군가 다시 그날과 같은 상황이 온다면 그때도 앞서서 나아갈 것인가 물어온다면 "함께 할 동지가 있는 한 또다시 벼랑 끝에 선다 해도 버텨라, 그리고 이겨낼 것이다" 라고 말할 것입니다. 혼자 가면 빨리 가지만 함께 가면 멀리 갈 수 있다는 말처럼 동지들과 함께 멀리 갈 수 있는 노동조합이 되길 응원합니다.

3부 새로운 산별노조, 새로운 연대 2004~2013

4부 더 큰 단결을 향하여 2014~2017

1부
역사의 주인으로, 노동조합 결성과 확장
1988~1993

1. 1988년 임시직노동자들 노동조합 만들다

이렇게 살 수는 없다

노동조합이 만들어지던 1988년 그때 경북대병원은 국립대학교 병원이었고, 병원에서 일하는 노동자들은 대부분 공무원이었다. 하지만 국립대학교 병원에서 일하는 노동자들의

노동조합 결성 후 첫 교섭석상에서 교섭위원들.

노동조건은 '공무원'이라는 이름이 무색할 지경이었다. 공무원인 간호사의 노동조건이 그 지경이었다면 간호조무사 등 임시직노동자들은 오죽했을까.

1988년 노동조합 창립 직후 노조에서 낸 소식지를 통해 당시 열악한 노동조건을 짐작할 수 있다. 장시간 노동과 저임금에 시달리는 것은 물론 인격적 대우조차 없었다. 상사들은 은행 잔심부름이나 가운 세탁 따위 사적인 일을 시켰다. 엄연히 이름이 써진 명찰을 달고 있는데도 "야야~" "학생!" "미스 야~"이라 부르는 게 예사였고, 늘 어린아이 대하듯 반말이었다.

"모 병동에서 근무하는 모양은 상사의 가운을 빨아오라는 명령을 여러 번 듣고 말하지 못한 가운데 파출부 취급을 받는 모욕을 당했다."[2]

또 병원은 해마다 모든 직원의 가운을 무료로 맞춰주면서 일용직에게는 세탁비를 개인이 부담하도록 했다. 경력도 인정하지 않아서 1년 차나 5년 차나 임금이 같았는데, 임금 자체도 터무니없이 낮았다. 하루 치 임금으로 5천 원을 지급한 때는 1988년에 노조가 만들어진 이후부터다.(1986년 3,500원, 1987년 4,000원) 짜장면도 한 그릇에 800원 하던 시절이다. 임금을 받을 수 없는 공휴일이 많은 달은 더욱이 생활 자체가 녹록지 않았다. 물론 휴가조차 제대로 보장받지 못했다.

"제가 경북대학병원에 다닌다고 하니 제 주위의 모든 분이 '정말 좋은 데 다니는구나!' 하십니다. 그럴 때면 저는 너무나 가슴 아픕니다. 물론 돈이 사람 살아가는데 전부는 아니라고 하실지 모릅니다. 그러나 사람이 살아가는 데 꼭 필요한 게 '돈'이라고 생각합니다. 병원 측에서는 저희 월급에 대해 어떻게 생각하십니까? 정말 하룻저녁 술값밖에 되지 않을 이 적은 돈으로 우리는 생활비, 저축, 여러 면으로 쪼개고 쪼개어 쓰고 있습니다."[3]

경북대학교병원은 인력이 부족해도 정부가 공무원 정원 충원을 결정해주지 않아서 매번 임시직을 채용했다. 그렇게 간호조무사와 경비, 그리고 공무원 발령을 기다리고 있던 간호사 등으로 임시직은

---

2   "우리가 받는 대우는 어떠합니까?"〈경대병원 노조소식〉창간호(1988년 8월 30일)
3   "조합원의 소리(박미경)"〈경대병원 노조소식〉3호(1988년 9월 2일)

당시 2백여 명으로 늘어나 있었다.

노조결성은 바로 그 임시직(기능직) 중심으로 시작했다. 병원이 정한 임시직 직원의 공식명칭은 '일용잡급직'이었다. 주로 간호조무사, 경비, 청소 파트와 식당, 시설과 등에서 일하는 그들이 모여 노동조합을 만들었다. 개중 간호조무사가 제일 많았다. 업무도 과다한데, 수간호사의 개인 심부름까지 도맡아 하다 보니 불만이 극에 달한 탓이다. 장시간 노동, 저임금, 차별, 인간적 모욕… 임시직노동자들이 노동조합을 만드는 데 앞서나갈 이유는 차고 넘쳤다.

이처럼 참혹한 현실 속에서 숨죽여왔던 경북대병원 노동자들은 1987년 6월항쟁과 노동자 대투쟁으로 인간다운 삶에 눈뜨게 된다. '인간 선언'과 함께 경북대병원 노동자들은 노동조합 결성과 투쟁, 나아가 산별노조와 의료공공성 쟁취를 향한 대장정을 시작하게 된다. 역사 속으로 성큼 발을 내디딘 것이다.

X-Ray필름실에 모여 '인간 선언'

1987~1988년 전국적으로 노동조합 결성 붐이 일어나고, 대구지역에서도 투쟁이 활발했던 시기다. 대구노동자협의회, 대구노동교육협회 등 단

1988년 총회에서 교섭내용 보고하는 교섭위원들.

체 활동가들로부터 도움을 받으며 노동조합을 준비했다. 또 경북대학교 출신 간호사들도 노조결성을 함께 준비했다. 노조를 결성한다는 것은 너무나도 당연한 시대적 분위기였고, 마침 노동자의 권리를 향해 품은 그들의 열망이 결합한 것이다.

'007작전'처럼 발기인을 모아냈다. 이들은 8월 25일 점심시간에 X-Ray 필름보관실에 모였다. 여름 한복판을 지났다 해도 8월 끝자락의 대구는 여전히 무더웠다. '노동조합'을 향한 열망까지 더해져 행사장은 열기로 가득 차 후끈거렸다.

드디어 경북대병원 노동자들이 "우리는 일용잡부가 아니라 노동자다"라고 선언하는 순간이었다. 젊고 찬란했던 시절이다. 가슴이 벅차오르며 심장은 요동쳤을 것이다. 그렇게 국립대 경북대학교병원에 노동조합이 들어섰다. 개별로는 어쩌지 못했을지언정 '노동조합'으로 하나가 된 조합원들은 이제 무엇이든 할 수 있다는 자신감과 혼자가 아니라는 든든함을 얻었다. 조합원들에게 노동조합은 당연하고 자연스러운 둔덕으로 다가왔다. 8월 25일 참가자 80명의 조합원 명단은 당시 자필서명부로 남아있다.[4]

임시직 모두가 가입한 것은 아니었는데, 이유가 있었다. 공채가 아

4 강성숙 권수정(신경정신과) 권수정(흉부외과) 권춘희(내과) 권춘희(내과외래) 권택자 기원란 김경원 김경자 김량희 김미선 김미애 김미영 김미정 김양경 김영희 김옥숙 김옥향 김유근 김윤숙 김은주 김태옥 김현숙 김혜숙 나문희 남옥순 노명희 문해종 박미경 박병을 박수연 박은영 박향자 박혜경 배동기 백운남 서경화 석혜경 성미현 손숙희 손순옥 안경분 안귀조 엄인숙 염을성 오선하 오은주 유현숙 윤영희 이경숙 이명희 이미아 이미영 이미자 이미정 이순분 이영호 이정숙 이향숙 임진옥 장세희 장숙명 정경태 정다희 정정순 조미영 주성자 채외숙 최묘향 최숙희 최연희 최혜숙 피순식 하경애 하양미 한정구 함종정 허미라 홍윤숙 황춘옥_이상 서명자 80명(가나다 순)

니라 인맥을 통해 알음알음 채용되던 시절이다. 이래저래 입사하도
록 소개해준 관리자나 공무원인 정규직들과 관계가 얽혀있기 때문에
부담이 클 수밖에 없었다.

노동조합을 설립하면서…

1988년 8월 25일 만년 일용직으로 있는 사람들이 보람 있는 직장생활이
되어야 함에도 보람을 느끼지 못하고 비인간적인 대우에서 인간다운 생
활을 하고자 90여 명이 모여서 노동조합결성대회를 갖고 중구청에 접수
시킴으로써 우리 경대병원에서도 합법적인 노동조합이 설립되었습니다.
이제까지 우리는 어떠했습니까?

몇몇 사람이 대표로 우리의 처우 개선과 임금인상에 대해 건의를 수차례
했으나 예산이 없다 또는 공사가 되니 기다리라는 얘기만 되풀이해온 것
이 몇 달이 아닌 몇 년이나 지났습니까?

이제는 우리도 어렵고 힘든 가운데 노조를 설립하게 되었습니다.

이제까지의 비인간적이고도 부당한 대우들을 노조를 통해서 정당한 권리
와 대우를 받고 인간다운 대접을 받아야 할 것입니다.

이 땅의 모든 사람들에게 육체적 정신적 고통으로부터 벗어나 보다 건강
한 삶과 행복한 나날을 보낼 수 있기를 최대의 목표로 삼고 노력하는 것이
우리 경북대학병원이 되어야 함에도 불구하고 병원에서 일하고 있는 우
리 일용직의 경우는 어떠한 상태입니까. 최저생계비에도 못 미치는 저임
금으로 고통을 주며 비인격적인 업무지시와 그것도 법을 준수한다는 국
가병원인 경대병원이 시대에 뒤떨어진 근로기준법 위반사항들이 있지 않
습니까? 여러분! 우리가 노조를 만들고 나니 병원당국에서는 노조 때문
에 공사가 안된다 또는 늦어진다 하면서 노조를 없애려고 노조원들에게
노조 때문에 공사화가 늦어지는 것처럼 이야기를 하고 있습니다. 공사 문
제가 진정 우리의 노조활동 때문에 늦어질 수 있을까요. 그것은 국가정책

적인 문제로 모든 공공기관들을 경영의 합리화를 위해서 국가적 차원의 이익과 병원 운영하는 분들에게 좋으라고 하는 공사인데 우리들의 노조 때문에 그 일을 진행시키지 않겠습니까? 오히려 우리같은 사람들에게는 공사가 되면서 당할 수 있는 불이익을 노조가 있음으로써 단결된 힘으로 어떠한 부당한 경우도 막아낼 수 있습니다. 노조는 우리와 같이 힘이 없는 사람들이 함께 뭉쳐서 우리의 권리를 주장하고 우리의 일한 대가를 찾아 인간다운 생활을 하려고 만들어진 것입니다. 꼭 필요한 것은 절대적인 단결입니다.

그래서 우리는 활짝 핀 얼굴로 직장 내의 밝은 분위기를 만들어 기쁜 생활을 하고 싶은 것입니다. 이러한 목적 가운데서 우리 노조에서는 병원 내에 있는 많은 문제들 중 저임금 문제, 부당한 승진, 휴가 문제, 유급휴무, 비인격적 대우, 후생복지 등 근로기준법 위반사항들을 노동조합을 통해 하나씩 개선해 나갈 것입니다. 그리고 우리의 이러한 정당한 요구는 언제나 합법적 테두리 안에서 사용자와의 격의 없는 대화를 통해 당연한 권리를 찾아야 할 것입니다.

만일 사용자의 부당한 행위, 예를 들어 노조 가입 방해 및 탈퇴 강요행위, 조합원의 조합활동을 이유로 한 각종 차별 대우, 부당한 인사조치 등은 법적 부당노동행위이므로 국가 공권력에 의해 법적 물리적 제재를 받게 될 것이고 노조의 단결된 힘으로 막아 나갈 것입니다.

친애하는 동료 여러분!

이제 노동조합의 주인은 바로 여러분입니다. 단 하나뿐인 자신의 삶을 올바르고 의미 있게 살아가기 위해 우리 모두 노동조합에 가입합시다. 바로 여러분의 또 다른 모습인 노동조합의 뜨거운 관심과 참여 속에 끝없이 발전할 수 있도록 많은 성원을 보냅시다.

지금 즉시 우리 모두 조합에 가입합시다.

"우리 손으로 만든 노조 똘똘 뭉쳐 지켜내자"

- 1988년 8월 29일 경북대학교병원노동조합원 일동 -

"우리가 만든 노조 똘똘 뭉쳐 지켜내자"

노동조합 결성대회 이튿날 대구 중구청 사회과 노정계에 설립신고서를 접수했다. 사흘 뒤인 8월 29일 오후 3시 30분경 드디어 설립필증이 나왔다. 같은 날 오후 6시에 조흥은행(현재 병동약국) 앞마당에서 노동조합 결성 보고대회를 했다.

　설립필증이 나오기까지 순탄치만은 않았다. 8월 26일 대구 중구청에 설립신고서를 접수하고 사흘 뒤에 신고필증을 받기로 약속이 됐다. "29일 오전 10시 이후에는 언제든지 신고필증이 나온다"는 답이었다. 사흘 뒤인 29일 10시 30분쯤 중구청에 방문했으나 "담당자가 출장 갔다"는 이유로 오후 2시에 오라고 했다. 2시쯤 다시 전화하자 "담당자가 아직 오지 않았다"며 "5시에 오라"고 했다. 더는 참을 수 없었던 노조 간부와 임원진이 오후 3시경 중구청에 찾아갔다. 사회과 노정계 계장은 "오늘 내로 주면 되지 않느냐?"면서 이런저런 핑계를 댔다. 노조 간부들이 "그러면 우리가 중구청장실에 가서 받아가야겠다"며 일어섰다. 결국 담당자는 "성질이 급하네"라고 우물거리더니, 3시 30분에야 설립필증을 내주었다.

　숨죽여 지내온 세월,

1988년 첫 파업 찬반투표.

노동조합 결성을 향한 조심스러운 발걸음 끝에 드디어 '경북대학교 병원노동조합'이라는 울타리를 세운 것이다.

노조결성 보고대회에 이어 조합원의 뜻에 따라 8월 30일에는 X-ray 필림보관실에서 첫 총회를 했다. 120여 명의 조합원뿐만 아니라 노동조합에 관심이 있는 비조합원까지 참석해 행사장이 가득 찼다. 다음날인 8월 31일에 곧바로 2차 임시총회를 열었다. 노동조합 결성 직후 긴박했던 상황을 증명하는 듯하다.

전국병원노동조합협의회 양건모 의장이 축전을 보내왔다. 서울대병원노동조합에서도 축전이 도착했다. 당시 MBC 뉴스에서는 "전남대에 이어 국립병원에서 두 번째로 노동조합이 설립됐다"고 보도했다.

노조가 만들어지자 당황한 병원은 부당노동행위까지 불사하며 기세를 꺾고자 했다. 서무과 관리가 경비실 직원들을 모아놓고 "당신들은 노조의 대상이 되지 않으니 가입하지 말라"고 압력을 넣었다. 그러나 이미 '노동조합'으로 일어선 조합원들은 물러서지 않았다. 한 조합원이 경북대학교직원노조에 문의해, 수위도 노조에 가입해서 정당하게 노조활동을 하고 있다는 사실을 알아냈기 때문이다. 그들은 병원의 탄압을 뚫고 당당하게 조합원이 됐다. 약국장은 약국에서 일하는 직원 5명에게 "느그들(너희) 다섯은 있으나 없으나 똑같으니 가입하지 말라"는 망언을 하기도 했다.

당시 노동조합은 연일 〈경대병원노조소식〉을 펴내 노동조합 소식을 발 빠르게 조합원들에게 전달했다. 소식지에 부당노동행위의 의미와 노동조합이 무엇이며 왜 필요한지 등의 내용을 담아 알렸다.

또 노동조합 가입을 독려하고 가입한 조합원을 격려하는 것도 빼놓지 않았다.

임시총회도 매일 열었다. 9월 1일 열린 임시총회에는 60여 명의 조합원이 모여 노래와 율동, 풍물을 배우고 익혔다. 당시 소식지 기사에서 총회 열기를 짐작할 수 있다.

"아쉬워서 자리를 떠나지 않는 조합원들을 보내느라 혼났다. 빨리 해산해 달라는 부위원장의 독촉이 있고 난 뒤 아쉬운 마음으로 헤어졌다."[5]

---

5 "제3차 임시총회를 마치고" 〈경대병원 노조소식〉 3호(1988년 9월 2일)

2. 노동조합 결성 후 첫 파업 첫 승리

우리는 '일용잡부'가 아니다

경북대병원 노동자들은 병원의 참담한 노동 현실에 '노동자도 인간'임을 선언했다. 노동조합 결성으로 '조합원'이 됐기에, 이제 더는 현실에 순응하지 않았다. 당시 노조 소식지는 조합원들의 현실을 생생하게 전하고 있다. 조합원들의 요구는 모두 너무나 당연함에도 시행되지 않던 것들이다. 그만큼 절박했다. 당시 상황을 보면 조합원들이 투쟁에 나서지 않는 것이 도리어 이상할 지경이다.

"24시간 서서 근무한다는 것은 본인이 아니고서는 정말 그 심정을 이해할수 없다.
상례적으로도 모든 신체적 움직임이 저조해지는 시간인 만큼 한밤중이 되면누구나 잠이 오게 마련이다. 3교대로 감독을 도는 입장에서는 나태함이나근무태만으로 지적만 하고 문책할 게 아니라 정신적 육체적으로 스트레스를받는 입장이 얼마나 괴로운 것인가를 십분 이해해줘야 한다. 타병원에서는3교대인데 비해 본 병원의 격일제 근무는 참으로 울고 싶은 마음밖에 들지않는다. 계속 이런 식으로 나간다면 건강은 물론이고 본인들을 비참하게 만들며 나태함을 키우게끔 만든다는 것을 관리직들은 인식해야 한다. 그런 의미에서 3교대 근무가 이루어진다면 얼마나 좋을까?
더욱이 본 병원은 구조상 동관이 길고 복잡하여 꼭 필요한 위치에는 경비가서지 않고 형식적인 위치에만 자리잡고 있어 문제가 발생한다고 생각된다.경비원들의 과다책임에 고충을 이해하기는커녕 막연히 회전의자에서 방문

객들에게 친절하라고만 하니…

막상 근무시간에 혼자 해결한다는 것이 몸싸움을 일으키는 주원인이 아닌가? 병원의 첫인상이라 할만한 경비원들의 친절이 일상적이 될 수 있다면 병원의 대외적 이미지는 엄청 좋아지리라 본다. 무조건 병원의 예산이 어렵다고 투정만 말고 3교대 실시, 경비원 증가로 교육, 토론회를 가져 평가와 반성이 반복된다면 경대병원은 훨씬 밝은 병원이 되지 않겠는가."[6]

당시 조합원들의 요구 중 가장 큰 비중을 차지하는 게 '인격적인 대우'다. 직원들의 가운이 흰색인 데 반해 임시직들은 파란 가운을 입게 해 구별했다. 간호조무사들이 병실 청소까지 도맡아 해야 했다.

사적인 심부름도 많이 시켰다. "월급을 찾아다 달라" "세금을 내 달라" "친척이 병원에 오니 가서 봐달라" "은행 일 좀 처리하고 와라" "승차권 사다 달라" 등 지금으로써는 상상조차 할 수 없는 사적인 '부탁'들이다.

어떤 조합원은 "경북대병원노동조합이 설립될 것이라는 확신 아래 1년 넘는 긴 시간을 꿋꿋하게 참아왔다"고 말했다. 노동조합이 만들어지자 조합원들의 요구들이 봇물 터지듯 터져 나왔다.

"공무원이 노는 날 일용직도 똑같이 놀게 하라." "가운 색을 흰색으로 바꾸어 달라." "적은 월급에 통근버스도 없으니 통근버스 운행을 하라." "사환을 쓰지 말고 간호조무사 채용을 실시하라."[7]

---

6 "우리가 받는 대우는 어떻습니까? 24시간 근무하는 경비직에 계신 분들의 고충" 〈경대병원 노조소식〉 4호(1988년 9월 5일)
7 "어느 조합원의 현실과 그 요구를 들어본다" 〈경대병원노조소식〉 제4호(1988년

1988년 파업 중에 노조 탄압하는 총무과장에 항의하며, 총무과 점거한 조합원들.

　　노동조합은 결성과 동시에 곧바로 투쟁에 나섰다. 무엇보다 '일용잡급직'이라는 용어 자체가 문제다. 노동조합의 첫 번째 요구는 '일용잡급직'이라는 명칭을 바꾸라는 것이었다. 그리고 터무니없는 임금과 비참할 정도로 열악한 노동조건 개선을 요구했다.

　　노조는 병원에 임금교섭을 요구하고, 9월 6일 임금인상 대토론회를 열었다. 조합원의 마음을 하나로 모으기 위해 율동과 노래로 시작한 대토론회에서 조합원들은 이제껏 참고 억눌렸던 울분을 토해냈다. 권수정 노조 위원장이 대토론회 목적을 이야기하고, 한국노총 간부를 불러 '임금협상에 들어가는 조합원의 자세'에 관한 강의를 듣기도 했다.

　　노조는 9월 9일, 병원에 교섭 요청공문을 발송했다.

———
　　9월 5일)

노동조합의 요구

- '일용잡급직'이라는 명칭을 '임상직'으로
- 현재의 일당제를 월급제로(본봉은 고용직과 같게)
- 고용직이 받는 모든 수당을 일용직에게도 동일하게 적용(교육연구비 40,000원, 정액급식비 30,000원, 특진비보상급 15,000원, 가계보조비 25,000원, 위험근무수당 9,000원, 가족수당(고용직과 동일))
- 상여금 연 400~600%(정근수당 포함) 이상 지급
- 노조사무실 개설
- 상근자 2명 인정, 상근자 월급은 조합원과 동일하게 지급
- 병원 전체 일용직 명단을 노조 위원장에게 제공
- 경력 인정(일용직 퇴직 후 고용직 승진 시 경력 인정 안 되므로 퇴직금으로 지불)

"올림픽 주최국이 12만 원 웬 말이냐"

"한 달 월급 12만 원에서 용돈 13,000원을 타서 다음 월급날까지 필요한 물건을 사면 용돈은 한 푼도 안 남으며 집에는 환갑을 넘은 아버지가 병환으로 방에서 꼼짝을 못 하시고 환갑이 가까운 어머니는 동생들과 나 그리고 아버지 시중으로 집에 계시고 남동생은 고2, 여동생은 중2, 내가 받는 12만 원으로 먹고 살래 동생들 공부시킬래 세금 낼래 한달 버스비 내고 나면 항상 쪼들리는 한 달, 겨우 입에 풀칠할까 말까 하는 아니 5명의 생활비도 못해나가는 형편이다.(그것도 반찬은 매일 풀로) 한창 놀러 다닐 나이에 돈이 없어서 집에서 시간을 보내야 하며 1년에 3번 나오는 보너스도 아닌 위로금 한 번에 5만 원. 친구들은 보너스가 많이 나오니 좋은 옷 한 벌 사면 알맞다고 하는데 우리는 이게 무언가? 좋은 옷 한 벌 살 돈도 안 되니 정말 우린 목숨이나 이어나가며 살아야 하는지? 그리고 시집을 가려면 돈이 있어야 시집을 가지. 1년 벌어도 항상 손해 보는 가계부. 어느 고용직은 한 달 용돈이 20만 원

이라고 하면서 그것도 적다고 투덜대는데 그럼 우린 한 사람의 한 달 용돈도 안되는, 아니 용돈의 반밖에 되지 않는 적은 돈으로 어떻게 먹고살란 말인가?"[8]

경북대병원은 다른 종합병원보다 하루에 4백 명 이상 더 많은 외래 환자를 보고 있었다. 같은 시기 영남대의료원, 계명대병원, 파티마 병원의 1일 환자 수가 8백 명가량이었던 데 비해 경북대병원은 하루 1,200명을 웃돌았다. 환자가 입원하려고 해도 병실이 없을 정도였다.

경북대병원이 발전한 배경에는 여러 이유가 있겠지만 이처럼 노동자들의 저임금 장시간 노동이 있었기 때문임은 두말할 필요가 없다. 그러나 노동자들은 자부심도 잠시, 월급봉투를 받을 때마다 처참한 심정을 느껴야 했다. 어떤 조합원은 다른 직장 친구들을 만나면 "국공립대학병원에서 이 정도밖에 안 주냐, 거짓말 마라"는 말을 들어야 했다. 실제 임금 수준이 국립대병원이라고 하기에 터무니없게 적었다.

1987년 5월 31일 한국노총이 발표한 생계비 산출표에 따르면 1인 여자 최저생계비가 222,565원이다. 1988년 서울올림픽[9] 직전, 전국이 보여주기식 개발에 돈을 퍼부으며 치장에 한창일 때다. 그러던 때 경북대병원 임시직노동자들의 월급은 12만 원이었다. 그러다 보니 당시 경북대병원노조의 주요 구호가 "올림픽 주최국이 12만 원이 웬

---

8 "어느 조합원의 현실과 그 요구를 들어본다" 〈경대병원노조소식〉 제4호(1988년 9월 5일)
9 1988년 9월 17일부터 10월 2일까지 16일에 걸쳐 개최됐다.

말이냐!"일 지경이었다. 또 결혼한 일용직은 낮은 임금으로 생활고에 시달리고 있을 때 고용직에게는 수당과 자녀 학자금을 지급하고 있어서 직원 간 위화감도 컸다.

노조의 교섭 요구에 병원은 불성실한 태도

1988년 파업 중 원무과 앞 복도에서 농성하는 조합원들.

로 일관했다. 노동조합은 9월 10일 화원유원지로 야유회를 가기도 하면서, 여러 행사와 만남을 통해 조합원들의 단결을 드높였다. 9월 19일에는 노동쟁의 발생 신고를 내고 투쟁의 고삐를 조여나갔다.

10월 6일 아침 9시, 노조 출범 한 달 남짓 만에 '첫 파업'에 돌입했다. 앞서 5일 쟁의행위 신고를 위한 총회에 그사이 250명으로 늘어난 조합원 중 131명이 참석했고, 이 가운데 128명이 파업에 찬성한 것이다. 10월 6일 아침 9시 쟁의행위 발생신고를 접수한 뒤 일용직 조합원은 곧바로 파업에 돌입했다. 간호사들은 근무할 때 어깨띠를 맸고 근무가 끝나면 농성에 결합했다.

"지금 채혈실과 임상병리과 있는 곳이 그때는 식당이었거든요. 우리가 식당을 점거하고 파업농성을 했는데, 그때 조합원이었던 분 중에 식당 아주머니들도 있었어요. 거기서 우리끼리 채소랑 재료 사다가 밥해 먹고 그랬죠.

아침에 일어나서 체조하고 나서 북하고 꽹과리 치고, 줄 맞춰 노래하면서 병원을 한 바퀴 도는 거예요. 그리고 나서 로비로 가서 농성하고…. 그렇게 며칠을 하는데 병원에서는 반응이 없는 거예요. 직원들이 '너희는 병원 직원도 아닌데 왜 여기 들어와서 이런 걸 하냐'고 하더라고요. 구사대 비슷하게 하는데, 직원이 적군이었던 셈이죠. 그래서 식당 점거하고 파업하다가 지금 재활의학과 자리에 있던 외래수납계 점거 농성을 했어요." (최추희 구술)

파업 이틀째인 7일, 대구지역 병원노동자들을 비롯한 여러 노조원과 대구노동자협의회, 언론, 경북대 총학생회 등의 지지와 연대가 물결쳤다. 이날 조합원들은 대구백화점, 칠성시장, 대구역, 동아백화점 등 시내 곳곳에서 선전물을 배포했다. 선전물을 받아 본 시민들은 "경북대병원 월급이 12만 원이라는 게 믿어지지 않는다"는 반응이었다. 파업 3일째인 10월 8일 11시경 조합원 100여 명이 원장실로 몰려가 요구사항을 전달하기도 했다.

파업이 벌어지자 병원은 다양한 경로로 파업을 방해하고 나섰다. 대표적인 게 조합원들이 병원에 입사하도록 소개하고 연대보증을 선 중간관리자들이 나서서 압박하는 방식이었다. 그때는 이른바 아는 사람 '빽'으로 입사한 사람이 많았다. 조합원 자신의 결의는 드높았지만, 자신을 소개해준 사람에게 불이익을 줄 수도 있다는 불안감은 큰 부담으로 작용했다.

그러나 조합원들은 이제 혼자가 아니었다. 노동조합이라는 든든한 '빽'이 있었기에 병원의 그런 악랄한 압박도 견뎌낼 수 있었다.

"저는 그때 재종 매형이 원무과에 있었거든요. 그래서 집으로 엄청나게 압박이 들어오고 그랬는데, 조합원 대부분이 그랬을 거예요. 그래서 많이 부딪히고 한동안 말도 안 섞었어요. 파업하면서 외래수납창구 앞에서 연좌 농성을 하는데 원무과장이 중간관리자들과 함께 와서 농성장 침탈하고 그랬죠. 동네 양아치들 동원해 와서 욕설 퍼붓고 험악한 분위기 만들고⋯."(황현섭 구술)

간호조무사들이 파업에 들어가자 자연스레 모든 업무가 마비됐다. 처방전 수납에서부터 소독물 공급, 입·퇴원 기록지 이송, 환자 운반, 투약, 주사약 공급 등이 제대로 이루어지지 않았다.

계속 악화하는 병실 상황에 결국 수간호사들이 나섰다. 간호과에 '노조 파업으로 병동 업무의 어려움'을 호소하며 "병원이 빨리 노조의 요구조건을 해결해서 병동 업무를 정상화해달라"고 건의한 것이다. 그런데도 병원은 어려운 상황을 숨긴 채 병실이 원활하게 돌아가고 있는 것처럼 꾸며댔다. 수간호사들은 "히포크라테스의 후예이신 원장님께서 인간의 생명에 대한 사랑을 환자에게만 베풀 것이 아니라 생존에 시달리고 있는 일용직의 생존권을 보장해주시기를 진심으로 부탁드립니다"고 했다.

"파업하면서 노래도 배우고 연극도 같이 하고. 파업이라는 게 힘들고 우울한 그런 게 아니라 한마디로 말하자면 축제의 장이었죠. 지금 생각해보면 옛날에는 무슨 자신감으로 그렇게 했을까요?" (최추희 구술)

조합원들의 꿋꿋한 투쟁, 그리고 경북대병원 구성원들과 대구지역 노동자·학생의 연대로 10월 11일, 드디어 첫 단체협약과 임금협약을 타결했다.

첫 파업 후 주요 합의내용
- 일용잡급직을 임상직으로 명명
- 모든 임상직에게 일당 7,000원 지급, 단 근로학생은 5,000원 지급
- 1년 경과 때마다 4,000원을 가산하되 일당을 분할 지급
- 근무연수 산정은 매년 1월 1일과 7월 1일로 함
- 처우개선비는 소비조합 이익금으로 현행대로 지급
- 연장·야간·휴일근로수당은 공무원 수당규정에 준용해 지급
- 쟁의행위 기간 일어난 일에 대해 일체 민형사상 책임 묻지 않는다
- 위 사항은 1988년 10월 16일부터 적용

당시 파업 전 임시직 일당이 4천 원 정도였다고 하니, 임금이 50% 가까이 오른 셈이다. 파업 전 임금이 워낙 낮기도 했지만, 조합원들의 굳은 결의와 파업참여가 끌어낸 성과다. 병원 역시 빨리 정리해야 한다는 압박감이 컸을 것으로 보인다. 파업을 마친 뒤 조합원들은 자신감이 치솟았다.

"처음에는 두렵고 겁이 났으나 파업에 참가하면서 점점 용기가 나요. 삶에 자신감이 생겼어예!"
"이 병원에 10년 동안 여러 차례 임금인상을 요구했지만 묵살되었습니다. 노동조합이 나를 살리신 것입니다."
"저는 병원에 노조가 생긴 이후 엄마, 아버지와 매일 싸웠습니다. 왜냐하면 작년에 언니 회사에 노조가 생겼는데 실패한 후 언니가 회사에서 나왔기 때문이죠. '그래 너마저 노조냐?'고 하시대요. 그런데 파업에 들어간 후는 한 번도 싸우지 않았습니다. 파업 이후 한 번도 집에 들어가지 않았으니까요."

"저는 스태프 선생님과 같은 방에서 일하기 때문에 눈치가 많이 보였습니다. 그래서 파업 시작하는 날 아침 일찍 선생님 방에 갔었습니다. '오늘부터 파업이라서 같이 참여해야 하겠는데요' 가지 말라는 소리는 못 하시대요. 지금은 괜찮습니다. 눈치도 보이지 않고 자신감이 생깁니다."[10]

지역 노동조합들과 노동단체, 그리고 당시만 해도 학생운동이 활발하던 시절이라 경북대학교 의과대를 비롯한 지역 학생들의 연대가 큰 힘이 됐다.

그래도 파업이 끝난 뒤 현장에 복귀하는 게 쉽지는 않았다. 노동조합도 없던 사업장에서 노조가 만들어지고 곧바로 엿새나 파업을 벌였으니 그럴 만도 했다. 조합원들은 복귀할 때 비조합원들에게 앞으로 잘 지내자는 취지로 떡을 돌리기도 했다.

파업을 승리로 마무리하자 '공무원' 신분 때문에 노조에 가입하지 못한 간호사들, 특히 경북대 출신 간호사들을 비롯해 공무원인 정규직원들까지 노동조합과 파업투쟁을 지지했다. 병원 안에는 "노동조합은 있어야 한다"는 분위기가 빠르게 퍼져나갔다.

어떠한 도발에도 물러서지 않는다…현장투쟁의 시작

10월 27일 6차 임시총회가 열렸다. 총회에서 파업투쟁에 대한 경과와 부서별 활동, 그리고 재정 현황을 보고했다. 안타깝게도 파업투쟁

---

10 "파업 농성 기간 조합원들의 소리" 〈경북대병원노동조합 속보〉 제6호(1988.10.12)

을 이끌었던 지도부는 이날 일괄사표를 제출하게 된다. 지도부는 출범 이후 노동조합 활동을 돌아보며, 임금인상 투쟁 이후 조합원에게 소홀했던 점을 반성하는 한편 집행부의 성실성과 능력에 한계를 느낀다고 토로했다. 권수정 위원장이 "조합의 발전을 위해" 사퇴 의사를 표명함에 따라, 차기 위원장으로 최추희 쟁의부장이 선출됐다.

파업이 끝나자 병원의 탄압도 본격화됐다. 통상 오래 근무한 간호조무사들은 외래근무를 해왔는데, 병원이 예산 부족을 이유로 다시 병실로 전환 배치한 것이다. 또 그렇게 빈 간호조무사 자리는 사환을 채용해 대체했다. 게다가 미지급수당을 지급하라는 당연한 요구마저 교묘하게 피해가고 있었다. 이런 일련의 행태는 모두 기획조정실에서 추진하는 것으로, 노조 탄압의 일환이었다.

노조는 자신들의 권리뿐만 아니라 환자·보호자의 권리를 지키는 싸움도 소홀히 하지 않았다. 노조는 대학병원의 고질적 문제였던 '특진제도 철폐'를 강력히 주장했다. 단지 교수한테 진료받는 대가로 '특

1988년 파업에 항의하는 의사들.

진료'를 추가 부담하는 것인데, 당시 경북대병원에서 환자가 부담하는 특진료는 월 1억4천만 원에 달했다. 그 수익을 거의 교수와 서무과장이 챙겨가는게 밝혀졌다. 노조는 "의료는 돈 내는 만큼이 아니라 평등하게 제공해야 한

다"고 주장했다. 이런 주장은 이후 의료공공성 투쟁의 바탕이 되기도
한다.

또한 노조 탄압의 방편으로 진행되는 사환제도도 문제였다. 환자
진단에 직접 관계되는 의료업무를 10대 고등학생인 사환에게 대행케
하는 것이다. 이는 간호조무사 일자리를 위협하는 것을 넘어 환자의
안전마저 무시하는 행태라는 점을 지적했다.

이미 '노동조합'으로 뭉쳐 첫 파업으로 '승리'를 맛본 조합원들은,
이제 병원의 사소한 도발에도 그냥 물러서지 않았다. 경북대병원 노
동자들의 끈질긴 현장투쟁은 이때부터 시작되고 있었다.

공무원 간호사들 '평간호사회' 활동으로 연대의식 드높여

기능직 중심으로 노조가 출범하며, 노조를 같이 준비해온 간호사들
은 '2보 전진을 위한 1보 후퇴'로 일단은 노동조합을 탈퇴하게 된다.
당시는 공무원들의 노동조합 가입이 금지돼 있었기 때문이다. 이제
막 출범한 노동조합에 부담을 주지 않기 위한 전술이었으며, 미래를
내다보며 같이 내린 결정이다.

어쩔 수 없이 '노동조합'으로 함께 활동하지 못하게 됐지만, 노동
환경이 열악했던 간호사들에게는 '조직'이 절실했다. 당시 대부분 남
성이었던 의사들은 대부분 여성인 간호사와 업무를 하다가 갈등이
생기면 폭력을 행사하는 일이 허다했다. 간호사를 향해 철제로 된 드
레싱 세트나 의무기록철, 의자 따위를 집어 던지고 폭언을 퍼붓고 폭
행했다. 그래서 간호사들은 노조에 가입할 수는 없는 대신 노조 외곽

1990년 병원 앞마당에서 벌어진 노동조합과 평간호사회의 연대 풍물놀이.

에 간호사들의 모임을 조직, 1990년 11월 14일에 '경북대병원 평간호
사회' 창립총회를 했다. 평간호사회는 대구지역으로 확장했고 전국
차원으로 결성된 전국간호사회추진위원회[11] 활동도 병행했다.

"간호사들이 의사들의 폭력에 노출되는 일이 너무 많아서 7층 강당에 처음
으로 다 같이 모였어요. 한참 위 선배 수간호사부터 이제 막 들어온 신입까
지 와서 강당이 북적거리도록 많았지. '더는 이렇게 당할 수 없다', '간호사들
모임이 필요하다' 이런 이야기가 나왔죠. 그 자리에서 평간호사회가 시작됐
다고 볼 수 있어요. 우리 병원만 모일 게 아니라 대구에 있는 간호사들 다 모

---

11 병원노동조합연맹 산하 기구로 1988년부터 1993년까지 활동했다.

여야 한다는 이야기가 나오면서 동산병원 강당에서 간호학과 학생들까지 같이 모여서 강연회를 했던 기억도 나네요. 아! 또 얼마 뒤에는 충정도 어디에선가 전국 간호사모임도 했어요. 밤에 방에 앉아서 이야기를 나누는데, 우리만 이런가 했는데 전국의 간호사들이 다 똑같은 고민, 똑같은 상황인 거예요. 와~ 우리하고 어떻게 이렇게 똑같을까…, 그거 한 가지만으로도 감동이 밀려오더라고요. 그때 그 방 분위기가 아직도 생생하게 기억나요."
(이영숙 구술)

사실 평간호사회가 출범하기 전까지 3년제 전문학교, 4년제 대학교, 경북대 등 출신학교에 따라 달리 매겨지는 간호사들의 직급과 보직 등 승진 체계는 몹시 불합리하고 불평등했다. 당연히 같이 고민을 나누고 해결해가야 했지만, 병원의 의도적인 갈라치기 때문에 학제 간 차별에서 비롯된 갈등이 적지 않았다.

이렇게 불합리한 근무조건 때문에 분열돼 있던 상황에서 간호사들이 출신을 불문하고 평간호사회로 모인 것이다. 모여서 공부도 하고, 소식지도 펴냈다. 헌 옷 바자회나 일일 찻집을 해서 모은 돈은 불우이웃돕기에 썼지만, 더 중요한 목표는 조직화였다. 병원 전체 직원·환자와 함께 노래자랑도 진행했다.

"결속을 다지려고 산에도 가고 부산 해운대도 갔어요. 해운대에 놀러 가서 사진 찍고, 바닷가에서 놀고, 2층 찻집에서 바다 내려다보며 같이 얘기도 하고. 그때 갔던 찻집 이름이 '지웅'이었던 것까지 기억나네요. 평간호사회를 만들면서 학제 간 갈등을 넘어서는 계기가 됐을 뿐만 아니라 모두 친해져서 같이 활동하게 된 거죠. 간호사 대부분이 평간호사회에 가입했다고 보면 돼요." (이영숙 구술)

평간호사회는 무엇보다 현장에서 벌어지는 다양한 현안에 활발하게 대응했다. 물품을 제대로 지급해주지 않는 문제부터 인력 부족, 수간호사들의 횡포, 병동에서 업무 외에 시키는 잡무나 의사들과 업무 분담에서 오는 갈등 등에 하나로 뭉쳐서 요구하고 맞섰다.

의사와의 갈등은 대부분 업무 분담에서 비롯됐다. 평간호사회는 병원에 요구해 '업무분장위원회'를 구성해서 의사들과 직무를 나누었다. 병원에서는 정맥주사나 수혈 등 인턴이나 의사들이 해야만 하는 업무를 간호사들에게 떠넘기는 경우가 다반사였는데, 업무분장위원회를 통해 평간호사회가 그걸 막아냈다. 특히 반복적으로 벌어지는 의사들의 간호사 폭행 사건에 적극적으로 나섰다. 가해자 징계와 처벌, 재발방지책 마련 등을 요구하며 피케팅을 비롯한 여러 현장투쟁을 펼쳤다.

"평간호사회라는 이름으로 우리가 하는 게 목소리가 좀 컸죠. 의사들이 폭행하면 간호사들 전체가 들고일어나 들썩들썩했으니까. 한번은 의사가 간호사를 폭행한 일이 벌어져서 우리가 수련회 하다 말고 그날 밤 당장 쫓아 올라왔던 적도 있어요. 노조사무실에서 피켓 만들어서 새벽에 병원장실 앞에 올라가 투쟁하고 그랬지. 병원장이 깜짝 놀라서 난리가 났었죠." (이정현 구술)

평간호사회 활동을 계기로 간호사들 사이 출신에 따른 위계나 갈등은 많이 누그러졌다. 병원 차원에서는 수간호사들을 이용해서 계속 분열을 시도했지만, 1993년 법인화 이후 간호사들도 모두 노동조합에 가입하면서 남아있던 벽들도 조금씩 허물어져 갔고, 노조 활동을 하면서 평간호사회는 해산했다.

당시 평간호사회는 남은 기금 2백만 원가량을 도서를 구입해 노동조합에 기증했다. 그 책들로 노조사무실 한켠에 도서관을 만들고, 도서관 운영위원회도 구성했다. 운영위원들이 도서목록을 정리하고 대여장부도 만들어 도서관을 관리했으며, 책을 자주 빌려보는 조합원들에게는 선물도 했다. 그렇게 도서관은 조합원들이 노조사무실을 자주 찾게 하는 역할을 했고, 실제 조합원들의 참여도가 매우 높았다.

3. 빼앗긴 수당 2억 원 받아내다

3년 치 미지급수당 청구 집단소송

1988년 임단협 타결 이후 미지급수당 문제가 불거졌다. 집행부가 노조 활동을 시작해서 노동법을 배우고 보니, 이제까지 몰라서 못 받았던 법정수당 미지급액이 어마어마하고 그걸 3년까지 소환해 청구할 수 있음을 알게 된 것이다.

노조는 각 정당에 미지급 법정수당 지급을 위해 노력해달라는 문서를 발송했다. 또 대구노동청 국정감사가 열린 10월 17~18일 위원장과 간부들이 노동청에 가서 경북대병원 임상직의 실태를 고발하며 시정을 촉구했다. 국정감사단의 추궁에 노동청장은 "경북대병원이 임상직의 미지불된 법정수당을 지급하도록 하겠다"고 밝혔다. 실제

10월 25일에 병원장이 노동부로부터 '미지불임금 지불 명령서'를 받은 것이 확인됐다.

일용직 수당싸고 마찰[12]

대구 의대부속병원 일용직 근로자들의 각종수당 미지급 처리를 둘러싸고 해당기관 간에 이견을 보이는 등 갈등이 심화되고 있다. 게다가 예산 확보 등으로 현실적으로는 연내 소급지급이 어려워지자 근로자들이 크게 반발하고 나서 그 귀추가 주목되고 있다.

대구지방노동청은 지난 17일 실시된 국정감사에서 경대의대부속병원이 간호보조원·X선기사보 등 일용직근로자 1백83명에 대해 연월차·휴일근로·주휴 등 각종 수당을 지급하지 않은 것은 노동관계법의 위반이라고 지적, 지급하도록 하겠다고 국회의원들에게 약속했다.

그후 노동청은 미지급내역에 대한 실사를 실시해 지난 85년 주휴·월차·연차·휴일근로수당 6백19여만 원, 86년 4천4백48만 원 등 3년간 주지 않은 수당이 1억6천여만 원인 것으로 밝혀내고 금명간 소급 지급 지시를 내릴 방침으로 있다.

경대병원측은 이같은 노동청의 움직임에 대해 "일용근로자 수당은 문교부에서 예산영달이 이루어져야 가능하다"며 따라서 연내지급은 사실상 불가능하다고 반발하고 있다.

병원측은 또 수당 미지급 현상은 서울의대·전남의대 등 전국 6개 국립대 의료기관이 모두 해당되기 때문에 시일이 걸려야 해결될 것이라고 했다.

대구지방노동청은 지급 지시에 불응할 경우 경대의대병원장을 입건할 방침이다.

---

12 "일용직 수당 싸고 마찰" 〈대구매일신문〉 1988년 10월 24일자

당시 〈경대병원노조소식 7호〉(1988년 10월 25일자)에는 경비직의 체불임금 계산 사례를 실었다. 15일 근무를 만근으로 하고, 하루 근무 시간을 오전 9시부터 다음날 9시까지로 했을 때(도중 식사 및 휴게시간 별도 없음, 실근 24시간) 실수령액은 18만 원이었으나, 실제 받아야 할 임금은 521,600원으로 계산됐다. 무려 341,600원이나 받지 못한 것이다. 2년 근무자일 때 총액은 8,198,400원에 이른다.

간부들 헌신과 조합원들의 믿음으로 승소

노조는 10월 26일 병원쪽에 재차 지급 촉구 공문을 발송했다. 29일에 노조 위원장과 임원이 병원장실을 방문해 미지불 수당문제 추진상황을 확인했다. 그러나 병원은 "문교부의 지시를 기다리고 있다"는 식의 소극적인 태도를 보였다. 노조는 이 문제를 법적으로 해결하겠다는 뜻을 전달하고 11월 7일 검찰청에 고소한 뒤 11일에는 형사소송을 접수했다.

또 22일에는 김상하 병원장을 근로기준법 위반 혐의로 대구지방검찰청에 고소했다. 노조는 고소장에서 "병원장 김씨가 1985년 10월 16일부터 1988년 10월 15일까지 3년 동안 이 회사 일용노동자 165명의 휴일근로수당, 주·월차, 연차, 생리수당 등 모두 1억8,156만4백 원을 지급하지 않고 있다"고 밝혔다.

노조는 12월 7일 병원쪽에 미지급수당 산출

자료를 요청하는 공문을 발송했다. 하지만 병원쪽이 소극적인 태도로 일관하는 바람에 미지급수당 요구 투쟁은 이듬해까지 이어졌다. 1989년에도 병원은 예산이 확보되면 지급한다고 하면서 차일피일 미루기만 했다. 임금을 국가에 청구하는 것인데, 경북대병원에서 미지급수당을 지급하게 되면 다른 국립대병원에서도 요구가 빗발치게 돼 입장이 곤란해질 것을 우려해 지레 몸을 사린 것이다.

노조는 일단 국가를 상대로 최추희 노조 위원장 '1인 소송'을 시작했다. 그렇게 해서 승소하면 집단소송을 낼 계획이었다. 그렇게 1년여에 걸친 긴 법정 다툼 끝에 최추희 노조 위원장 임기가 끝난 후인 1990년 12월 21일에 드디어 승소하기에 이르렀다.

1990년 9월경 임기를 시작한 황현섭 노조 위원장이 집단소송을 본격화했다. 꼼꼼한 준비를 거쳐 소송자 신청을 받자 4월 12일까지(1차) 131명, 5월 20일까지(2차) 38명이 접수했다.

"169명 소송을 혼자 하려니까 개고생했죠. 변호사 사무실에 가서 면담했더니, 우리로 보면 큰 금액이지만 변호사가 볼 때는 소송자는 많고 액수는 적으니까 사건 수임을 안 하려고 하는 거예요. 그래서 개인적으로 아는 변호사한테 도움도 받고, 또 노무사사무실 가서 소장 작성하는 법이랑 이것저것 한 번 상담할 때마다 5만 원씩 주고 배워서 제가 자료를 다 만들었죠. 소송자들한테 위임장이랑 소송비용, 인지대, 이런 것 다 받아서 저 혼자 북 치고 장구 치고 한 거예요. 제가 포함돼 있으니까 저를 대표자로 해서 법원에 2년 동안 재판받으러 다녔어요." (황현섭 구술)

그렇게 1990년 3월부터 시작된 소송은 최종 161명이 참가해 2년여 만인 1992년 3월에 승소, 2억 원가량의 미지급임금을 돌려받게 됐다. 노동조합이 없었으면 알 수도 없었고 엄두도 못 냈을 일이다. 노동조합의 끈질긴 투쟁과 노조 간부들의 헌신, 조합원들의 믿음이 있었기 때문에 해낸 일이다.

못 받을 줄 알았던 임금을 돌려받자 몇 사람은 일부를 떼어 노동조합에 내놓기도 했다. 당시는 컴퓨터가 없을 때고, 저녁이면 병원에서 히터를 꺼버려서 추웠던 때다. 조합원들이 십시일반 내놓은 돈으로 전동타자기, 석유 난로, 책장 따위 노조사무실에 필요한 비품 몇 가지를 사들일 수 있었다.

4. 1993년 법인화로 조합원 크게 확대

불안한 법인 전환 '노활추' 꾸려 대비

1991년 2월 7일 임시국회에서 국립대학교병원 설립법안이 통과됐다.

이렇게 해서 1978년 6월 서울대학병원이 법인화된 이후 13년 만에 전국 3개 국립대병원(경북대학교병원, 부산대학병원, 전남대학교병원)이 법인화하게 됐다. 국립병원이던 시절에는 국가 시책으로 병원의 운영관리와 병원의 정책이 좌지우지됐다. 이제는 병원이 자체적으로 운영·관리하게 됐으니, "대학병원은 불친절하다"는 환자들의 인식을 해소할 수 있는 계기가 될 거라는 기대감도 없지 않았다. 아울러 병원 내 의료민주화에 박차를 가할 수 있게 됐다는 희망도 있었다.

그러나 병원의 공사화는 도리어 병원 직원들 간 계층화로 상호 위화감이 조성될 거라는 우려도 컸다. 무엇보다 공사화에 따른 조직과 신분의 변화가 개개인에게 미칠 여러 가지 영향에 관심이 집중됐다. 임금삭감 또는 인원 감축이 있을 거라는 소문이 직원들을 가장 불안하게 만들었다. 무엇보다 병원이 법인화로 무엇이 바뀌는지를 알려주지 않은 것이 문제였다.

궁금증이 증폭되는 가운데 3월 29일 특수법인화에 대한 초청설명회가 열리자 250여 명이 참석해 직원들의 관심이 어느 정도인지 드러냈다. 그러나 설명회에서 병원은 국회에서 통과한 법안에 대한 표면적 사실만 열거할 뿐 궁금증을 속 시원하게 풀어주지는 못했다.

1993년 노동조합 문화제.

"우리는 공무원에서 공사 직원으로 신분이 바뀌는 건데 병원에서 아무 얘기가 없는 거예요. 다 퇴직 처리해서 퇴직금 나눠주고 경력은 없어질 거라는 둥 온갖 소문이 무성한데 우리한테 설명해주는 사람이 아무도 없었다니까요. 그래서 우리가 강당에 모여서 병원이 나와서 설명하라고 했어요. 7층 강당이 떠나가도록 빽빽하게 모여서 '정준모 원장 나오라'고 외쳤죠. 수간호사부터 병원관리자까지 다 왔더라고요. 자기들도 어떻게 될지 모르니까. 원장이 왔다가 도망가려고 해서 내가 강당 복도 중간에서 딱 막고 질문을 퍼부었어요. '공사로 가노 손해 안 보게 애주겠다'고 하더라고요. 그래서 계속 따졌지. '공사로 갈지 안 갈지 우리한테 의견 물어봤나? 와 안 물어보노?' 하면서 다그쳤죠." (이영숙 구술)

노조는 어차피 진행되는 법인화라면 적극적으로 개입해야 한다고 판단했다. 직원들의 신분과 임금 보장은 물론이고, 실천적인 의료 민주화에 모두가 동참토록 해야 했다. 권위적이라는 병원 이미지에서 벗어나 환자와 더불어 동등한 위치에서 주인의식을 가져나가야 했다.

더구나 병원이 공사화 과정에서 직원들을 배제한 채 은밀하게 진행하는 게 문제였다. 노조는 이에 심각한 우려를 표하며, 병원에 공사 진행 과정을 명백히 공개하라고 촉구했다. 노동자들의 합당한 신분 보장이 이루어질 때만이 전 직원이 공사화를 받아들일 수 있다는 점을 분명히 했다. 아울러 노동조합활성화추진위원회(아래 '노활추')를 구성해 예상되는 설립 시기와 직급 변화, 근로조건 등에 관해 정보를 수집하며 조합원과 공유해나갔다.

공사화 이야기가 대두된 지 4달 만인 1991년 6월 노동조합이 진행한 설문조사 결과로 당시 직원들의 인식을 짐작할 수 있다.

설문조사 결과[13]

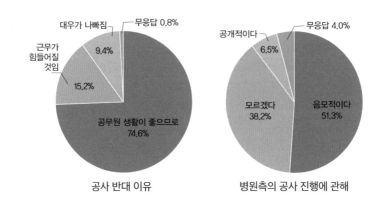

공사 반대 이유 / 병원측의 공사 진행에 관해

---

13 "지난 6월 설문조사를 마치며"〈공사특보〉제3호(1991.9.9). 직원 1,200명 중 의사를 제외하고 831명에게 배포, 489명 응답(수거율 60%)

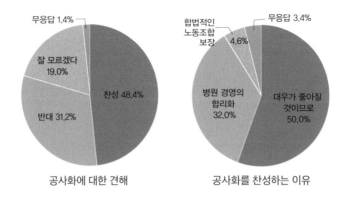

무응답 1.4%

잘 모르겠다
19.0%

반대 31.2%

찬성 48.4%

공사화에 대한 견해

합법적인
노동조합
보장
4.6%

무응답 3.4%

병원 경영의
합리화
32.0%

대우가 좋아질
것이므로
50.0%

공사화를 찬성하는 이유

임시직도 공무원도 '공사 정직원'…모두 노조 가입

법인화가 본격화되자 임시직을 정규직으로 채용하는 것과 관련한 유언비어가 난무했다. 조합원들의 불만의 목소리가 높아지고 상호 불신이 쌓이기도 했다. 노조는 법인화 과정에서 전체 임시직의 정규직화만이 살길임을 천명하고 병원의 법인화 추진에 적극적으로 개입하고자 했다. 끌려갈 것이 아니라 노조가 한발 앞서 준비해야 했다.

노동조합은 노활추를 중심으로 2년여에 걸친 대비를 시작했다. 무엇보다 법인화가 되면 공무원 신분이 아니므로 모두 노동조합에 가입할 수 있게 된다. 그렇게 조직확대를 목표로 시작한 것이 직종별 모임이다. 약사, 간호사, 행정직, 시설, 이렇게 직종별로 모여서 노조 확대·활성화 방안과 노조가 나아갈 방향을 주제로 끊임없이 토론했다.

황현섭, 하상록, 이정현 등을 주축으로 한 노활추는 직종별 모임을 가동하는 한편 앞서 법인화된 서울대병원노동조합을 직접 방문해 자문하고 정관을 검토하기도 했다. 법인화 이후 노조 확대를 위해, 또 확대된 노조의 일상활동과 여러 가지 대중적인 사업을 여러모로 시도했다.

"그때는 박봉을 털어서 통닭하고 맥주 사주며 토론해서 부위원장이나 현장 간부 10명 정도 인선을 했어요. 그렇게 모인 사람들이 소식지 〈징소리〉도 발행하고, 풍물팀도 활성화시키고, 수련회도 많이 갔죠. 영남대의료원이나 동산병원 같은 노조들 일상활동하는 것도 보면서요. 법인화되기 전까지는 처음 노동조합 만들고 파업 한번 거치면서 아주 기본적인 우리 권리를 되찾고, 그다음에 노동조합이 이런 거라고 만들어가는 과정이었습니다. 법인화 준비팀(노활추)에서 여러 직종별로 모아서 준비하고 노동조합 일상활동을 어떻게 하면 좋을지, 법인화 이후 노동조합의 방향은 어떠해야 할지 고민을 많이 했어요. 또 그때만 해도 대구지역에 투쟁 사업장이 아주 많았거든요. 그래서 연대투쟁도 정말 열심히 했죠. 그때 우리 노조 풍물팀이 안 나가면 집회가 안 될 정도였다니까요. 노래패도 굉장히 활성화돼 있었고." (황현섭 구술)

드디어 1993년 3월 25일, 경북대병원이 공사화하면서 '전체 임시직의 정규직화'라는 목표를 달성했다. 법안에 "대학병원 설립 당시 종전의 부속병원에 재직 중인 직원은 이 법에 의한 대학병원에 재직하는 것으로 본다"라고 명시됐다. 이는 정식공무원이든 임시직이든 본원에 재직해왔던 직원은 모두 이후 공사 직원이라는 신분이 보장되는 것으로 해석되기 때문이다.

정규직화 과정에서 논란이 없지는 않았다. 직급 이동에 따라 근속연수 인정, 임금체계 등이 모두 연동돼 있어서 어떤 직급을 받느냐는 몹시 첨예한 쟁점이었다. 일반직이냐 기능직이냐에 따라서도 조건

의 차이가 컸다. 그러나 당시 노동조합의 상근자 수나 역량으로는 직원들로부터 쏟아지는 불만을 모두 접수해 해결하기에 역부족이었다. 여전히 소외감을 느끼거나 불평불만을 품은 직원도 없지는 않았다.

그렇게 병원이 법인화하며, 조직은 크게 확대됐다. 공무원 신분 탓에 가입하지 못했던 간호사들이 노동조합에 대거 가입했다. 공사화로 노동조합 가입대상이 728명으로 증가해, 152명(1991년 9월 현재)이었던 조합원은 387명(1993년 8월 현재)으로 늘어났다.

노동조합은 출범 후 4년 동안 소모임, 풍물반, 노래반, 등산반, 기타반을 운영하고 소식지를 내는 등 일상사업을 펼치며 차근차근 노동조합의 기틀을 잡아 왔다. 법인 이전 공무원 신분이었던 직원들까지 가입해 규모가 확장된 만큼 이제는 4년 동안 다져온 기반을 바탕으로 더욱 안정적이고 체계적인 노조 활동을 펴야 할 때가 온 것이다.

전국에서 불타오르는 투쟁에 함께했다

일찍이 경북대병원 노동자들은 단결해서 노동조합이라는 조직을 결성하고 그 조직의 힘으로 파업까지 벌여냈다. 파업을 통해 노조를 지켜내는 한편 빼앗긴 권리를 찾기 위한 투쟁에 나설 수 있었다. 이는 물론 당사자들의 힘겨운 투쟁이 있었기에 가능했지만, 전국적인 분위기의 영향도 컸다.

1987년 전국적인 민주화투쟁과 노동자 대투쟁은 한국 사회에 대전환을 가져왔다. 1987년 1월 박종철 고문치사사건에 이은 4.13 호헌조치로 민주개헌을 촉구하는 대규모 시위가 시작됐다. 6월 한 달 동안 거리의 정치를 통해 노동자들은 자신의 이해를 쟁취하기 위한 '투쟁의 정치'를 경험했다. 투쟁의 힘을 강화하기 위해서는 '조직화'가 필수라는 점도 절감하게 된다. 그동안 권위주의적 지배체제에 억눌려왔던 노동자들은 1987년 7·8·9월 노동자 대투쟁을 통해 이를 폭발시켰다.

지역적 특성으로 탄압이 더욱 극심했던 대구지역에서도 투쟁의 불길이 타올랐다. 7월 1일 운수부문으로 시작한 대구지역 노동자 대투쟁은 기계·금속 사업장으로 번져 신규 노동조합 결성과 민주집행부 구성이 잇달았다. 경북대병원에서는 7월 1일 간호사들이 노동조건 개선과 간호과장 퇴진을 요구하며 투쟁을 벌였다. 동산병원에서는 8월 3일 약사들이 임금인상을 요구하며 투쟁을 벌였고, 9월 1일 민주노조를 출범했다.

1987년 노동자대투쟁의 열기는 이렇게 경북대병원에 닿았다. 그리고 경북대병원 노동자들 역시 그 열기를 더욱 크게 내뿜어 대구지역, 나아가 병원사업장과 전국을 달군 셈이다. 경북대병원 노동자들은 이렇게 노조를 결성하고 투쟁해나가며 조직된 노동자 대열에 합류했다.

1987년 노동자 대투쟁으로 전국에서 노동조합 결성 붐이 일어나고, 조직적 결집도 잇따랐다. 경북대병원에 노동조합이 결성된 1988년, 대구에서도 '대구지역노동조합협의회'(대노협), '일꾼의 집(이후 '대구노동자교육협회'로 전환) 같은 조직들이 출범했다. 노동현장에서는 개별 노동조합 탄압에 대항하는 연대활동이 본격화됐다. 1988년

1988년 노동조합 결성 후에 참가한 영남권 노동자 화암산 등반대회(61명 참가).

봄에는 '88임투대책위원회', 10월에는 '노동법 개정을 위한 특별위원회', 11월에는 '노동조합 탄압 분쇄 3공단 대책위'가 구성돼 활동했다.

1988년 12월 7일에는 '대구·경북지역노동조합연합건설준비위원회'(대경노련준비위, 위원장 양재복 대동공업노조 위원장)가 결성됐고, 이 활동을 기반으로 1989년 11월 8일 지역 민주노조 연합체인 '대구지역노동조합연합'(대구노련)이 출범했다. 한국노총 연합노련을 상급단체로 두고 있던 경북대병원노동조합은 1992년 9월 28일 4년 차 정기총회에서 규약을 개정해 정식으로 전국노동조합협의회(전노협) 가맹을 결의한다.

대구지역 민주노조운동은 1987년부터 1988년 사이에 기계·금속업체 사업장이 핵심적인 역할을 했으나, 1989년과 1990년에는 섬유와 염색업체 노동조합이 핵심 사업장이 되면서 여성노동자의 운동도 그만큼 활발해졌다. 1990년대에는 경북대병원, 파티마병원, 동산병원 등 병원 노동조합 여성 노동자들의 활동이 두드러졌다.

대구지역 차원의 조직적 연대가 한 축이라면 다른 한 축은 병원노동자들의 단결이다. 고된 노동에 짓눌린 병원노동자들에게 1987년 노동자 대투쟁은 꺼트릴 수 없는, 소중하고도 절실한 불씨였다. 1987년 7~8월 이후 불과 1년여 사이에 결성된 180여 개의 병원 노동조합들은 신규노조로서의 어려움과 취약성을 공동으로 해결하기 위해 1987년 12월 12일 경희대병원 강당에서 병원노동조합협의회(병원노협)을 출범했다.

병원노협은 단위노조 간의 정보와 경험의 교류, 지원 활동을 추진하는 한편 전국에 지역협의회를 구성해 전국적 조직체로 결집했다.

그러나 탄압에 대한 공동대처와 위장 휴·폐업, 부당노동행위에 대한 연대의 필요성이 높아지면서 협의회에 대한 요구가 커지는 만큼 체계상의 한계가 분명했다. 이러한 한계를 극복하고자 병원노협은 1988년 12월 17일에 경희의료원 기숙사 강당에서 발기인 150명으로 한 병원노동조합연맹(병원노련)으로 출범, 더욱 체계적이고 강력한 조직 활동을 벌여나갔다. 경북대병원노조는 1994년 5월 25일 대의원대회에서 병원노련에 공식 가입했다.

1. 1994년 일방적 임금 지급 거부투쟁

병원장실에 10원짜리 동전으로 임금 반납

1993년 병원이 법인화된 이후 첫 임단협이 시작됐다. 이전에는 임시직노조였기에 사실상 임단협이라는 개념이 없었다. 병원 역시 준비가 안 된 상태였다. 공사가 된 뒤 처음 맞는 해인 1994년, 정부 차원에서 국가경쟁력을 강화한다는 핑계로 노 경총의 임금합의에 따른 '가이드라인'을 정해 임금인상을 억제했다. 경북대병원 역시 관행대로 공무원 임금인상률을 일방적으로 적용하려 했다.

병원이 법인화를 추진할 때는 "신분은 공무원 수준으로 보장하고, 임금은 최소한 공무원보다 나을 것"이라 공언했다. 그러나 현실은 전혀 달랐다. 신분을 보장한다던 약속과 달리 관리자들은 인사권을 남발했다. 일반 직원의 정원을 동결해버리고 인사고과를 무기로 승진기회를 자신들 멋대로 박탈했다.

게다가 당시 국립대병원 환자 수는 1일 통상 1,700명 수준이었는데, 경북대병원은 법인화 이후 도리어 2,400명가량으로 늘어났다. 결국, 전 직원의 노동강도가 어마어마하게 거세졌다. 그런데도 병원은 노동자들의 고통을 외면한 채 "경제기획원에서 임금인상에 반대하기 때문에 어쩔 수 없다"라며 오리발을 내밀었다.

노동조합이 항의하며 교섭을 거부한 것은 당연한 일이었다. 그러나 병원은 1994년 1월 17일, 임금가이드라인 인상률 3%를 그대로 반

영해 1월 임금을 일방적으로 지급해버렸다. 노조는 "교섭을 통하지 않은 임금인상은 무효"라고 선언했다. 아울러 병원에 2월 임금인상분 지급은 중단하라고 요청했다. 그러나 병원은 2월에 또다시 인상분을 지급했다. 병원은 6% 인상이라고 주장했다. 그러나 1993년에 공무원 임금인상분 3%마저 동결한 바가 있으므로 그걸 제하면 1994년 인상분은 사실상 3%에 지나지 않았다. 이와 함께 일방적인 인사 조처로 직원 간 경쟁을 유발하고 개별화하려는 의도를 내보였다. 이 모든 행태가 "노동조합을 인정할 수 없다"는 병원의 속내를 여실히 드러낸 것이다.

노동조합은 상집 간부와 대의원들의 결의를 모아 2월 임금인상분을 반납하기로 했

다. 임금이 지급된 다음 날인 2월 18일 '1994년 임금인상분 반납 결의
대회'를 열었다. 2월 18일부터 26일까지 이어진 임금 일방인상분 반
납 운동에는 전체 조합원에 비조합원까지 가세해 580여 명이 참여했
다. 3월 4일에는 임금 일방인상분 반납액을 병원에 전달하려 했지만
거부당했다.

"돈 돌려준다고 했지만, 병원에서 안 받으니까 돌려줄 방법이 없는 거예요.
그래서 10원짜리 동전만 모아서 병원장실 앞에 던지고 그랬어요."
(이정현 구술)

　　노동조합은 3월 10일 밤샘농성에 돌입했다. 노조는 기자회견을
열어 "불법적이고 일방적인 기본급 3% 인상 지급에 대한 강력한 대
응과 투쟁"을 천명했다. 이와 함께 전 직원 설문조사를 진행하고 결과
를 분석해 임금 '정률 7.5%+정액 31,511원 인상'과 모든 수당 인상을
요구했다.

　　그러나 병원장은 교섭에 제대로 참석하지도 않았다. 조합원의 거
센 항의에 어쩌다 교섭 석상에 나온 날에는 턱을 손에 괸 채 눈을 감고
앉아있었다. 어쩌다 말문을 열 때면 "정부 방침대로 합시다"라는 말
만 되풀이했다.

　　이런 상황에서 병원은 노동조합과 한마디 상의도 없이 체육대회
를 강행하려 했다. 당연히 노조는 체육대회 연기를 요구했다. 노조는
"직원들의 불만을 일회적인 체육대회로 해결할 수 있는가?"라며 체
육대회 반대 서명운동을 벌였다. 3일 만에 5백여 명이 서명하자 병원
은 결국 체육대회를 연기할 수밖에 없었다.

병원의 성의 없는 태도가 일관되게 이어졌다. 하상록 노조 위원장이 성실교섭을 촉구하며 단식농성을 시작했다. 노조 집행부와 대의원들은 병원장실을 찾아가 성실교섭을 촉구하며 항의했다. 정준모 병원장은 "마음이 아플 뿐"이라면서도 임금인상 요구에는 "한 푼도 인상해줄 수 없다"고 잘라 말했다. "방침"이라는 것이다. 이 시기 경북대병원 임금은 대구지역 다른 병원과 비교해서도 터무니없게 낮은 수준이었다.

1994년 대구지역 병원 임금실태 비교

임금실태	경북대병원	영남대병원	파티마병원
기본급 평균	372,000원	443,330원	335,150원
통상급 평균	443,014원		532,705원
상여기준지급	기본급 400%	기본급 800%	통상급 600%

공사 직원이 됐다지만 노동조건 역시 변한 게 없었다. 당시 시설과 보일러실의 경우 7명 정원인데 1명은 반장이고 2명씩 3교대로 휴일 없이 일했다. 2명의 근무자 중 한 명이라도 피치 못할 일이 생기면 이미 근무를 마쳤거나 집에서 쉬어야 할 다른 직원이 또다시 과중한 일을 해야 했다. 가스실 역시 3명이 3교대로 일했다. 병동 역시 사정은 마찬가지여서 36동의 경우 낮번 근무자가 감독 1명, 정상근무자 1명, 임시직 1명으로 3명이 환자 40명을 돌봤다. 항의방문에서 노조가 이런 현실을 제기하자 병원은 "몰랐다"라고 발뺌했다.

직권중재에 밀려 파업 유보하고 위원장은 사퇴

노조는 5월 25일 임시대의원대회에서 '쟁의발생'을 결의했다. 당시 선전물에서 이날 결의대회를 생생하게 기록하고 있다.

"12시 20분, 진단방사선과 앞 로비에는 병동 및 각부서 조합원들이 하나둘 모여듦. 12시 25분, 갑자기 쏟아지는 비로 인한 우려를 말끔히 씻어주는 듯 로비가 꽉 참. 경북대학교병원노동조합의 투쟁을 격려하기 위해 오신 대구지역 노동자들과 조합원 및 비조합원의 얼굴도 많이 보임. 12시 30분, '내용 있는 성실 교섭 촉구와 94년 임단투 완전 승리를 위한 전조합원 결의대회'가 사무국장의 개회선언으로 시작, 위원장님이 힘찬 대회사를 할 때에는 그 열기와 함성이 온 병원이 떠나갈듯했음."

이날 결의대회 이후 노동조합 사무실에는 조합원들의 격려 전화와 지지방문이 끊이질 않았다. 식당 조합원들은 격려금 10만 원을 전해왔다.

노조는 27일, "5월 31일 교섭에서 병원측이 '전 조합원의 최저생계비에 준한 실질임금'이라는 구체적인 안을 제시하지 않을 시에는 6월 1일 보고대회를 계기로 쟁의발생 신고를 노동위원회에 접수하고 바로 준법투쟁에 돌입하겠다"고 밝혔다.

6월 1일 따가운 햇볕에도 본관 앞에서 예정대로 임금교섭 보고대회가 열렸다. 3백여 명의 조합원들 전체가 보라색 티셔츠를 입고 모여, 끝까지 투쟁하기로 결의했다. 다음날 노동위원회와 대구중구청에 쟁의발생 신고를 하고, 3일부터는 '나도 한마디 대자보 쓰기', 풍

선 달기, 티셔츠 입기 등 다채로운 준법투쟁을 펼쳤다. 준법투쟁 기간
중 노조 가입은 계속 늘어 조합원 수가 660명을 넘어섰다. 쟁의발생
신고 이후 냉각기간[14] 동안 노조가 이렇게 준법투쟁을 벌였지만 병원
의 태도는 변하지 않았다. 태도가 변하기는커녕 노조활동을 방해하
고 부당노동행위를 자행하는 등 탄압하기 일쑤였다. 노조가 더욱 적
극적인 투쟁을 벌이기로 한 뒤 6월 15일에 병원이 내놓은 수정안에도
진전된 내용이 없었다. 이후 조정회의에도 불참하는 등 병원의 태도
는 여전했다.

　　결국 노조는 6월 21~22일, 쟁의행위 찬반투표를 벌여 압도적 찬성

으로 전면파업을 결의했다.[15] 6월 23일 저녁 6시에 병
원 외래 입구에서 진행한 '1994 임금인상 투쟁 완전 승
리를 위한 파업 전진대회'에서 조합원들의 기세는 몹
시 드높았다.

　　6월 28일, 노동위원회에서 직권중재가 떨어졌다.
당시 인상 총액으로 따졌을 때 병원 안은 2억9,652만
원, 노조가 제시한 수정안은 4억5,452만 원이었는데
직권중재안은 3억186만 원으로, 사실상 병원이 제시
한 안과 비슷한 액수다.

14　쟁의발생 신고를 노동위원회에 접수한 날부터 15일 동안 쟁의행위를 할 수 없는
　　기간.
15　전체 조합원 663명 중 611명(92.1%) 투표, 찬성 533명(87.2%), 반대 68명(11.1%),
　　무효 10명(1.6%).

1994년 경북대병원 임금인상 요구안 비교

명목		병원 안	노동조합 안	직권중재 안
하계휴가비[16]		년 100,000원	월 15,000원	년 100,000원
위험수당		갑·을 월 10,000원	을 월 5,000원	을 년 5,000원
가계보조비	3~4급	월 5,000원	월 20,000원	월 10,000원
	5급 이하	월 10,000원	월 30,000원	월 15,000원

당시 직권중재제도는 직권중재 이후 쟁의행위를 불법으로 몰아 가로막는 제도로, 헌법에 보장된 노동자들의 단체행동권을 제약하는 대표적인 악법이었다. 조합원들의 열망은 컸지만, 하상록 노조 위원장은 불법파업에 대한 부담을 이겨내지 못했다. 결국 하 위원장은 파업을 유보한 채 사퇴하고 말았다.

그는 6월 29일 '위원장 사퇴에 붙여'라는 성명서를 통해 ▲1994년 임금인상투쟁 제대로 준비하지 못함 ▲조합원과 충분한 공유 없이 수정안 제출해 임투 목표 상실 ▲압도적으로 결의한 파업 일방적 유보로 조합원 기만 ▲직권중재 수용 방침으로 민주노조 명분 상실 등을 집행부의 잘못으로 짚었다. 이와 함께 하 위원장은 "이러한 상황 속에서 현 집행부를 책임지고 있는 위원장이 앞으로의 사업을 계획하고 추진해 나간다는 것은 조합원들을 더욱더 기만할 수 있음을 인지하고, 현 사태의 모든 책임을 지고 위원장직을 사퇴하기로 결심했다"고 밝혔다.

---

16 노동조합은 진료지원수당으로 요구함.

1994년 임금 일방인상 거부투쟁.

7월 1일, 직권중재 처리에 관한 조합원 대토론회가 열렸다. 위원장이 참석하지 않은 채 사퇴성명서가 갑작스럽게 공개되자 토론회장은 혼란에 빠졌다. 직권중재 처리에 관한 토론보다 집행부 사퇴에 대해 논란을 벌이다가 결론을 맺지 못했다. 7월 4일 다시 열린 임시대의원대회에서 위원장 사퇴 건을 받아들이기로 했다. 집행부가 "함께 책임지겠다"라며 총사퇴 의사를 피력했으나, 대의원들은 "현 집행부가 노동조합의 혼란을 막고 끝까지 책임지는 모습을 보여달라"며 만류했다. 그렇게 해서 황현섭 노조 사무국장이 위원장 직무대행으로 지명됐다. 아울러 직권중재안에 대해서는 이미 힘있게 거부하지 못하는 상황에 부닥쳤다는 판단 아래 수용할 수밖에 없다는 결론을 내렸다. 이후 직무대행 체제로 나머지 단체협약과 임원선거를 마무리하기로 했다.

7월 21일, 황현섭 노조 위원장 직무대행은 "이번 임투는 집행부에서 힘찬 교섭을 하지 못하고 많은 것을 병원측에 양보하는 어이없는 실수를 해 직권중재로 마무리하게 되었지만 1995년부터는 철저한

준비 속에서 임투를 시작하자"라고 각오를 밝혔다. 또 "이번 임투에
서 보여준 조합원 여러분의 적극적인 동참과 힘찬 투쟁 의지에 진심
으로 감사드리며, 임투 속에서 조합원과 함께하지 못하고 집행부 중
심으로 사업을 진행한 오류에 대해 다시 한번 진심으로 사과드린다"
고 말했다.

　　조인식을 끝으로 1994년 임금협상이 마무리되고, 8월에 치러진
선거에서 김수경 집행부가 출범했다.

2. 1995년 처음하는 공동교섭·공동투쟁

절차 몰라 직권조인…혼란에 휩싸인 현장

병원노련이 1994년부터 시작한 공동교섭의 성과를 이어 1995년에
는 대구에서도 5개 병원이 산별로 가기 위한 연맹 차원의 공동교섭·
공동투쟁에 나섰다. 공동투쟁으로 경북대병원이 선타결을 지어 그
내용을 영남대병원 등 다른 병원에서도 관철하자는 계획을 세우고
준비해 나갔다.

임금 요구와 함께 공동요구안이 마련됐다. 주요 내용은 ▲고용안
정 보장 ▲환자·보호자 1인 주차장 무료 이용 ▲해고자 원직 복직 ▲
의료보험 통합일원화와 필수적 의료서비스 보험 적용 확대 등이다.

당시 경북대병원에는 총 109명의 용역이 들어와 있었다. 경북대
병원노조는 시간제·임시직·용역직 도입 시 노조와 사전합의하며, 임

시직 사용 기간은 3개
월 이내로 하되 병가나
산전산후휴가 등 특수
한 경우 보충은 그 기
간으로 하고, 그 기간
이 넘도록 채용할 경우
자동 정식직원으로 전
환할 것을 요구했다.

임투 전진대회, 조합원 간담회, 현장순회, 피켓시위, 중식집회, 철
야농성 등을 벌이며 조합원을 규합하고 병원을 압박해 나갔다. 6월
30일 대의원대회에서 쟁의발생을 결의하고, 7월 10일 쟁의발생 신고
를 했다. 이어 7월 20~21일 쟁의행위 찬반투표로 파업을 결의했다.[17]

7월 11일부터 중식시간에 부서별로 돌아가며 원장실 앞에서 항의
농성을 벌이다 14일에는 전 조합원이 중식을 거부하고 집회를 했다.
18일부터는 간부들이 로비에서 철야농성을 벌이고 조합원들도 퇴근
후에 농성에 결합했다. 쟁의행위 찬반투표
결과가 나온 7월 21일에는 전체 조합원이 중
식을 거부하고 로비에서 집회를 벌이는 한
편 전 직종의 대의원대표와 부위원장 등이
단식농성에 돌입했다.

7월 25일 파업돌입을 예고하고 24일 저
녁 파업전야제를 열었다. 분위기는 한껏 달
아올라 있었다. 병원노련 이상춘 사무처장
과 함께 경북대병원노조 김수경 위원장이
교섭에 들어갔다. 그런데 새벽까지 이어진
교섭에서 병원이 최종안을 제시하자 노조
교섭단이 사인을 해버리는 일이 벌어진다.

17　전체 조합원 657명 중 567명(86.2%) 투표, 찬성 456명(80.4%), 반대 88명
(15.5%), 무효 23명(4.1%).

"조합원들 의견을 묻겠다고 나와서 토론한 다음에 합의서에 서명해야 했는데, 경험이 없다 보니 바로 사인을 해버린 거죠. 그래서 난리가 났어요. 간부들은 울고, 조합원들은 욕하고, 저도 정말 딱 죽겠더라고요. 그래서 조합원들 앞에서 반성하고 간부들과 토론했죠. 그래서 사퇴하고 내려가겠다고 했는데, 지금은 사퇴할 때가 아니고 수습을 먼저 해야 한다고 해서 그렇게 머물게 됐죠. 그때 직권조인이 조합원들한테 상처가 컸죠. 내용보다도, 민주적인 절차를 무시해버린 꼴이 됐으니까….." (김수경 구술)

이날 경북대병원이 임금 14% 인상과 공동요구안에 일괄 합의한 데 이어 대구 경상대병원은 임금 직권중재안과 단협에 합의했다. 8월 21일 파티마병원 임금 11% 인상과 공동요구안 일괄합의, 8월 22일 동산병원 임금 12.8% 인상 합의가 이어졌다. 안타깝게도 공동투쟁을 결의했던 영남대병원노조의 파업은 50일을 넘기며 장기화해 힘든 투쟁을 계속해야 했다.

민주적 절차 소중함 깨우친 뼈아픈 경험

1995년 초 병원노련 대구경북지역본부 위원장들은 앞선 1994년의 서울지역 공동투쟁을 보면서 어떤 전기를 찾을 수 있을지 일찌감치 많은 고민을 나눠왔다. 대경본부는 공동투쟁의 목표로 ▲실질임금인상 ▲조직강화 ▲대경본부 위상 강화 ▲산별 토대 마련을 설정했다. 또 공동교섭·공동투쟁을 성공적으로 준비하기 위한 공동투쟁본부, 단위사업장과 대경본부 간의 긴밀한 공조를 위한 합동상집회의·합동대의원대회·상근자연석회의 등을 운영했다.

경북대병원노조도 예상되는 임금가이드라인(공무원 수준의 임금인상) 문제, 늘어가는 용역직·임시직, 부족한 인력충원, 직권중재 문제 등을 어떻게 해결할 것인지에 대한 고민이 깊었다. 결론은 '연대'였다.

집행부는 집행부의 흩어지는 모습을 보이지 않으면서, 대의원들의 활동으로 공무원의식과 직종 간 차이를 극복하고자 했다. 직종별 대표로 조직위원회를 꾸려 역할을 나누고, 임단투를 거치면서 상집 간부를 발굴하는 등의 방향을 설정하고 조합원을 조직해나갔다. 공동투쟁으로 돌파하자는 판단에 조합원들도 공감했다. 임단투의 핵심 내용을 직종별로 구체화하고, 구체화한 요구를 내건 싸움을 준비해 나가는 조직재편과정이었다.

4월 교섭으로 접어들면서 병원은 교섭 대표 자격으로 시비를 걸어왔고 공동교섭단에 대한 강한 거부감을 표시하며 교섭을 의도적으로 지연시켰다. 노조는 교섭위원 교육, 조합원 선전 등을 거치면서 공동투쟁의 정당성을 강조했지만, 조합원들이 공동교섭에 대해 충분히

1995년 병원장실 항의투쟁.

1995년 병원 로비 집회.

1995년 직종별 대의원대표 단식농성.

인식하기에는 한계가 있었다.

조합원 동력을 올리는 부분이 미진했다는 판단 아래 노조는 6월 말부터 적극적인 투쟁을 배치해 나갔다. 조합원과 함께하는 투쟁, 그것은 실로 피를 말리는 과정이었다. 중식 집회에 200명 이상 모으기, 직종별 흐름 만들기 등에 온 힘을 다했다. 간부들은 헌신적 투쟁으로 조합원을 이끌었다. 그 결과 파업전야제에 400명이 넘는 조합원이 모였다.

그러나 파업을 목전에 두고 직권조인을 해버리는 바람에 조합원들은 소외감과 배신감을 느낄 수밖에 없었다. 노동조합의 민주적 절차가 얼마나 소중한지를 집행부와 조합원 모두 뼈저리게 각성하는 계기가 됐다. 처음 치러본 공동교섭으로 경험을 쌓기도 했지만 다른 한편으로는 많은 과제를 남긴 해였다.

3. 몰아치는 구조조정 공세

가나안농군학교 입소차량 온몸으로 막아내다

"1995년은 병원이 신경영전략을 도입하기 시작한 시기예요. 직원들 의식을 병원 중심으로 몰입시켜서 노동강도를 높여가는 건데, 그 시작이 가나안농군학교였죠. 당시 지역 노동단체가 병원이 추진하는 신경영전략의 문제점과 영향에 관해 교육도 하고 많은 도움을 줬어요. 신경영이 어떤 방식으로 들어오는지, 그런 정책이 의료공공성을 어떻게 무너뜨리는지 알게 됐어요. 그래서 이때부터 조합원에게 교육도 하고 선전물도 내면서 사실상 신경영에 대한 대응 투쟁을 시작한 거죠." (이정현 구술)

병원은 1995년에 가나안농군학교 입소교육을 밀어붙였다. 이미 1993년 직원 연수, 1994년 중간관리자 연수와 전 직원 체육대회, 전 직원 연수가 있었다. 1995년에는 3월부터 11월까지 잇달아 6~7명씩 나누어 가나안농군학교 입소교육을 진행하겠다는 계획을 2월에 일방적으로 발표한 것이다.

이후 1996년에 다시 제기된 한마음 연수교육도 마찬가지지만, 모두 다물교육의 일종이다. 1990년 초반에 현대중공업과 대우조선 등에서 시작된 다물교육은 1990년 중반을 거치면서 상당수의 대공장에 뿌리내리기 시작, 극우민족주의를 앞세워 현장에 노사협조주의를 퍼뜨렸다.

병원이 밝힌 가나안농군학교 입소교육의 주요 내용은 "경쟁 사회에서 살아남을 병원을 위해 친절하고 최선을 다하자. 병원이 살아야 내가 산다"였다. 교육이념은 "내가 먼저 근로하자", "내가 먼저 봉사하자", "내가 먼저 희생하자"였고, 교육의 목적은 '생활교육과 정신교육을 통한 친절 및 서비스 개선에 이바지', '의료계 변화에 능동적 대처' 따위였다. 병원의 의도는 분명했다. 이전보다 더 늘어난 업무 속에서 아무리 어렵고 힘들더라도 군소리 없이 희생하고 봉사하고 묵묵히 일만 하는 인간형을 길러내고자 한 것이다.

앞서 1994년 1월에도 같은 대구지역에 있는 사업장인 대우기전에서 가나안농군학교를 계획했다가 노동조합의 단결된 힘으로 거부한 바 있었다. 경북대병원노조는 조합원들에게 가나안농군학교 입소교육의 본질을 폭로하고 거부 투쟁을 조직했다. 조합원 설문 조사와

간담회 등으로 의견을 모아냈다. 일방적이고 문제점이 많은 무리한 교육임을 알리자 조합원 5백여 명이 교육 거부 서명에 동참했다. 노조는 조합원들의 의견을 근거로 병원에 관련한 논의를 위한 노사협의회를 신청했다. 그러나 병원은 이를 일방적으로 연기해버렸고, 병원장 면담 요청마저도 뭉개버렸다. 노조 위원장이 병원장실을 방문했으나 인사계장이 가로막으며 얼굴까지 손을 올려 위협하고 벽을 치는 등 명백한 폭행을 시도하기도 했다.

조합원의 목소리를 무시하고 병원이 3월 6일 새벽에 교육을 강행하자 노조는 "정신교육을 통해 전 조합원을 병원의 노예로 만들려는 기도, 가나안농군학교 입소 결사반대"를 결의하고 행동에 나섰다. 노조 간부, 대의원과 병원노련 대경본부 집행부 등 20여 명이 정문과 후문에 대기했다. 병원이 새벽 4시 30분경 교육생 후송을 위해 렌트차량을 정문으로 들여왔다. 노조는 노래를 부르고 구호를 외치며 승합차 앞을 가로막았다. 결국 병원은 차량 출발을 포기했다. 노조는 외래 로비로 옮겨가 가나안농군학교 입소 저지를 위한 중식집회를 열었다.

"새벽에 출발하는 버스 앞에 그냥 드러눕고, 출발하는 관리자들하고 직원들을 그림자 투쟁하듯이 졸졸 따라다니고, 이렇게 한두 번 했을까? 또 가나안농군학교 문제점에 대해 교육도 하고, 선전물도 엄청나게 내고, 그렇게 하면서 그 뒤에 일부 가긴 갔는데 직원들이 이런 교육에 대한 문제의식을 느끼게 되고 분위기도 많이 바뀌었죠." (이정현 구술)

어쩔 수 없이 병원은 3월 8일 노사협의회에 응했으나 교섭에는 계장급 중간관리자들만 나와서 애초 교섭에 의지가 없음을 드러냈다.

교섭은 결렬됐다. 노조는 대의원들의 참여 거부 결의 공식화, 부서별 토론, 자발적 항의 전화 등을 결의하고 투쟁을 이어갔다.

3월 10일 다시 원장실을 찾아 항의하며 면담을 신청한 끝에 11일 병원장과 면담이 이루어졌다. 이 자리에서 병원은 3급 이상, 계·과장급, 임상교수, 의사, 원하는 사람을 대상으로만 교육을 진행하겠다고 밝혔다. 3월 17일에 이루어진 노사협의회에서 교육대상자를 '보직자'로 한정한다는 데 합의했다. 나중에는 교육 자체가 흐지부지됐다. 관리자들조차 "노조 말이 다 맞더라"며 지원하는 사람이 거의 없었기 때문이다.

가나안농군학교 입소 거부 투쟁의 승리는 의미가 크다. 우리의 권리를 요구하는 순간 우리의 일터는 우리 스스로 만들어가는 일터가 된다는 것을 보여준 것이다. 아무것도 하지 않았다면 지켜낼 수 없었겠지만, 의지를 행동으로 옮겼고 행동이 승리로 돌아온 것이다.

가나안농군학교는 시작에 불과했다. 병원은 김영삼정부가 내세운 '신노사관계'에 발맞춰 '신경영전략'이라는 이름으로 다양한 통제전략을 기획했다. '가족주의'와 동시에 '경쟁 이데올로기'를 퍼트렸다. 임금과 고용을 무기로 노동강도는 높이고 노동자는 개별화시켜 결국에는 노조를 무력화하려는 전략이다.

"이때 가장 힘들었던 게 '병원이 컴퓨터 교육도 하고 친절교육도 하고 팀제로 능률도 올리고 하는 게 다 병원이 잘 되기 위한 거 아니냐', '병원이 발전해야 우리도 같이 발전하는 거 아니냐'는 인식이었어요. 직원들이 다 이렇게 생각하니까 노조에서 대응하기가 굉장히 힘들더라고요. 고민도 엄청 많이 해가면서 교육도 하고 선전도 했는데, '처음에는 노조는 왜 병원 하는 일에 사사건건 반대만 할까 생각했는데 몇 년 지나고 나니까 병원은 수익도 높아지고 건물도 쑥쑥 올라가고 승승장구 잘 나가는데 우리는 쎄빠지게 일했지만 골병만 들고 월급은 안 오르더라'면서 '시간 지나서 보니까 노조가 한 말이 다 맞더라'고 하대요." (이정현 구술)

경북대병원측은 처음에는 문화·교육프로그램으로 가나안농군학교 입소교육, 체육서클 활성화 따위를 꺼내 들어 "노사는 하나이며 가족이다"라는 거짓 인식을 만들어 냈다. 이어 탄력적 노무관리(용역·계약직 확대) 등으로 근무환경을 변화시켰다. 마지막으로 직무직능급 인사와 임금제도를 들여와 직원을 능력에 따라 차등 대우했다. 이렇게 세 가지 기조를 정착시켜 정작 자신들의 이윤을 극대화하려는 기획이다. 이름은 거창한 '신경영전략'이지만, 그 실체는 '노동강도 강화'와 '구조조정'인 셈이다. 1994년부터 병원이 들고나온 성과급, 촉탁직, 수술시간 연장, 팀제, 그리고 근검절약, 이 모든 것이 신경영전략을 현장에 관철하려는 시도였다.

이렇게 신경영전략이라는 이름의 현장통제가 강화되면서 노동조합은 모든 사안에 대응해야 했다. 1996년 3월 24일 취임한 인주철 신임병원장[18]은 컴퓨터 교육을 위한 조기출근을 강요하며 그것을 근무평점에 반영하겠다고 으름장을 놨다. 역시 노동 통제의 방편이다. 그러나 노동조합은 현안 하나하나 놓치지 않고 모두 대응하며 맞섰다.

---

18 인주철 병원장은 당시 '신경영전략' 전문가로 전국 병원 순회강연회를 하는 등 이름을 날리고 있었다.

1996년 하반기 임원선거에 출마한 이정현-최동익 선거대책본부의 공약은 이 같은 현실을 그대로 반영하고 있다. 선거대책본부가 첫번째 과제로 꼽은 것이 "용역·임시직 등의 고용불안, 한마음 연수교육으로 인한 노동강도 강화 등 신경영정책에 적극 대응"이었다. 이와 함께 ▲국립대병원 노조와 적극 연대해 공정한 인사제도 확립 및 자동승급제 쟁취 ▲전국 병원노조 및 민주노총 사업에 적극 참여해 노동악법 철폐와 의료제도 개선투쟁 ▲직종·부서 간 벽을 깨부수는 사업을 적극적으로 펼쳐나가기 위해 노력하겠다고 밝힌 이정현 집행부가 7월 24~26일 선거로 출범했다.

정리해고법 날치기 통과에 총파업으로 맞서다

줄기차게 '신노사관계 확립'을 선전해온 김영삼정권은 개별사업장 차원을 넘어 아예 법·제도까지 바꾸려 했다. 1996년 내내 정리해고제와 변형근로제 도입을 핵심내용으로 하는 노동법 개악을 시도했다. 민주노총 차원에서 총파업으로 막아내자는 방침이 정해지고 1년 동안 노동법 개악과 관련한 긴장이 계속됐다.

경북대병원노조도 민주노총의 투쟁방침에 맞춰 조합원 교육과 노동법에 관한 선전활동을 계속했다. 10월 초부터는 현수막을 내걸고 전 조합원 서명운동을 시작했다. 11월에는 4~7일 불법 용역과 노동법 개악에 반대하는 1차 간부 철야농성을 벌이며 현장순회와 중식 선전 활동을 병행했다. 11월 5일에는 전 조합원이 노개투 명찰 달기, 만국기 만들기 등으로 결의를 다져 7일부터 14일까지 진행된 노개투

1996년 노개투 총파업 중 시내로 진출하는 조합원들.

교육에 조합원 5백여 명이 참여
했다.

11월 19일 대의원대회에서
참석자 100% 찬성으로 쟁의를
결의하고, 12월 2일부터 사흘
동안 병원 로비에서 2차 간부
철야농성을 벌였다. 현장순회,
환자·보호자 선전전, 서명운동
을 진행했고, 1차 중식집회에는 2백50여 명의 조합원이 참석했다. 교
대근무임을 고려하면 적지 않은 숫자다. 5일부터 7일까지는 조합원
보충교육을 실시하는 한편 노개투 지역집회에 결합했다. 집행부는 8
일부터 총파업대책위로 전환해 본격적으로 총파업 채비를 갖춰나갔

다. 11~12일 이틀 동안 벌인 파업 찬반투표에서 825명이 투표해 81% 찬성으로 파업을 결의했다. 임시대의원대회에서는 쟁의기금 사용을 포함해 이후 총파업 구체 일정까지 확정했다.

국회 환경노동위원회가 열리지 않고 국회 일정이 끝나가자 노동법 국회 통과가 유보됐다고 판단한 민주노총이 17일로 예정했던 총파업을 유보했지만, 노조는 긴장의 끈을 놓지 않았다. 파업 유보 상황을 알리는 한편 13일부터 노동조합 사무실에서 3차 간부 철야농성에 돌입했다. 하루도 빠짐없이 중식선전전을 진행하고 지역집회에도 참여했다. 그러던 중 정부가 다시 노동법 연내 강행처리 입장을 밝히자, 민주노총 지도부는 16일 명동성당에서 삭발하고 철야농성에 돌입했다. 경북대병원노조도 신한국당 항의집회 등 지역 투쟁에 결합하며 다시 전열을 가다듬었다.

12월 26일 새벽, 결국 신한국당이 노동법을 날치기 통과시켰다. 민주노총은 비상대표자회의를 열어 즉각 총파업을 선언했다. 경북대병원노조도 곧바로 비상회의와 총파업대책회의를 잇달아 열어 상황을 공유하고 이후 투쟁 일정을 확정했다.

"노동법 개정에 대비해서 조합원 전체교육을 진짜 많이 했어요. 그러면서 보니까 비정규직과 정리해고 문제가 정말 심각하더라고요. 그렇지만 솔직히 '나 때 그렇겠나? 나는 아닐 거야'라는 분위기가 있었죠. 그런데 갑자기 날치기 통과가 된 거죠. 통과된 다음 날 바로 현장간부 소집하고, 아무것도 모르는 상태에서 오로지 정리해고는 막아야 한다는 생각으로 총파업을 하자고 했죠. 뉴스에도 많이 나오고 교육도 많이 해서 조합원들도 바로 (파업에) 나오더라고요. 그렇게 파업이 시작됐어요." (이정현 구술)

노동법 날치기통과에 대한 환자·보호자 설문조사.   1996~1997년 노개투 총파업 때 끝까지 함께한 '강철대오'조합원.

병원노련 소속 서울대병원 등 서울의 주요 노조들은 27일 07시부터 파업에 돌입했다. 경북대병원노조는 27일에 총파업을 결의하는 중식집회와 환자·보호자 선전전, 총파업 전야제를 진행한 뒤 조합원 전체 철야농성을 시작해 28일, 역사적인 총파업에 돌입했다. 대구지역의 동산의료원, 영남대의료원, 파티마병원 등도 28일 07시부터 파업에 들어갔다.

12월 28일 이정현 노조위원장은 '총파업에 들어가며'라는 격문을 통해 "익숙지 않은 로비 바닥이 힘들지도 모릅니다. 그러나 우리가 힘든 투쟁을 하는 만큼 전국의 노동자들은 그 곱의 힘을 얻을 것이고, 우리의 투쟁은 반드시 승리할 것입니다. 우리는 노동법 개악 과정에서 업종과 지역, 사용자가 달라도 노동자는 하나임을 분명히 보고 있습니다"라며 "우리의 총파업 투쟁으로 노동자의 권리가 보장되는 노동법을 만들어 냅시다"라고 호소했다. 경북대병원노조로서는 1988년 노조결성 직후 감행했던 파업 이후 거의 10년 만에 첫 파업에 돌입한 것이다. 정규직 조합원들에게는 첫 파업이었다.

"신한국당이 날치기 통과를 하고 나니까 민주노총이 파업에 돌입한다는 선언을 했어요. 그때 (이정현) 지부장과 나 둘이 전임이었는데, 바로 지부장님으로부터 전화가 왔어요. '영희야, 우리 이제 파업 들어가야 할 것 같다. 파업 준비해야 한다'라고 하는 거예요. 그 이야기 들으니까 머리를 띵 맞은 것 같았어요. '어, 드디어 내가 파업을 하나?' 저는 1991년에 병원 들어와서 파업해본 적이 한 번도 없었거든요. '와~ 말로만 듣던 파업을 이제 하는갑다' 하면서도 '파업을 어떻게 하지?' 이런 생각도 들고, 굉장히 두렵고 무섭고, 그런데 또 바로 파업을 해야 한다니까 정신이 없었어요. '민주노총 방침 따라서 우리가 그전부터 교육도 하고 그랬으니 진짜 해야 되는갑다' 이런 생각이 현실로 확 다가오면서 바로 파업에 들어갔죠." (김영희 구술)

30일까지 사흘 동안 파업을 벌인 뒤 31일 현장투쟁으로 전환했다. 민주노총의 '연말연시 연휴 평화기간 선포'에 따른 전술이기도 했다. 사흘 동안의 1차 총파업투쟁을 마친 뒤 노동조합은 ▲2차 총파업투쟁 힘차게 준비 ▲병원의 어떠한 탄압·회유에도 조별체계 강화해 함께 대응하고 흔들리지 않을 것 ▲노동법 개악안 철회와 김영삼 정권 퇴진을 위해 끝까지 투쟁 ▲우리 투쟁을 가족·친지·환자·보호자·시민들에게 알려 함께 투쟁할 것을 결의했다.

"첫 파업이다 보니까 어떻게 진행해야 할지 준비가 안 돼 있었지. 전체가 2

백 명 남짓 됐는데 이 파업 대오를 어떻게 굴려야 하나도 고민이고, 부서장들은 계속 해산시키려고 별의별 공작과 탄압을 해대니 거기도 대응해야 하고. 낮에는 전체 프로그램 돌리고, 밤에는 회의하고 평가하고, 다음날 프로그램 준비하고 선전물 만들고, 잠은 두세 시간밖에 못 자고… 그런 날들의 연속이어서 힘들었죠." (이정현 구술)

"저는 전임이고 문화부장이어서 조합원들이 파업장에 모이면 프로그램 돌리고 율동이랑 노래 가르치느라 늘 마이크를 잡았어요. 그래서 목도 나가고. 그때 몸무게가 원래 43kg였는데 파업하면서 40kg까지 줄었다니까요. 그때 사진 보면 얼굴에 살이 하나도 없어. 첫 파업이라 멋모르고 했지만 무섭기도 했고, 밥알은 모래알 같았어요. 책임감과 두려움, 여러 감정이 섞여서 밤에 잠도 잘 못 자고. 하여튼 생애 첫 파업인 데다 집행부여서 육체적으로도 정신적으로도 굉장히 힘들었던 기억이 나요. 그때는 매일 가투였어요. 그 추운 날에 서문시장, 대구백화점, 이런 데 다니면서 정리해고하고 파견법 반대하는 집회를 하는데 대구 노동자들이 다 모인 거예요. 정말 감동이었죠. 나뿐만 아니라 이렇게 많은 사람이 민주노총 방침에 따라 파업을 하는구나, 그러면서 얼마나 가슴이 벅찼던지…." (김영희 구술)

연휴가 끝나자마자 1월 3일부터 로비에서 중식 집회를 열었다. 병원의 탄압이 극심해졌다. 병원은 행정직들을 중심으로 구사대를 동원해 로비로 몰려와서 몸싸움을 걸어왔다. 6일까지 2차 총파업을 준비하며 선전전과 중식집회를 계속하자 병원은 계속 구사대를 데려와 로비 등 집회장을 봉쇄하고 난동을 부렸다. 대우기전 등 지역 동지들의 연대투쟁으로 구사대를 몰아내기도 했다.

"나는 첫 파업이어서 파업 때리면 당연히 전국적으로 그렇게 하는 줄 알았지. 그때 전체적으로 분위기도 굉장했어요. 파업은 원래 그렇게 하는 줄 알았죠. 그런데 시간이 갈수록 술렁이기도 하고 간부층이 두텁지 않으니까 불안하기도 하고, 주요 간부들이 파업 접고 현장 올라간다고 해서 갈등도 많았고…. 지금 생각해 보면 그런 상태로 우리가 어떻게 파업에 들어갔나 싶기도 해요. 그래도 그때 같이 파업한 동기들이랑 '서른동기회'도 만들고, 재미있었어요." (임연남 구술)

"파업이라고는 처음 한 거죠. 연말에 파업 대오 유지가 힘들어지는 것 때문에 1차 파업을 3일간 하고 12월 30일에 현장복귀를 했죠. 그리고 새해를 맞고 휴일 지나서 1월 7일 2차 총파업을 시작했어요. 이때 제일 걱정한 게 조합원들을 얼마만큼 파업장으로 다시 내려오게 할 것인가였어요. 현장에 복귀해 있는 동안 관리자들의 탄압에 무너진다는 소문에 많이 불안했죠. 그래서 쉬지 않고 현장 순회하면서 의지를 확인하고 약속하고 그랬죠. 그러다가 지금 생각해도 아찔한 일이 일어났어요. 1월 6일 2차 파업돌입 전날 결의를 획인하기 위한 중식집회를 하려고 병원 로비 농성장에 조합원들이 보이고 있는데, 병원 관리자들과 행정직원들이 엄청나게 먼저 모인 거예요. 이들이 모이고 있는 조합원들을 돌려보내고 중식 집회장을 먼저 점거하는 상황이 벌어진 거죠. 그래서 노조 간부들이 관리자들을 몰아내려고 몸싸움하고 난리가 났죠. 이때 김수경 전 위원장이 만삭이었는데, 그 몸으로 관리자들을 밀어내고 눈물로 항의하면서 농성장을 사수하던 일이 기억나요. 대부분 여성 간부들이라서 그 많은 행정직 관리자들을 몰아내는 건 역부족이었거든요. 이 상황을 반전시킨 게 바로 연대 대오였어요. 지역노조 간부들과 금속노조(당시 대우기전) 사수대 조합원 50명이 농성장 사수을 위해 도착하면서 병원 관리자들을 물리치고 농성장을 사수했어요. 그때 농성장을 사수하지 못했다면 그길로 노조는 무력화됐을 거로 생각해요. 그래서 지금도 그때를 생각하면 너무 아찔해요." (이정현 구술)

1월 7일, 2단계 총파업에 돌입했다. 총파업은 1월 15일까지 9일 동안 계속됐다. 16일부터는 현장투쟁으로 전환했고, 경북대병원노조는 2월 28일 4단계 총력투쟁까지 참가함으로써 민주노총 소속 노동조합의 역할을 충실히 해냈다. 물론 경북대병원노조도 총연맹 차원의 파업 유보, 1차 파업 이후 중단 등의 대목에서 파업을 재조직하는 데 어려움이 컸다.

"1차 파업 정리하는데, 복귀했다가 나중에 2차 파업을 해야 한다고 하니까 밤새워 토론했어요. 우리 파업 정리 못 한다, 계속 이어가야지 복귀해버리면 2차 파업 못 나온다, 우리는 계속해야 한다, 그러면서 밤새워 울고 불며 토론했던 기억이 잊히지 않아요. 결국에는 지도부 방침에 따라서 복귀한 뒤에 2차 파업을 다시 할 수밖에 없다고 결정하긴 했죠. 그게 참, 뭐라고 얘기해야 하나…. 그때는 너무 젊었고 순수했던 것 같아. 그때는 토론도 참 많이 했지…. 그때부터 생각이 다를 때 토론하는 훈련이 됐어요. 파업 때는 대부분 밤샘토론하는 거야. 그래서 잠을 못 자고, 잠 못 자니까 살이 쏙쏙 빠져서 나는 파업이 너무 싫어~(웃음)" (김영희 구술)

"우리는 지금도 항상 토론으로 같이 정리해요. 파업 때마다 시작도 마무리도 항상 같이 토론해서 정리하는 기풍이 그때 시작된 거죠." (이정현 구술)

　　파업이 길어질수록 대오가 줄어들기는 했지만, 조합원들은 경북대병원노조의 선봉투쟁으로 1997년 1월 15일까지 민주노총 총파업을 끌어갔다고 평가하며 자부심을 느꼈다. 파업에 대한 불안감을 떨쳐버리고 자신감을 회복했으며, 파업으로 인한 피해의식도 없었다. 병원과 조합원들에게 노동조합의 힘을 보여주었다는 것 자체를 큰 의미로 꼽았으며, 이후 정치투쟁으로까지 발전시켜나가야 한다고 봤다. 1996년 12월에 시작해 1997년 초까지 진행한 노개투 총파업으로 노동조합의 조직력과 투쟁력은 한층 높아졌다.

"처음에 200여 명 시작했던 파업이 병원이 온갖 탄압을 다 하니까 이렇게 떨어져 나가고 저렇게 떨어져 나가고 나중에는 50명 남았어요. 그래서 우리가 그 50명을 '강철대오'라고 불렀죠. 그만큼 심지가 곧은 사람들이 마지막까지 남은 거니까요. 처음에 200명이 있던 로비에 마지막 날 50명 있는데, 너무 적어서 위축된 것도 맞죠. 하지만 지금 생각하면 그 남은 50명이 정말 소중한 존재였구나, 이런 생각이 들어요. 그들이 지금도 현장 곳곳에서 맹활약하는 노동조합의 핵심들이에요." (김영희 구술)

"대오가 줄어든 것 있지만 병원하고 싸울 게 아무것도 없었어. 국가가 법을 바꿔서 하는 투쟁이니 병원이랑 협상할 게 없으니까 우리가 파업을 언제까지 해야 하나, 대정부투쟁인데 우리가 병원에서 파업한다고 해결이 될까, 이런 고민이 정말 많았죠. 지금이야 민주노총도 있고 정부 정책에 맞서서 전체 노동자가 투쟁한다는 생각이 있지만, 그때는 그런 게 없었던 것 같아요. 처음에는 금속이랑 다 같이 모여 시내로 진출해서 가투도 많이 했지. 한겨울이라 파카 입고 그 위에 노조 조끼 입고 서문시장까지 행진하고 이랬는데, 나는 노개투 때 서문시장 앞에서 차 위에 올라가 연설까지 했다니까. 그때는 신나고 즐거웠는데 길어지니까 다른 데는 자꾸 술술 빠지고 우리는 앞도 안 보이고 어째야 할지도 모르고, 나중에는 결국 수술실 멤버만 남았잖아. 그래도 그런 경험이 처음이니까 1987년 대학생 때 거리를 점령해서 다녔던 기억이 나고, 직장인이 돼서도 이렇게 하는구나, 너무 즐겁고 좋았어요. 어쨌든 첫 파업을 너무 혹독하게 했죠. 노동조합 초기라 우리가 어떻게 해야 하는지 처음 당해보는 일이잖아요. 어쩔 수 없이 복귀했던 사람들도 좀 품고 그래야 했는데 품어줄 사람도 없었잖아. 전부 같은 상황에 같은 고민이었으니까…." (이영숙 구술)

신경영전략 본격화…늘어나는 비정규직

총파업에 대한 병원쪽의 탄압은 매우 거셌다.

조합원에게 직접적 영향을 준 것은 '무노동 무임금'이다. 12월 28일부터 사흘 동안 1차 파업에 참여한 조합원에게 무노동 무임금을 적용하고 월차휴가 1일, 연차휴가 2일을 일방적으로 결근 처리해 수당을 지급하지 않았다. 1997년 1월 7일부터 15일까지 2차 파업 참가자들도 결근 처리했다.

물리적 탄압도 컸다. 1월 3일과 6일 중식집회 때는 관리자 중심으로 1백여 명의 구사대가 몰려왔다. 집회에 조합원이 참여하지 못하게 하려고 폭언·폭행은 물론이며 사진을 찍거나 회유하는 등 방해했다.

노조의 단체 조끼 입는 것조차도 방해했다. 1월 16일 오전 8시 현장에 복귀한 후 노조는 단체행동의 하나로 모든 조합원이 단체 조끼를 입었다. 그러자 병원은 "단체조끼를 입지 말라", "단체행동을 하면 인사상 불이익을 줄 수 있다"는 공문을 전 조합원에게 회람하게 했다. 심지어 중간관리자들은 일하는 조합원들로부터 강제로 단체 조끼를 벗기기도 했다. 1월 22일에는 병동 수간호사들이 중식집회에 참석하지 말라고 종용했고, 외래 근무 조합원들에게는 평일 휴가 자체를 허용하지 않았다.

앞서서 당할 경북대병원노조가 아니었다. 노조는 조합원 탄압 신고센터를 운영하며, 접수된 탄압 사례를 중간관리자 본인에게 구두 또는 전화로 확인 후 경고했다. 탄압이 계속되면 악질관리자로 선정해서 항의농성과 집중타격을 가하고 전 병원에 공개하겠다고 경고했

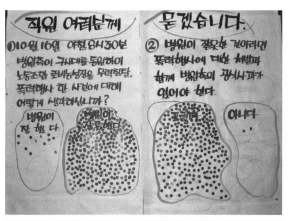

다. 그래도 탄압을 계속하면 대구지역과 병원노련 차원에서 총파업에 돌입하겠다고 밝혔다. 노조는 이런 내용을 담아 1월 22일 '조합원 탄압에 대한 경고문'을 부착했다.

경북대병원에서 유독 탄압이 거셌던 것은 대구 병원 가운데 민주노총 지침에 따라 처음부터 끝까지 오롯이 파업에 복무한 사업장으로는 경북대병원노조가 유일했기 때문이다. 경북대병원에서 탄압이 유독 거셌기 때문에 1월 29일 진행된 수요 파업 대구지역 집회 참가자들이 모두 경북대병원 앞으로 몰려와 규탄집회를 열어 지원·연대의 힘을 모으기도 했다. 노조는 3월 18일 임시대의원대회에서 노개투 총파업투쟁에 관해 평가 토론을 진행했다.

1996~97 노개투 총파업이 끝난 뒤 재벌들과 경제단체들은 노동자들의 요구를 뭉개버리기 위해 '경제 위기' 분위기를 만들어가고 있었다. IMF 외환위기가 들이닥쳤고, 노동자들에게 임금 반납이나 동결 등 '희생'을 강요하는 사회적 분위기를 몰아갔다. 대규모 정리해고

가 잇달았고, 정규직은 비정
규직으로 내몰렸다. 사실상
IMF 외환위기는 구실이었
을 뿐이다. 1987년 노동자대
투쟁으로 쓴맛을 본 자본은
이미 1980년대 후반부터 노
동조합을 통제하기 위한 연
구와 준비를 치밀하게 해온
것이다.

　한국 사회를 뒤흔든 역사적이고 자랑스러운 총파업을 벌였던 노
동자들은 그 여파로 다양한 방식을 동원한 탄압까지 당하며 더욱 힘
든 시기를 겪어야 했다. 자본은 '신경영전략'이라는 이름으로 고용도
임금도 모두 '유연화' 함으로써 노동자들의 고통은 외면한 채 이익 창
출에만 몰두했다.

　경북대병원도 강도 높은 구조조정을 시작했다. 게다가 새로 온 병
원장 인주철은 신경영전략이라는 이름으로 모든 직원의 의식교육을
해나가고 있었다. 그러던 중 노조가 노개투 파업을 벌인 것을 빌미로
더욱 거세게 탄압하며 노조 기를 죽이고자 했다.

　총파업 직후 병원은 수술실에 비정규직을 넣고 수술시간을 연장
했다. 수술시간을 연장한다는 것은 수술환자를 엄청나게 늘리는 것
으로, 수술이 많아지면 결국 병원 전체의 노동강도가 올라가는 것이
다. 노조는 심각한 사안이라는 판단 아래 수술시간 연장 반대투쟁에
나섰다.

"수술시간 연장 반대투쟁을 해서 조금 지연시키기는 했지만 결과적으로 보면 모든 병원이 다 같은 방향으로 가고 있어서 전체 흐름에서 크게 막아내지는 못했어요. 수술실 간호사들 노동강도 강화는 결국 근골격계 질환으로 이어져서 2003년 집단산재투쟁으로 연결되죠." (이정현 구술)

4월이 되자 수간호사와 계·과장급이 '임금동결'을 선언했다. 분위기를 조장해 '임금동결'을 병원 전체로 확대하려는 꼼수였다. 게다가 병원은 촉탁직 도입, 일방인사 등을 시도했다. 파업에 참여한 조합원들에게 인사 등을 통한 보복 차원의 불이익을 주는 것이다. 병원은 이밖에도 임금과 승진 등을 무기로 조합원들을 갈라치기 했다. 현장에서는 '신경영전략' 틀에 짓눌려 어쩔 수 없는 상황으로 받아들이며 "이제는 노조도 어쩔 수 없지 않겠냐"며 자포자기하는 분위기까지 번졌다. 이러한 병원의 거센 탄압에 부담을 느껴 노조를 탈퇴한 조합원이 2백여 명에 달할 지경이었다.

그러나 노조는 신경영전략에 맞서 작은 투쟁이라도 배치하면서 이러한 안팎의 분위기를 돌파하고 조합원들의 자신감을 회복하고자 애썼다. 그 한 축으로 병원노련 차원의 1997년 공동투쟁으로 노동조합의 가능성을 열어젖히고 투쟁을 통해 산별로 나가는 한 해로 만들고자 했다.

노조는 ▲일방인사 반대 ▲무자격자 진료보조 촉탁직 도입 반대 ▲전 부서 인력 수급 대책 없는 수술시간 연장 반대 등의 요구를 관철하기 위한 투쟁을 멈추지 않았다. 신경영전략에 맞선 투쟁임과 동시에 모두 환자의 안전과 직결되는 요구들로, 어느 하나 빼놓을 수 없는 중요한 현안들이었다. 이와 함께 ▲주차장 무료화(환자·보호자 1인에 대해 무료주차) ▲병실 환자 무료 TV 시청 ▲환자·보호자 휴게실 설치 등 의료민주화 요구까지 내걸고 임단협을 전개했다.

병원은 대대적인 개악안을 들고 나왔다. 그것은 ▲모든 조합 활동을 사전에 병원 허락 얻어서 하라 ▲유인물·대자보·현수막도 병원 허락받아서 정해진 기간만 붙여라 ▲간부교육·수련회·조합원 교육 불가 ▲노조 전임자 임금 삭감 및 노조 활동 축소 ▲병원장이 인정하는 업무상 질병이 아닌 병가는 모두 연월차로 사용, 부족하면 1일에 대해 기본급 삭감 ▲시간 외 수당 폐지 ▲변형근로시간제 도입 ▲경조 휴가 및 경조금 삭감 등으로, 어찌 보면 유치하기까지 한 내용을 담고 있었다.

병원은 제시한 안을 받아들이지 않으면 임금 안을 논의하지 않겠다고 버티며, 노조가 요구안을 철회하면 병원도 안을 철회하겠다고 했다. 현장을 옥죄고 노조를 죽이겠다는 속셈을 드러낸 것이다.

더 심각한 문제는 병원에 비정규직·촉탁직이 급증하고 있는 것이었다. 1993년 법인화 이전에 있던 임시직은 병원이 공사화되면서 모두 정규직으로 전환했는데, 1996년에는 용역과 임시직이 다시 150명으로 늘어나 있었다.

"법인화 3년 동안 용역 100여 명에 임시직이 무려 50명"[19]
용역은 한시적인 사업에만 적용해야 함에도 병원에서는 100여 명 정도 되는 용역 인원을 병원 내 각 부서에 배치해 장기적인 근무를 시키고 있으며 이로 인해 현 직원

---

[19] 노동조합 소식지 〈징소리〉 13호 (1996년 2월 18일)

에게 업무가 더욱더 가중되는 결과를 초래하고 있다. (중략) 또한 법인화된 지 3년 만에 임시직이 무려 50명이나 발생됐다. 지금 임시직은 정식 직원과 동일한 근무를 하고 있음에도 의료보험도 적용되지 않고 월차, 특휴, 연차 등의 수당 대상에서도 제외되고 있으며 업무상 재해로 인한 병가에서도 산재 대책은커녕 모두 무급으로 처리해 버리는 등 공사화 이전에 있었던 임시직보다도 더 열악한 근무조건에서 생활하고 있다.(법인화 전의 임시직은 의료보험적용 및 모든 수당을 인정받고 있었음)

외주화를 시작해 이미 임시직이 급증한 상황에서 병원은 수술시간 연장, 촉탁직 도입, 일방인사 등을 계속 몰아붙이고 있었다.

다른 길이 없었다. 노조는 천막농성을 시작했다. 4월 24일 이정현 노조 위원장은 병원에 ▲모든 인사 무기를 버리고 ▲조합원의 자유로운 조합 활동 보장 ▲일방적으로 진행하는 비정규직 채용 중단 ▲전 부서 인력 수급 대책 없는 수술실 시간 연장 계획 중단을 요구하며 "이상의 요구가 해결될 때까지 28일 천막농성에서부터 모든 것을 걸고 투쟁해 나가겠다"고 밝혔다.

"현장탄압은 계속 들어오고, 조합원들은 계속 탈퇴하고, 그러니까 간부들이 회의도 안 오는 거예요. 노동조합이 할 수 있는 게 아무것도 없었죠. 그래서 천막농성이라도 하자, 사실은 그렇게 시작한 거예요." (이정현 구술)

"병원은 신경영전략이라고 검진센터도 새로 짓고 응급의료센터도 올리고, 그러면 직원이 엄청 많이 필요한데 그 자리를 다 비정규직, 촉탁직으로 채우더라고요. 임금은 정규직의 50%밖에 안 됐고요. 그때는 또 파업 직후라 병원에서 조합원들한테 인사로 엄청나게 불이익을 줄 때였거든요. 그래서 지부장님하고 '너무 심각하다, 이대로 두면 안 된다.' 이런 이야기를 했어요. 지부장님이 비정규직 확산 저지, 공정인사, 노조탄압 중단을 걸고 병원을 상대로 투쟁해야 하니 천막농성을 하자고 하더라고요. 그때 전임자 달랑 둘에, 현장에 있는 남성 간부 한 명이 다였는데…. 나는 천막농성이 힘들 게 뻔해서 하기는 싫었지만, 명분은 또 동의가 되는 거잖아요. 그래서 '우짜겠노. 그라문 또 해야지.' 이렇게 생각하고 천막을 쳤죠. 그때도 또 잠을 못 잤던 기억이 나네.(웃음) '이야~ 이거 뭐 노동조합은 잠을 안 재우는구나. 파업도 그렇고 천막농성도 그렇고 노동조합은 잠 안 자면서 하는 게 노조활동인갑다. 노동조합 진짜 힘들다….' 그리 생각했죠. 그래도 그렇게 한 달 농성하면서 비정규직 확산을 막아내야 한다는 걸 조합원들한테 많이 알려냈어요. 그 투쟁이 있었기 때문에 2000년에 비정규직 정규직화를 내걸고 한 달 이상 파업이 가능했던 거죠." (김영희 구술)

천막농성으로 일방인사와 수술시간 연장 계획은 어느 정도 막아냈다. 총파업 이후 약해진 조직력을 복구하자는 취지도 있었던 천막농성 투쟁은 노조가 다시 단결하는 계기가 됐다. 그러나 병원의 도발은 그치지 않아, 5월부터 전 부서에 촉탁직 바람이 불었다. 고용형태를 명시하지 않은 채 의료기술직과 간호사 모집공고를 내더니 역시 촉탁직으로 채용하기도 했다.

"사실 비정규직이 급증하고 있다는 걸 실감하지는 못했어요. 병원이 끝없이 탄압하고 부서마다 노동강도 올리고 그런 문제가 많아서 로비 농성을 하고 있는데, 조합원들이 노조에 계속 비정규직이 많이 들어온다고 신고를 하는 거예요. 어디에 얼마나 들어오고 외래에 얼마나 들어오고, 이런 이야기를 조합원들이 해줘서 그때 뒤늦게 알게 됐어요. 정규직 다 전환배치하고 그 자리를 비정규직으로 채우고 촉탁직 대거 들어오는 걸 우리 눈으로 보고 그때부터 문제 삼기 시작했어요. 그렇게 1997년부터 비정규직하고 촉탁직이 급증

해서 2000년도에 결국은 비정규직 파업을 하게 되는데 이때부터 준비가 됐다고 봐야죠. 비정규직 들어올 때부터 전 조합원 교육도 하고 그래서 2000년 투쟁을 할 수 있었어요." (이정현 구술)

IMF로 숨죽이는 현장…업무강도는 두세 배

10월 31일, 병원이 시간외수당 지급과 관련한 공문을 보내왔다. 지금까지 관례로 실근로시간으로 인정됐던 휴일·휴가(생리휴가, 연·월차, 국가공휴일 포함)를 인정하지 않겠다는 내용이었다. 이는 명백한 단체협약 위반이자 취업규칙 위반이며, 통상근무자와 비교했을 때도 형평에 어긋나는 조치다. 노조는 임금하락을 일으키는 시간외근로 산정 변경을 즉각 중단하라고 요구했으며, 11월 5일 병원장과 간호부를 항의 방문했다.

병원은 또 임시직, 아르바이트직, 시간제 근무자 등 비정규직에 대해 임금을 상습적으로 체불했다. 법정수당(주차·월차·연차)을 지급하지 않았고, 8개월 근무한 임시직노동자를 부당해고했다. 이에 노조는 전 직원 서명을 받고 소자보 쓰기, 간담회 등을 진행했다. 결국 병원장은 "12월 월급 지급 시는 시간외근로 산정 변경을 일단 시행하지 않겠다. 교대근무자의 의견을 수렴해서 적극 검토해보겠다"고 밝혔다. 노조는 교대근무자를 중심으로 원장에게 엽서 쓰기, 서명하기, 인터넷 통신으로 의견 전달하기, 주위 동료와 얘기하기 등의 실천을 이어갔다.

수당을 깎는 게 조합원 반발에 밀리자 병원이 이번에는 아침 근무시간을 30분 앞당기려고 했다. 직원의 동의는 물론 노조와 합의 없는 병원의 일방적인 근무시간 변경은 명백한 불법행위다. 12월 말에는 급기야 "연말 성과급을 못 줘서 미안하다"는 말로 임금 삭감을 공식 선언하기에 이르렀다. 성과급은 줘도 그만 안 줘도 그만인 떡고물이 아니라 노조와 합의하는 임금인데 말이다.

병원은 9월에 이미 1997년 목표를 초과 달성했음에도 사회적인 경제위기 분위기를 빌미로 성과급을 없애려 한 것이다. 노조의 투쟁으로, 12월 25일 병원장실을 항의 방문한 다음 날 근무시간 변경에 관해 실무교섭을 벌였다. 병원은 결국 근무시간 변경을 보류했다.

병원의 도발은 1998년에도 이어졌다. 신년사에서 병원장은 "6.25사변 이후 사상 초유의 어려운 경제 상황으로 우리 병원도 경영수지 악화가 발생했다"라며 "우리 모두 한마음 한뜻으로 허리띠를 졸라매고 고통 분담을 하자"고 했다. 병원은 이미 중간관리자들에게 세미나를 통해 ▲1998년 임금동결 ▲1997년 연월차휴가 10개 반납 ▲1998년 연월차휴가 의무사용 ▲생리휴가 반

납 ▲시간외수당 절감 ▲소모품을 부서 경비로 충당 등을 결의토록
한 상태였다. 명예퇴직 신청 공문이 발송됐다. 그러나 병원은 1997년
경영실적에 대해서는 침묵했다. 또 '위기탈출'을 주제로 '전 직원 한
마음 교육'을 실시하겠다고 했으며, 4월에는 팀제를 도입하겠다고
했다.

"IMF 때 간부들도 노동조합도 다 납작도다리가 돼서는, 납작 엎드려서 움직
이질 않았다니까. 관리자들은 임금도 다 반납하고." (이정현 구술)

　이같이 IMF를 빌미로 병원이 무차별적으로 쏟아내는 공세에 맞
서 경북대병원노조[20]는 정리해고를 막고 근로조건을 지키기 위한 조
합원 행동지침을 마련했다. 노조는 연·월차 휴가 강제사용에 대해
"자유의사로 사용하거나 필요치 않으면 수당을 요구"하고, "그래도
강요한다면 부당노동행위로 노조에 신고"하도록 했다. 생리휴가 신
청에 대해서도 마찬가지로 대처하도록 지침을 내렸다. 노조의 끈질
긴 대응으로 노사협의회에서 결국 비정규직(임시직)도 4월 10일부터
주휴일수당, 월·연차 유급휴가를 부여하기로 합의했다.

20　1998년 보건의료노조 출범에 따라 경북대병원노동조합은 '전국보건의료산업노동
　　조합 경북대병원지부'로 조직형태를 변경했다. 이후 현재 '전국공공운수노동조합 의
　　료연대본부 대구지역지부 경북대병원분회'에 이르기까지 조직형태가 변해왔으나,
　　편의상 이후 '노동조합' 또는 '지부' 또는 '분회'로 혼용해 서술한다.

"IMF 분위기 타서 병원에서 임금 반납 바람 잡고 이럴 때 우리도 굉장히 어려웠어요. 거기다가 병원이 교섭에서 휴가를 없애겠다, 뭘 안 주겠다, 노동조합 수련회도 안 된다, 사무용품도 안 주겠다, 이런 개악안을 한 보따리 가져 왔어요. 96~97년엔 파업이라도 했는데 IMF 때는 할 수 있는 게 없었어요. 그래서 식당 앞에서 복복이를 만들어서 그 위에 개악안 붙여놓고 조합원들한테 밟고 지나가라고 했죠. 그렇게 '개악안 박살 내자'는 투쟁을 한 거죠. 식당 앞에서 의견 묻는 스티커 붙이기도 하고, 그런 상황을 그림으로 그려서 선전물도 내고. 파업을 못 하니까 그런 자그마한 투쟁이라도 했죠. 지금은 사소한 문제로 생각할 수 있지만 미래를 생각하면 이런 작은 것도 막아내야 한다, 개악안 절대 받으면 안 된다, 이런 거죠. 그렇게 해서 임금은 1만 원 올리고, 개악안은 한 개도 안 받았어요." (김영희 구술)

한편 병원은 1998년 4월 1일부터 노조와 합의도 없이 구급 차량 근무형태를 24시간 격일제로 전환, 시행하기 시작했다. 근무형태가 바뀌면서 부서원들은 기존 구급차 1대를 운행하다 2대를 운행하게 됐을 뿐 아니라 병원버스, 승합차까지 운행하며 출동횟수가 많아져 업무량이 급격하게 늘어났다. 환자와 근무자 모두의 안전을 위협하는 조치임이 분명했다.

"구급차를 감시단속 근로로 변경하려고 해서 노조가 그것도 대응했죠. 조합원은 3명밖에 안 되지만, 같이 새벽까지 선전물 쓰고 조합원들한테 알리고 노동청에 진정 넣고, 그러면서 병원 행태에 너무 분노했죠. 구급차가 업무 특성상 일이 많을 때는 장시간 일하지만, 또 없을 때는 대기하는 시간이 있잖아요. 병원이 볼 때는 그 기다리는 시간도 아까운 거라. 그걸 근무시간으로 인정 안 해주려고 감시단속 근무로 돌리겠다고 한 거니까. 그때도 엄청나게 투쟁했어요. 결국 감시단속 근무로 돌리는 걸 막아냈어요. 그래서 그 구급차 조합원들이 노동조합과 함께하면 할 수 있다는 것도 느꼈고, 그분들이 나중에 노동조합 대의원, 간부까지 했죠. 그렇게까지 했는데… 이런 이야기 까지는 안 하고 싶지만, 그분들 중 마지막까지 노동조합을 지킨 사람은 아무도 없어요. 다 탈퇴해버려서 그게 참 마음이 씁쓸해요." (김영희 구술)

4월 24일 외래간호사 회의에서는 "점심시간에 외래 문을 닫지 말고 전화도 받고 교대로 점심을 먹으라"는 업무협조 지시가 내려왔다. 이제 점심시간까지 빼앗으려고 나선 것이다. 정부방침에 편승한 병원은 무자비한 구조조정 공세를 펼치며 극한의 노동강도를 요구했다. 모든 사안에서 노동자들의 숨통을 조여왔다.

"하아…(한숨) 그때는 하루하루 투쟁 아닐 때가 없었네요. 일 년 내내 투쟁했죠. 그때 원무과 팀제에 대한 투쟁도 있었고 영양실 투쟁도 있었어요. 이때 인주철 병원장이 부서마다 신경영, 경영합리화를 내세워 어떻게든 노동강도를 올리려고 하던 때잖아요. 영양실 조합원들이 그전에는 2교대였는데, 노동강도를 더 올리려고 5백만 원짜리 용역까지 줘서 근무표를 바꿔온 거예요. 그래서 24개 번표로 근무시간을 쪼개서 그걸 관철하려고 거기 조합원들을 다 탈퇴시켰어요. 그때 우리가 간담회 하자고 하면 어쩐 일인지 조합원들이 계속 피하고 도망가더라고요. 알고 보니 병원에서 관광버스까지 빌려서 부곡온천 몇 번 데리고 왔다 갔다 하면서 다 탈퇴시켜버린 거예요. 그래놓으니 영양실 노동강도가 엄청나게 심해졌죠." (이정현 구술)

노조는 병원에 "IMF로 인한 직원들의 고통부터 분담하라"며, 적정인력 확보 등을 주요하게 요구했다. 7월 16일 파업돌입을 예고하며 임단협 교섭에 나선 결과, 16일 새벽 ▲인사 원칙 및 경영 참가 신설 ▲구조조정이 불가피한 경우 조합원의 고용안정에 최대한 노력하며,

근무시간 및 형태 변경 시에는 조합과 협의 ▲근무시간 중 조합 활동 보장 등 고용안정과 관련 진전된 안에 합의했다. 또 1998년은 산별노조가 출범한 해로서, 단협 전문에 '전국보건의료산업노동조합'을 명시하기도 했다.

임단협이 마무리된 뒤 치러진 선거에서 보건의료노동조합 경북대학교병원지부 2대 지부장-사무국장으로 유승준-김수경이 당선됐다. 당선자들의 공약에서 당시 노동조합의 최대현안을 짐작할 수 있다. 공약은 ▲고용안정 확보 ▲IMF 이후 훼손된 '노동자 권리찾기' ▲모든 직종이 어우러질 수 있는 노조 활동 ▲산별노조 강화 등이었다.

1996년 3월 인주철 병원장(전 기조실장) 취임 후 노조 압박 사례[21]

구분	내용	결과
전직원 정신 교육(가나안 학교·한마음 교육)	▶근면·성실·실천·직장분위기쇄신·친절봉사 강조하며 비용·원가 절감, 경영 및 운영 개선 ▶부서별로 시간외수당 청구 중지, 연월차 병가 청원휴가 등 통계 토대로 중간관리자에게 책임 묻고 원인분석 요구	병가신청일수 줄이고 시간외수당 청구 원천적 봉쇄
95년 원무과	▶09~18시 근무하던 것을 2개팀으로 나누어 근무시간 변경 및 접수시간 연장	외래진료시간 증가, 점심시간 단축
96년 영양실	▶07~19시 근무하던 것을 3개팀으로 나누어 근무형태 변경 및 시간외 청구 폐지 ▶98년 하계휴가를 연월차로 사용하게 함 ▶1시간 더 일하기	노동강도 강화 및 노조 탈퇴 유도 *팀제 운영의 대표적 결과
97년 수술시간 연장	▶수술시간을 9시부터 16시에서 18시까지로 연장, 수술시간 증가로 낮번 근무 축소 및 초번 근무 증가	시간외수당 청구 최소화 *노조 거부로 이후 무산

---

21 '경영혁신'이라는 이름으로 노동강도 강화(근무형태 변경으로 업무 많아짐).

98년 구급차량 운전자	▶8시간 3교대에서 대기시간 많다는 이유로 24시간 감시단속적 근로를 적용하기 위해 반강제로 한달 이상 24시간 근무하게 함	당사자들의 끈질긴 투쟁 끝에 8시간 3교대로 환원

수술실 보복성 배치전환, 똘똘 뭉쳐 막아내다

1998년 노동조합 새 집행부가 출범하자마자 구조조정의 신호탄이 올랐다. 10월 1일, 수술실에 대한 부당인사를 단행한 것이다. 9월 25일 자로 간호부 내 부서이동을 일방적으로 실시했다. 입사 10년 이상 된 수술실 간호사들을 일반병동으로 발령내고, 수술실에는 임시직 간호사를 배치했다. 노개투 총파업 때 수술실 조합원들이 선두에 서서 투쟁했던 것에 대한 보복이었다.

"수술실 간호사들은 수술실 업무만 계속해왔는데 일반병동으로 돌리려고 한 거예요. 노개투 총파업 때 마지막까지 남았던 대오 중 대부분이 수술실 조합원들이거든요. 수술실은 노동이 특성상 같은 시간대에 일하다 보니 결집력이 강해요. 그러니까 노개투 때도 끝까지 딱 버틴 거죠. 그래서 탄압의 표적이 된 거예요. 노조 탄압의 한 방법으로 이들을 어떻게든 분리하려고 일방적으로 배치전환을 한 거고." (이정현 구술)

노조는 전 직원 서명운동을 벌였고, 환자·보호자까지 부당하다며 서명에 동참했다. 전 조합원이 항의하는 리본을 달고 근무하자 병원 관리자들이 조합원 가슴에서 리본을 떼어내 빼앗아가기까지 했다. 10월 8일 병원장 면담을 했으나 병원 정책 때문이라는 말만 되풀이했다. 10월 13일 노조 간부와 수술실 조합원이 철야농성에 돌입했다. 농성 4일째 아침 병원 관리처 직원과 간호부 관리자들이 관리처장, 총무과장, 인사노무팀장 지휘 아래 로비농성장을 침탈했다. 여성 간부와 조합원들이 남성 직원들에게 로비 밖으로 끌려나갔다. 이때 이정현 보건의료노조 대경본부장의 손가락 2개가 부러지는 사태까지 벌어졌다.

노조는 부당부서이동 철회, 일방적 구조조정 반대, 노조파괴 분쇄 등을 외치며 투쟁의 고삐를 더욱 조여나갔다. 민주노총 대구본부에서도 경북대병원 앞에서 항의집회를 열어 함께했다. 수술실 출근투쟁 29일째인 10월 30일, 병원이 이남희 조합원을 징계위에 회부하자 유승준 지부장이 단식농성에 돌입했다. 이 와중에도 병원은 '한마음 산행'을 강행했다.

"그때 남희 언니가 수술방에서 부당하게 배치전환되니까 수술실 출근투쟁을 하는데 의사들이 일 못 하게 하려고 끄집어내고 그러면서 헤어캡까지 벗겨졌다는 얘기를 들으니까 마음이 너무 아팠어요. 많은 수술방 조합원들이 우리도 언제 그런 일 당할지 모른다, 다 같이 싸워야 한다, 이런 공감대가 컸죠. 그때 수술방 조합원들이 정말 열심히 싸웠거든요. 그렇게 우리가 부당배치전환 반대 투쟁을 한 달 가까이 해서 결국에는 수술방으로 다시 돌려보냈어요. 사실 한 번 한 것을 돌리는 건 쉽지 않거든요. 병원도 절대 안 하려고 하는 건데, 우리가 정말 열심히 투쟁했기 때문에 돌려놓을 수 있었죠. 현장의 수술방 조합원들이 같이 똘똘 뭉쳐서 해낸 거예요. 진짜 값진 승리…."
(김영희 구술)

　　지부장의 단식 등 노조의 끈질긴 투쟁으로 결국 11월 5일 노사협의회에서 ▲수술실 부당인사에 대해 본인의 적성·근무여건 등 고려해 이른 시일 내 인사 ▲현행 외에 문제가 야기되는 근무형태, 시간(휴식시간) 변경 및 병원의 경영혁신 방안 수립 시 사전 노사협의 ▲배치전환 원칙에 대한 노사협의회 1998년 12월 초 개최 등에 합의했다.

　　1999년에도 전보 원칙을 마련하기 위한 팽팽한 줄다리기가 계속됐다. 여러 병원 사용자들은 노무 관리자들끼리 모임까지 이어가며 담합해서 단협 개악안을 내놓기 시작했다. 경북대병원은 1993년 공사로 전환한 뒤부터는 임상병리과나 진단방사선과에 새로운 장비를 도입해 인력충원 없이 2명 남짓의 촉탁직으로만 유지하더니, 이제는 아예 인턴사원을 채용하려 들었다. 병원은 연말 성과급 지급과 응급센터 배치 과정 등에서 호시탐탐 구조조정과 비정규직 도입을 관철하고자 했다.

교육부까지 나서서 경북대병원에 78명의 감원을 요구했다. 병원은 100병상을 증축하고 46억2천만 원의 흑자를 냈으면서도 인력보충은 안 하고 오히려 구조조정에 나섰다. 노조는 파업까지 벌인 끝에 5월 14일 임단협 교섭에서 연봉제 도입을 막아내고 인력계획을 노사가 함께 세우는 데 합의했다.

그러나 이미 빗장은 풀린 이후였다. 임단협 타결 이후에도 병원은 약속을 지키지 않았다. 노조는 노사협의회를 통해 꾸준하게 강제하며, 단협을 이행하라는 철야농성과 지부장 단식을 이어갔다. IMF 이후 구조조정으로 직원 숫자는 줄어들었고, 그렇게 비어서 인력이 필요하게 된 자리는 일용직과 계약직으로 채워졌다. 이제 비정규직은 전체 직원의 25%에 육박하기에 이르렀다.

새로운 천년, 2000년을 앞두고 온 세상이 화려한 폭죽을 터트렸지만, 노동자들에게는 더욱 혹독한 밀레니엄이 다가오고 있었다.

병원 정책과 노동조건의 변화에 맞선 노동조합의 대응(1993~1999년)

	병원의 변화	노동조건의 변화	노동조합의 대응
1993년	• 전직원 교육(하반기) • 상조회 설치	• 변전실 용역 도입	

1994년	• 임금 일방지급 • 전직원 친절교육 • 근로복지계 신설, 근로감독관 출신 낙하산 인사 • 직장동호회 구축→연합회로	• 인사(간호조무사 외래 병동간 배치전환) • 보일러실 용역 도입	• 임시 용역직 도입 거부 • 인력확보 요구
1995년	• 가나안 농군학교 입소교육 • 중간관리자 교육 • 친절교육 • 제안제도, 직원논문 실시 • 노사협의회 원장 불참 • 환자제일주의 배지 달기운동	• 식당 용역(임시직) 도입 • Delibery 용역 도입 • 배범진대의원 정년연장 안됨	
1996년	• 친절교육 • 직원체육대회·등반대회 실시 • 식당(환자·직원식당) 통합 • Spring팀·원사랑팀 발족	• 변전실 책임용역 • 중식근무 및 시차출근 도입	• 임시·용역직 확대시 사전 노사합의 요구
1997년	• ID카드 출퇴근 관리 • 일일수술실 개원 • 외래 호흡기·심혈관 등 센터로 전환	• 건진센터 설치로 촉탁직 30여 명 채용 • 수술실 근무시간 연장 • Half제도(반차) 도입 • 정년 연장제도 없앰	• 필요인력 충원 요구 • 결원시 비정규직의 정규직화 요구
1998년	• 팀제 도입	• 간호사 낮번 근무시간 30분 앞당김 • 구급차 근무형태 전환 (3교대→24시간 격일 근무) • 수술실 간호사 일반병동으로 배치전환	
1999년	• 부서별 QA교육 강화 • 응급센터 증축 • 조기퇴원제 실시	• 응급수납 근무형태 전환 (통상→3교대) • 정년 축소	

4. 더는 못 참는다, 투쟁 대폭발

부당인사로 시작된 싸움, 비정규직투쟁 물꼬 트다

"1999년도부터 비정규직 한두 명 없는 부서가 없고, 비정규직이 엄청나게 많아졌어요. 그러니까 항상 비정규직이나 정리해고에 관한 교육을 많이 해서 조합원이랑 간부들이 비정규직이 들어오면 노동조합으로 신고를 해요. 그런데 이때 제보가 엄청나게 많았던 거죠. 그래서 간부회의에서 어떻게든 비정규직을 조직하고 정규직으로 전환하는 것을 노조의 중요한 사업으로 잡자고 토론을 했죠. 2000년 들어와서는 임단협을 시작할 때 비정규직들과 간담회를 많이 했어요." (이정현 구술)

2000년은 부당인사 철회와 비정규직 정규직화를 걸고 싸웠다. 노조는 노개투 총파업 이후 병원의 계속되는 공세에 맞서, 복원된 조직력을 바탕으로 34일간 파업투쟁을 벌여 승리를 일궈냈다.

"제가 일하는 부서(핵의학과)에 후배들이 비정규직으로 근무했었거든요. 당시에는 1년 계약이어서 연말에 평가해서 재계약을 할지 말지 결정하는 시스템이었어요. 그러니까 연말 되면 술렁술렁하잖아요. 젊은 청춘이 내일을 꿈꾸고 다른 고민을 해야 하는데 재계약 되나 안되나 이 고민만 하고 있으니까 안타깝더라고요. 어쨌든 노동조합하고 같이 뭐든 해보자고 이 친구들을 설득하는데, 이 친구들은 또 노조랑 얽히면 재계약이 안 될지도 모른다는 걱정이 앞서는 거예요. 그래서 너희가 나가면 후배들도 이렇게 될 건데 이런 과정이 다람쥐 쳇바퀴 돌 듯해서는 안 된다, 뭔가 바꿔내야 한다는 얘기를 많이 했죠. 그래도 이 친구들은 아직 노동조합에 대한 확실한 믿음이 없는 거 잖아요. 자칫 잘못하면 연말에 재계약 안 될 수도 있으니까 불안해했어요. 소모임이나 술자리로 인간적인 교류를 통해서 믿음을 주려고 노력했죠. 간호사들은 3교대를 해서 못 만났고, 아침에 출근해서 저녁에 퇴근하는 통상 근무자 중심으로 핵의학과, 영상의학과, 종양학과, 외래, 이렇게 파트별로 소모임을 하면서 만났어요. 그러다가 파트를 두세 개 묶어서 만나고 더 크게 모여서 토론하고 이런 과정을 5~6개월 하니까 자기들끼리도 믿음이 생기고 같이 해보자는 생각이 생긴 거죠. 혼자가 아니다, 나도 고민하고 있고 이 친구도 고민하고 있다, 내가 가입하면 이 친구도 가입할 것 같다, 이런 것들이 확인되면서 한 50명 정도 가입했어요." (우성환 구술)

투쟁은 병원의 부당인사로 촉발됐다. 1999년 12월 31일 병원이 인사승진자 79명을 발표했는데, 간호조무사 기능직 4등급 중 16명과 기타 기능직 몇 명이 빠진 것이다. 심지어 1991년 입사자 중 3차례나 반복적으로 빠진 사람도 있었으며, 누락자에는 노조 간부 경력자가 다수 포함됐다. 병원이 인사권을 노조 활동을 위축시키는 데 이용하

2000년 파업 중 의료기술직 조합원 조별토론.

2000년 파업 3일째 구속결단 삭발식.

2000년 파업 '끝까지 간다'는 결의를 모아 조합원들 손도장찍기.

는, 저열한 탄압 방식이기도 했다. 병원은 매년 근속을 무시한 인사를 해오더니, 이번에는 최하위 직급인 기능직 4등급 인사에까지 근속연수를 무시하고 부당인사를 자행한 것이다.

다른 직종도 마찬가지였다. 1993년부터 원무과 행정부서 승진 인사 때문에 경쟁이 심해졌다. 시차 근무제 도입, 생리휴가 반납, 수당 없는 시간외근무 강요, 노조 탈퇴 강요 등으로 노동강도는 한층 강화되고 있었다. 이제 간호조무사 직종에까지 능력급 인사가 시작됐고 계속 누락자는 자연도태, 퇴출, 자동퇴직으로 유도했다. 간호조무사 축소는 병원 정책과 연계되기에 더욱 심각한 문제다.

노조는 이번 일을 묵과하면 이후에는 더욱 인사문제에 대해 노조가 할 수 있는 게 없을 거라는 판단 아래 투쟁에 나선다. 이번에 바꾸어내지 못한다면 '능력급 인사'라는 이름으로 간호조무사 직종은 분열될 터였다. 병원은 인사권으로 노조를 탄압하며 전 직종에 경쟁체제를 강화하고 노동강도를 높여낼 것이 불을 보듯 뻔했다.

임단협 시기까지 기다릴 게 아니라 당장 인사 관련 제도개선 투쟁을 시작해야 했다. 이에 따라 노조 간부와 인사누락자가 중심이 돼서 투쟁을 전 조합원으로 확산시켜내기로 했다. 또 병원이 추진해온 연봉제를 막는 것은 능력급 인사제도를 막아내는 것부터라는 투쟁의 의미를 전 조합원이 공유하며 임단협투쟁에 결합해 나가기로 했다.

1월 4일부터 공정인사 소식지를 발행하기 시작하고 인사누락자 간담회를 진행했다. 2월 9일 '인사누락자 투쟁 선언 중식 피케팅'을 시작으로 같은 날 '공정인사 쟁취 전 직원 설문', 선전전, 간호조무사 전체간담회, 근무평점 확인 투쟁을 차근차근 벌여나갔다. '원칙 없는 능력급 인사 저지, 연봉제 저지, 공정인사 쟁취 전 직원 서명'(2월 29일)에 5백 명이 참여한 데 이어, 간부·인사누락자 철야농성(3월 29일), 간부 철야농성(3월 27~31일), 전 조합원 중식집회(4월 4일) 등을 이어갔다.

공정인사와 관련한 설문조사 결과[22] 80%가 "승진에서 경력은 거의 무시되고 근무평점이 실제 승진에 영향을 준다"고 생각했다. 또 "누구나가 인정하며 실제 능력 있는 사람이 승진되고 있다"고 바라

---

22 2000년 2월 9~17일에 설문지 650부 배포, 411부를 수거해 분석했다. 80% 이상의 직원들이 현재 인사고과 구조에 대해 모르고 있었다. 또 '근무 평가' 때문에 "경쟁심과 협조 분위기가 없다"(25%), "업무량이 늘어나고 힘들어도 문제 제기하기 어렵다"(62%), "생휴·연장수당 청구를 못 한다"(40%), "상사의 부탁을 거절하지 못하고 눈치를 본다"(30%)고 답했다.

보는 응답자는 5%에 지나지 않았고, "능력보다 병원 정책에 잘 따르는 사람이 승진되고 있다"고 생각하는 응답자는 71%나 됐다. 또한 86%가 "그대로 방치하면 노조를 무력화시키고 근로조건을 악화시키는 것이므로 노조 차원에서 막아야 한다"고 답했다. 75.5%가 "간호조무사에서 무너지면 전 부서에 확대되기 때문에 함께 싸워야 한다"고 했다.

이런 조사결과에 힘입어 노조는 '2001년 1월 1일 자 인사누락자 전원 승진'과 '기능직 1등급, 일반직 4급까지 자동승급제 실시'를 요구하며 싸움을 이어갔다.

"우리가 원래는 인사투쟁으로 파업 들어가는 거였는데, 도리어 비정규 문제가 핵심 이슈로 떠올랐어요. 비정규직은 당사자가 없으니까 사실 이 문제로 우리가 얼마만큼 어떻게 투쟁할 수 있을지 미지수였죠. 그런데 파업 준비를 하면서 비정규직 당사자들과 간담회를 해보니까 비정규직들이 '희망이 안 보인다, 언제 잘려나갈지 모르니 이판사판이다, 가만히 해고당하느니 뭐라도 해야겠다, 노조에서 같이 투쟁해줄 수 있냐, 노조 믿어도 되냐' 이런 이야기를 하더라고요. 그래서 '당신들을 반드시 정규직화시켜준다는 약속은 못 지켜도 적어도 해고되는 것을 그냥 두고 보지는 않겠다, 여러분들이 해고되면 우리도 해고될 각오로 투쟁한다는 것은 약속할 수 있다'고 했던 기억이 나요. 나중에 파업이 임박해서 '그렇지만 당사자가 없는데 우리가 파업이나 투쟁을 할 수는 없다'고 하니 그 친구들이 다 노동조합에 가입하고, 파업까지 나왔어요. 그때 50명 정도가 나와서 조 이름이 '5분대기조'였는데, 이들이 파업 대오의 선두에 섰어요. 처음에 인사 누락, 부당인사로 임단협을 시작했는데, 실제 파업에 들어가면서는 비정규직 문제가 더 핵심 쟁점이 된 거죠." (이정현 구술)

3~4년 전까지도 200~300명이었던 계약직·촉탁직은 400명까지 늘어나 있었다. 계약직으로 3년이 지나도 정규직 전환은커녕, 정규직이 퇴직한 자리는 도리어 없애버리는 식이었다. 이에 따라 노조는 2000년 임단협 특별요구안으로 '1999년 인사누락자 문제 해결'과 함께 '비정규직 처우 개선(비정규직도 정규직과 같이 근로조건 및 복리후생 단체협약 적용)'을 내걸었다. 이러한 분위기가 비정규직 조직화의 바탕이 돼서 간담회 등을 통해 비정규직들이 노조에 대거 가입했다. 그들은 2000년 임단협의 중심축 역할을 담당했다.

"비정규직 4~5년 차 임금이 정규직의 50%밖에 안 되고, 결혼식 해도 연차로 휴가를 가야 했어요. 그러니까 이렇게는 못 다니겠다며 차라리 해고되는 게 낫겠다는 각오로 파업에 나온 거죠. 그때 병원은 돈을 엄청 많이 벌어서 시설이 진짜 삐까번쩍했거든. 건물에는 대리석 깔고 화장실도 진짜 좋았어요. 그래서 비정규직이 발언할 때 '우리는 저 병원의 화장실보다 못한 존재'라고 할 정도였다니까요. 그런 불만이 폭발적으로 올라온 거죠." (김영희 구술)

"비정규직들을 수차례 만나서 설득했죠. 그렇지만 파업에 이 친구들이 진짜 내려올 줄은 몰랐어요. 조직을 하기는 했지만 반신반의했는데 집단적으로 쭉 내려와서 노동조합 가입하고 파업 자리에 딱 앉은 거예요. 그렇게 파업이 성사되고 이 친구들이 앞에서 열심히 투쟁하니까, 그때 사오백 명 되는 정규직들이 자기들 요구는 다 날려버리고, 임금인상 안 해도 된다, 이 친구들 정규직 시켜라, 이 단일 요구로 파업투쟁을 밀고 갔죠." (우성환 구술)

"뜨거웠던 우리들의 6월항쟁 기억"

저희 학번은 IMF로 온 나라가 절망과 고통에 빠져있을 때 졸업했어요. 잠시 작은 병원에서 일하고 있던 제가 다행히도 1999년 4월에 우리 병원에 입사하게 돼 하늘을 날아갈 듯 기뻤죠. 하지만 그 기쁨은 잠시였고 현실은 그렇지 못했어요. 비정규직이 뭔지도 몰랐던 저에겐 충격이었습니다. 1년 단위로 재계약을 해야 했고, 얼마 되지도 않은 월급과 복지제도, 개인 경조사는 모두 개인휴가로 가야 했어요. 본인 결혼식마저도 그랬습니다. 그중에서 가장 힘들었던 점은 미래에 대한 희망을 품을 수 없다는 거였어요. 12월 말에 재계약이 되지 않으면 그만두어야만 하는 상황이었죠. 같은 일을 하고도 턱없이 적은 월급에 고용불안까지 있었으니 무엇이라도 해야만 했습니다. 내 밥그릇은 내가 직접 챙겨야 하겠다고 마음먹었습니다.

저가 근무한 곳은 핵의학과입니다. 마침 그곳엔 따뜻한 마음을 가진 선배가 있었습니다. 훗날 우리는 그 선배를 '비정규직의 아버지'라 불렀습니다. 그 선배는 비정규직 후배들에 많은 관심이 있었어요. 문제 해결을 위해 간담회를 해서 비정규직 후배들과 만나고 설득하고 또 만나고 설득하고…, 그러한 노력의 결과로 처음엔 소수였지만 시간이 지날수록 여러 직종의 비정규직들이 모이게 됐습니다. 그래서 저를 비롯한 많은 비정규직이 노동조합에 가입하게 됐고 파업투쟁에도 동참하게 됐죠. 다만 비정규직 간호사들이 노동조합에 가입은 했는데, 파업엔 불참한 것이 지금도 큰 아쉬움으로 남아있어요.

2000년도 그해 5월 30일 전야제를 시작으로 34일간의 대장정이 시작됐습니다. 노동조합을 믿고 파업에 참여했지만 여전히 불안했던 우리는 전야제에 모인 많은 정규직을 보며 조금은 안도하게 됐어요. 더 큰 믿음을 가지게 됐고 이길 수 있을 것만 같았습니다. 처음 경험하는 '노동조합'이라는 이름과 '파업'이라는 현실에 약간의 설렘과 많은 걱정과 두려움이 있었지만 저의 20대 열정을 불태우기엔 충분했습니다.

우린 비정규직끼리 '5분대기조'라는 이름으로 한 조가 되어 항상 농성장 맨 앞에 앉아서 목이 터지라 소리치고 팔뚝질을 따라 했죠. 덕분에 정규직들이 힘들고 지쳐갈 때쯤엔 우리의 모습이 새로운 자극제가 되기도 했던 것 같아요. 몸치였던 제가 생전 처음으로 '몸짓패'가 되어 많은 조합원 앞에서 춤도 췄습니다. 일과 마친 뒤 남아서 새로운 안무도 배우고, 다음날 보여줄 새로운 몸짓을 노동가요에 맞추느라 늦은 시간까지 연습하기도 했어요. 그때 심정은 이왕 할 거면 열심히, 제대로 하자는 것이었죠.

그때 노동조합 간부들에 대한 체포영장이 발부돼서 병원 출입구를 비롯한 주변 담벼락과 주차타워에서 경계근무를 설 땐 병원 주변에 경찰순찰차만 지나가도 빠짝 긴장했던 기억이 납니다. 원무과 앞 로비에서 처음으로 철야농성을 하던 기억, 그리고 시내를 지나서 경북대학교까지 행진하던 기억, 새로운 노동가요를 배우고 구호를 목청껏 따라 했던 기억 등등 모든 게 새롭고 힘들었지만 저를 위한 저의 일이었기에 열심히 동참했던 것 같아요.

무엇보다도 주변에서 저를 걱정해 주는 좋은 동료들이 정말 많다는 것을 몸소 체험하게 됐고 난 참으로 운이 좋다는 생각을 하게 됐습니다. 지도부 삭발, 체포영장 발부, 조합간부 직위해제와 회유 등 투쟁 과정에서 여러 아픔과 탄압이 이었지만 모든 걸 잘 견디고 이겨냈기에 우리가 승리할 수 있었다고 생각합니다. 그해 파업 이후 다소 시간은 걸렸지만, 저의 미래에 대한 희망을 품을 수 있다는 게 무엇보다 기뻤습니다.

우리 병원 노동조합은 일찍부터 정규직노동조합이 비정규직을 받아들여서 함께 투쟁하고 승리한 모범적인 투쟁 과정을 보여주었습니다. 파란색 티셔츠를 입고 머리띠 동여매고 '비정규직 철폐'를 외치며 팔뚝질하던 생각을 하니 지금도 코끝이 찡하고 목이 메네요. 21년이 지난 지금도 저의 가슴속엔 뜨거웠던 6월 항쟁의 기억과 열정이 가득합니다. 이후로도 소중한 추억으로 기억할 것입니다.

- 2000년 파업 당시 핵의학과 계약직 2년차 이건창 씨의 기억

"노조활동 더욱 열심히 하게 된 계기"

내 인생에서 가장 치열했던 여름이었죠. 아무도 몰라주는 우리 권리를 깨달았어요. 나 자신이 사회로부터 소외당하고 있음을 뼈저리게 느끼게 해준 해였습니다. 그러나 나처럼 힘들고 나약한 존재도 모여서 뭉치면 큰 강이 되고 큰 힘이 된다는 것 또한 느끼고 깨달은 날들이기도 했습니다. 2000년 그해 여름에는 푸른색 반팔 티를 입었던 조합원과 간부들이 더위에 많이 지쳤던 기억이 납니다. 아스팔트 위에서 폭염과 싸우며 행진하느라 힘들었지만 정말 즐겁고 재미나기도 했습니다.

저의 경우 1997년 입사 때 '촉탁직'이라고 했는데 그게 무슨 의미인지도 몰랐죠. 지나서 보니 그게 계약직이더라고요. 병원 생활을 조금씩 하고 알아갈수록 너무 억울하고 힘든 마음이 서서히 분노로 변해갔어요. 이런 때 우리의 어려움을 처음으로 들어주고 답해주던 분들이 바로 같은 상황의 비정규직들과 노동조합 간부들이었습니다.

입사 면접 때 병원장이 '노동조합에 대해 어떻게 생각하느냐?'고 묻더라고요. 그때 제가 했던 말은 '국민의 건강을 볼모로 제 밥그릇 챙기는 집단이다. 노동조합은 있을 수도 없고 있어서도 안 된다'였어요. 같이 면접 온 다른 사람들보다 더욱 강력하게 주장했던 저로서는 이런 노동조합에 등을 돌리고 있었죠. 그리고 사적인 자리에서 우리 병원 모 교수로부터 '노조 위원장 그X은 대한민국에서 가장 나쁜X고 악질이다'라고 들어서 노조 간부들을 외면 하고 있었습니다.

그러던 중 노조 간부들의 끈질긴 대화와 잦은 만남으로 제가 조금씩 변해갔어요. 조금씩 신뢰가 쌓여 '노조 가입하면 다음 계약은 없다'는 엄청난 압박에도 저와 같은 상황에 처한 동지들과 함께 대거 노동조합에 가입하면서 노동조합 활동을 시작하게 됐습니다. 그리고 이후 예상했든 아니든 간에 우리 문제인 비정규직 정규직화 요구가 크게 대두됐고 34일 파업 기간 내내 저는 맨 앞자리에서 함께 했습니다. 아무것도 모르고 시작한 파업 첫날 민중의례와 더듬더듬 따라부른 노동가, 그리고 34일 동안 해왔던 손바닥 물감찍기, 폭죽 터트리기, 공권력이 언제 들어올지 몰라 군대처럼 조를 짜서 불침번 서던 철야농성, 병원 로비를 눈물바다로 만든 간부 삭발식 등 많은 기억이 납니다. 그리고 제일 기억에 남는 건 우리 병원에서 처음 만들고 활동했던 몸짓패예요. 당시에 몸짓패 인기는 대단했죠. 지금으로 치자면 6명의 총각으로 구성된 아이돌이었다고나 할까요. 나는 물론이거니와 누구 하나 제대로 몸짓을 해본 사람이 없었던지라 어눌했지만, 파업 일수가 쌓여가니 몸짓은 조금씩 나아졌고 그런 모습을 바라봐주고 격려해주던 조합원들이 정말 큰 힘이 돼줬죠. 나중에는 동산병원노조에 지원까지 나갔으니 꽤 괜찮게 발전했던 것 같아요.

이후 병원에 공권력을 투입한다는 소문이 돌았고 결국 전투경찰이 조합원들의 진로를 방해하자 지원 나왔던 금속노조 동지들과 함께 맨몸으로 방패와 곤봉에 맞서 싸웠어요. 병원 전체가 아수라장이 된 일도 있었습니다. 그때 전경들의 헬멧과 방패를 빼앗기도 했고, 여성 조합원들은 넘어진 전경을 손수 일으켜주며 옆에 나와 있으라고 울부짖으며 애원도 했고, 남성 동지들은 분위기에 휩싸여 주먹과 막대기로 공권력을 있는 힘껏 내리치며 울었던 일이 기억에 많이 남아요. 지금도 그 시절 치열하게 싸운 영상이 남아있어 노동조합 교육 때 가끔 보게 되는데 흐뭇한 기억을 되살리곤 합니다.

무엇보다 파업 마무리 단계쯤에 병원 측이 파업 대오를 해체하려고 조합원 집마다 협박 편지를 보냈어요. 부모님과 가족까지 이용하는 치졸한 압박이 점점 더 심해진 거죠. 여러 갈래로 압박이 들어와서 조합원들이 붕괴될 조짐이 곳곳에서 보이던 때, 당시 파업대책본부(파대본)에서 위기를 느껴 승부수를 건 단식투쟁을 했던 기억도 납니다. 당시 저는 비정규직 조장으로서 파대본의 지침에 따라 단식할 조합원을 정해야 한다는 말을 어렵게 전하면, 조원들이 앞장서 지원해줘서 정말 고맙기도 하고 가슴 아프기도 했어요. 조원들 안 보는 데서 많이 울었던 기억도 나네요. 34일 파업이 성공적으로 끝난 뒤 비정규직 문제는 많이 개선됐어요. 저는 노동조합 활동을 더욱 많이 하게 됐죠.

- 2000년 파업 당시 방사선종양학과 계약직 4년차 조합원 강효묵 씨의 기억

"임금보다 정규직화" 파업투쟁 승리

34일간의 파업투쟁 끝에 7월 3일 잠정 합의에 이르렀다.

단협에서 쟁점이었던 인사문제와 관련 인사고과 평점은 근무성적 50점, 경력 40점, 연수성적 10점으로 구성키로 합의했다. 또 인사에 고충이 있는 직원이 원하면 본인만이 직접 평점 산정 전 기간의 근무성적 평점 내용을 열람할 수 있도록 했다.

비정규직 관련해서는 ▲용역·위탁 도입 시 노조와 사전협의 ▲정규직 결원 시 현재 비정규직 우선 임용 및 고용보장을 원칙으로 하며 특별한 사유 없으면 입사순(비정규직 기간 경력 80% 인정) ▲정규직 결원은 3개월 이내 충원을 원칙으로 하며 인력은 2000년 말까지 32명, 2001년 말까지 20명, 2002년 말까지 15명을 증원하며 그 이후 증원에 대해 최대한 노력(2000년 27명 증원은 종전 직종별 TO를 유지하고 그 나머지 증원 TO는 비정규직 적체가 심한 직종을 우선으로 한다) 등에 합의했다.

"그때 조합원들 돌아가면서 사흘에 한 번은 철야를 한 것 같아. 그래도 조짜서 조별활동도 하고 재미있는 일도 많았죠. 그때 투쟁하면서 생긴 커플도 얼마나 많았는데~. 그때 연애하다 직원끼리 결혼 많이 했죠. 하여튼 우리 파업할 때 의약분업 때문에 의사 파업이 있었어요. 의사 없어서 어차피 안 돌아가니까 병원은 급할 거 없다는 식으로 교섭도 안 하려고 했어요. 그래서 우리는 할 수 있는 건 다 했죠. 머리도 밀고, 집단단식도 하고, 여기서 경북대 본관 총장실까지 걸어가기도 하고, 인주철 병원장 집 앞에 찾아가서 꽹과리 치고. 오적 찾아다니는 투쟁도 했는데, 수성교 지나서 인주철 사는 아파트 앞에도 몇 번 가서 꾕과리 치면서 동네 시끄럽게 하고… 진짜 그때 안 해본 게 없네. 시민들한테 알려야 한다고 바깥에 천막도 쳤고, 투쟁이라는 투쟁은 다 했죠. 그 와중에 공권력이 들어온다는 소문도 있었거든요. 우리보다 먼저 1995년에 공권력 들어왔던 영남대의료원노조 위원장 했던 곽순복 동지 불러서 대응 교육까지 받았잖아요. 그래서 다 같이 잡혀가려고 마음의 준비를 다 하고 있는데 안 들어오는 거야. 그러다가 우리가 민주노총 대구본부랑 집회하고 동대구역까지 행진까지 하고 마무리집회 하려고 돌아오는데 병원 못 들어가게 우리를 딱 막더라고요. 그래서 막 싸움 나서 터지고 때려 부수고 난리가 났어요. 경찰 방패 다 뺏어서 발로 밟아 다 부수고, 모자도 뺏어서 다 던지고…. 그때 우리가 힘이 좀 셌죠. (웃음)" (이영숙 구술)

당시 회계감사를 맡고 있었던 강혜진 씨는 "그때는 항상 한 판 뜰 각오를 하고 살았지"라고 회고했다. 이영숙씨 역시 "우리 조합원들도 한 달 가까이 모여서 교육하고 그랬으니까 투쟁력이 가득했지. 뭐든지 다 할 수 있었어. 공권력이든 구사대든 들어오면 다 싸우고 때려 부수고 그랬다"고 기억한다.

2000년 파업투쟁 일지

일시	내용
3월 30일	비정규직 1차 간담회
3월 31일	임시대의원대회, 요구안 확정(임금 15.28%, 공정인사·비정규직 정규직화·인력 확보 등)
4월 4일	공정인사 쟁취 2000 임단협 승리를 위한 조합원 중식집회(100여 명 참가)
4월 6일	단체협약 교섭 상견례, 비정규직 2차 간담회

4월 11일	전조합원 교육(310명 참가) : IMF 2년, 병원 의료수익(2백억 흑자) 전국 5위
4월 18일	병원 개악안(하기휴가·병가 삭제) 제출로 개악안 철회 투쟁 시작
4월 26일	간호부 실명제 거부 투쟁(사진 촬영 거부 등)
5월 2일	병원 무인카메라 설치에 직원감시용 철거 요구
5월 9일	개악안 분쇄 조합원 중식집회(110명 참석), 임시대의원대회에서 조정신청 결의
5월 10일	'감시카메라 철거' 서명 511명 참여
5월 15일	조정신청 접수
5월 18일	비정규직 간담회 : 노조 가입 결의
5월 23일	로비농성 돌입 선포 중식집회(100명 참가)
5월 24~26일	쟁의행위 결의(85% 투표, 76% 찬성)
5월 25일	조정회의 결과 행정지도
5월 29일	병동 간호부 조합원 및 통상근무 조합원 퇴근 후 집회, 비정규직 70명 노조 가입
5월 30일	총파업 승리를 위한 전야제
5월 31일	07시 30분 파업 돌입, 비상총회에 조합원 3백 명 참가
6월 3일	유승준 지부장, 이정현 부지부장, 우성환 조직부장 구속결의 삭발식 총파업투쟁 승리 결의대회
6월 7일	대경본부 연대투쟁 선언 기자회견 및 지역연대의 밤 파업 돌입 이후 부서별 파업 참가자 계속 증가(380명) 병원, 노조 간부 6명 고소고발
6월 8일	대구시장 면담 및 사태 해결 촉구 집회, 시민선전전
6월 9일	경북대학교 총장 면담 및 사태 해결 촉구 집회, 시민선전전 병원, 유인물 배포

6월 13일	노조 간부 6명 체포영장 발부 중앙상경투쟁, 국회(박인상·이재오·임종석) 노동부·교육부 면담 투쟁
6월 15일	시민대책위(대구지역 40여 개 민주시민단체) 발족 기자회견 병원장 집 앞 항의집회, 해고자 구제·소송고지·투쟁기금 서명 전개
6월 17일	노조파업 장기화 유도하는 인주철 병원장 퇴진 범시민촉구대회 및 병원장 퇴진 서명운동 시작
6월 19일	조속한 파업사태 해결을 위한 공청회 개최 요구 전 직원 서명
6월 20일	병원, 사용자 중 전국 최초로 조정신청(기존 합의사항 전면 부정)
6월 21일	병원, 조합원·간부 21명 직위해제 통보
6월 23일	2000년 파업투쟁 승리를 위한 대구지역 연대투쟁 결의대회 경대병원 3적(인주철 병원장, 김법완 기조실장, 조시달 노무팀장) 면담투쟁
6월 25일	교섭에서 미합의 부분 합의
6워 27일	교수 일동 1차 성명, 보건의료노조 집중투쟁 첫날
6월 29일	조정위원회 조정 결렬, 인주철 병원장 퇴진 서명 3,770명 참여
6월 30일	병원은 근무 복귀명령서 발송, 노동위는 직권중재 회부 교수 일동 2차 성명 및 조합원 가정통신(7월 3일까지 복귀 명령) 발송
7월 1일	긴부조힙원 20명 1차 집단 단식두쟁 돌입 시내 중심가(삼덕파출소 앞) 천막농성 돌입
7월 2일	한나라당 점거농성, 공권력 투입 임박 분위기
7월 3일	병원장 퇴진 대구시민 서명 9,500명 참여 조합원 30명 2차 집단 단식투쟁 돌입 파업 34일째 시민대책위 중재로 교섭, 잠정합의

잠정 합의 이후에도 노조는 잠정합의안 찬반투표(7월 5~6일)까지 간부 철야농성을 계속 이어갔다. 7월 8일 합의서를 작성했지만, 노조 탄압은 계속됐다.

앞서 파업 8일째인 6월 7일 병원이 노조 간부 6명을 고소·고발하는 바람에 6월 13일 이들에 대한 체포영장이 발부됐다. 경찰은 3차 소환장을 발부한 뒤 체포조를 구성해 노조사무실까지 들이닥쳤다. 그때는 조합원들의 투쟁으로 막아내긴 했으나 7월 3일 잠정 합의 이후에도 체포영장이 발부된 간부들은 현장으로 복귀하지 못하고 노조사무실에서 밤샘 농성을 벌여야 했다. 7월 14일부터 전 조합원이 '체포영장 철회' '직권중재 철폐'라고 쓴 리본을 달기 시작했으며 청와대와 검찰에 '엽서 보내기'도 진행했다.

또 병원은 7월 24일 임금 지급일에 파업에 불참한 직원에게만 수당 10만 원을 지급했다. 노조는 28일 병원장실을 항의방문하고 '차별임금, 비정규직 연차 무시, 파업참가 조합원 탄압, 노조무력화' 분쇄를 위한 전 조합원 중식집회와 간부 철야농성을 이어갔다.

한편 간부들의 장기간 수배로 노조 집행력의 공백을 우려한 체포영장 발부자들은 8월 17일 자진 출두했다. 자진 출두한 이정현 부지부장이 구속됐고, 남아있던 유승준 지부장은 9월 19일에 연행, 구속됐다. 노조는 지도부 공백 문제를 해결하기 위해 비상대책위원회(위원장 김영희-사무장 김수경)를 구성하는 한편 지부장과 부지부장 석방투쟁을 벌여나갔다. 이후 이정현 부지부장은 9월 27일, 유승준 지부장은 10월 5일 석방됐다.

경북대병원은 IMF 2년 동안 의료수익 2백억 원 흑자를 기록했다. 그렇게 경영수익이 엄청나게 늘어 전국 경영 5위를 차지했음에도 병원은 도리어 노동자에 대한 감시·감독을 강화했다. 구조조정이 빠른 속도로 진행됨에 따라 직원들은 급속히 병원 경영체제에 길들어가

2000년 병원 본관 앞마당에서 열린 지역 연대집회.

면서도 거세진 노동강도 때문에 힘들어했다. 또 비정규직이 엄청나게 늘어 400명에 육박한 가운데 2000년 초 간호사 직종마저 계약직으로 채용하자 심각한 고용불안을 느낄 수밖에 없었다. 다년간에 걸친 병원 중간관리자의 통제와 구조적 경쟁이 정착된 상태였기 때문에 2000년 임단협은 쉽지 않은 투쟁이었다.

그럴수록 조합원이 임단협에 거는 기대는 높았다. 게다가 응급센터 개원으로 병동이 확장하는 것을 보며 '병원의 발전이 곧 노동자의 발전'이 아니라는 것을 자각하기 시작했다. 노동자는 단결된 힘으로 부딪혀야 한다는 생각이 공유되기 시작한 것이다.

이런 조건에서 파업 기간에 400여 대오가 끝까지 함께한 것은 '비정규직 정규직화' 요구가 전체 조합원의 공감 속에서 투쟁의 동력으로 살아난 것이다. 특히 임단협 기간에 비정규직이 대거 노동조합에 가입하고, 또 파업까지 동참한 것은 큰 성과라고 할 수 있다. 비정규직

2000년 병원 이사회가 열리는 경북대학교 본관 앞에서 총장에게 항의하는 조합원들.

의 노조 가입으로 540명으로 줄었던 조합원은 다시 640명으로 늘었으며, 비정규직의 노조 가입은 이후에도 계속됐다. 더불어 파업에 참여하지 못하는 조합원들은 투쟁지원금을 보탰고, 비조합원들도 투쟁에 지원·연대했다.

"그때 처음으로 비정규직을 노동조합으로 가입 받았는데 그게 굉장히 의미가 컸죠. 비정규직들이 노동조합 가입하면서 자기들도 파업으로 나왔고, 정규직화를 자기 투쟁으로 각인한 거죠. 그때만 해도 교섭에서 비정규직이 노조 가입을 할 수 있냐, 비정규직 정규직화가 임단협 요구로 가능하냐, 이런 쟁점이 붙어서 시간도 많이 끌고 그랬거든요. 그래도 우리가 현장 복귀 절대 안 하고 완고하게 버티면서 파업을 이어가니까 병원도 그제야 요구로 받아들이고, 안을 조끔씩 내더라고요." (김영희 구술)

이렇게 2000년 34일 파업을 가능하게 한 데는 이탈 없이 끝까지 함께한 조합원들의 역할이 컸다. 조합원들은 병원의 탄압에도 흔들리지 않았다. 1층과 5층 조합원들은 중간관리자가 "밤 근무만이라도 하라"고 종용했으나 "현재 투입 인원으로도 충분하다고 판단한다"며 파업에 결합했다. 외래에서는 육아휴직을 마치고 막 근무를 시작하게 된 조합원도 파업에 결합했다. 악랄하기로 소문난 부서장이 있는 부서 조합원들 역시 굳건하게 파업에 함께 했다. 노동조합 역시 이 같은 조합원들의 결의에 호응, 확고한 의지로 투쟁을 이끌었다.

"그때가 노개투 파업 이후 첫 파업이죠. 노개투 파업 끝날 때 50명 남았던 트라우마가 있기 때문에 다시 어떻게 전체가 같이 갈 수 있을까 고민이 많았어요. 그런데 비정규직 정규직화 요구에 모두 공감하고, 각 부서에서 선배들이 '내 후배를 정규직화시켜야 한다'고 하면서 파업에 참여하고, 끝까지 이탈하지 않았던 거예요. 그런 부분들이 2000년 파업의 가장 큰 힘이 됐던 것 같아요. 저도 그때 놀랐던 게, 파업 대오가 엄청 단단했어요. 34일 가는 동안 이탈자도 없고 대오가 튼튼했던 게, 자기 부서의 후배들을 정규직화시키는 투쟁이라 선배들이 다 나온 거거든요. 후배들과 어떻게든 같이 끝장을 보겠다는 태세였죠. 이 상태로 두고 그냥 들어가면 못난 선배가 된다는 생각이었어요." (이정현 구술)

경북대병원노조는 2000년 임단협에서는 비정규직 50여 명이 노조에 가입하고 파업투쟁까지 참여해 한 축을 담당했다. 이런 경험과 성과를 바탕으로 노조는 이후에도 매년 임단협에서 비정규직의 처우 개선과 정규직화를 요구하며 조합원과 함께 투쟁했다. 비정규직투쟁의 대장정이 시작된 것이다.

2000년 파업 30일차, 조합원 단식농성.　　　　　　　　병원 본관 가로막은 경찰.

　　2001년에 노조는 비정규직과 관련해 ▲임금 정규직원의 100%에 달하도록 지급 ▲계약 기간 만료를 이유로 해고할 수 없으며 정규직과 동일하게 단체협약 적용 ▲정규직 발령 시 근무 기간 100% 경력 인정 ▲2000년 정규직의 봉급조정수당이 기본급화된 부분은 2000년 임금협상에 따라 정규직 인상액의 50% 인상 ▲병원은 부득이한 경우에 비정규직[23] 도입 시 비정규직 근로계약서 작성에 노조 참여를 보장하고 사전에 반드시 노조와 합의 후 채용 등을 요구했다. 그러나 합의 이후 지난해와 연계한 비정규투쟁이 지속적으로 진행되지 않았다고 생각한 비정규직 조합원들의 반응은 다소 냉소적이었다.

　　2002년부터는 비정규직 정규직화를 요구하기 시작했다. 주요 요구사항은 ▲비정규직 더 확대하지 않으며, 기존 비정규직 즉시 정규

23　파견노동자, 계약직, 임시직, 시간제, 촉탁직 등 명칭을 불문한 정규직을 제외한 모든 노동자.(당시 문서에 규정)

직화 ▲부득이한 경우 비정규직[24] 도입 시 비정규직 근로계약서 작성에 노조 참여 보장 및 사전에 노조와 합의 후 채용 ▲비정규직은 계약기간 만료를 이유로 해고할 수 없으며 정규직과 동일하게 단체협약 적용, 병원은 용역·위탁·도급·임대 도입 시 사전에 노조와 합의 ▲비정규직 임금은 해당 정규직의 100% 지급 등을 요구했다.

이 해에는 ▲현 비정규직 중 금년 5~10명, 2003년까지 20명, 2004년까지 20명을 TO 확보해 정규직으로 임용 ▲대민지원비·하계휴가비 각 20만 원 지급 ▲자녀학자금·탁아시설 이용 정규직과 동일하게 시행 등을 쟁취했다.

2003년 요구사항은 더욱 발전했다. 2002년의 4가지 요구사항에 더해 ▲대체·용역직원 근로기준법 준수, 4대 보험 적용, 진료비 감면 직원과 동일하게, 최저임금 85만 원 ▲대체·용역직원 밤 근무 7개 이하로 제한 ▲간접고용(파견·용역) 노동자 고용보장, 고용 승계 시 임금 등 노동조건 저하 없도록 ▲간접고용 노조 결성 또는 노조 가입 시 불이익 금지를 요구했다. 이 해에 ▲비정규직(계약직)원 하계휴가비 10만 원 증액 ▲대체직원·용역직원도 선택진료비 및 건강검진비 각 20% 감면 등을 쟁취했으나, 비정규직과 간담회에서 불만이 터져 나왔다. 임금인상의 구체적인 요구에서부터 현재 누적되고 있는 비정규직 인원과 기간에 대한 불만, 정규직화의 구체적인 요구와 집행부의 투쟁 의지에 관한 확인까지 의견은 매우 광범위했다.

---

24 23)과 동일

퇴직금누진제만 없애면 다 들어준다는 병원과 힘겨루기

2001년 새해부터 병원이 보직자와 3급 이상 직원에게 '퇴직금누진제 폐지 동의서'를 받기 시작했다. IMF 이후 공기업 구조조정 방침에 따라 2000년 말 기획예산처가 9개 국립대병원에 퇴직금누진제를 폐지하라는 지침을 하달했기 때문이다. 기획예산처는 "교육부 주관으로 조속한 시일 내에 국립대 병원장회의를 개최해 연내에 퇴직금누진제를 폐지하도록 유도하기로 했다"며 "이에 응하지 않는 기관은 내년 예산에 불이익을 줄 방침"이라고 밝혔다.

퇴직금누진제는 현재의 임금 일부를 미래에 받는 '후불 임금' 성격의 보편적인 제도다. 그런데도 경제위기를 빌미로 노동자들에게 '양보'라는 이름의 '강탈'을 시작한 것이다. 노조는 2001년 1월, 곧바로 '퇴직금누진제 폐지 반대' 전 직원 서명으로 맞섰다.

2월에는 다른 국립대병원 지부들과 동시에 간부철야농성(5~7일), 기획예산처 앞 '구조조정 저지 및 예산권 남용 기획예산처 규탄집회'(13일)에 결합했다. 그러나 병원은 아랑곳하지 않고 2월 14일부터 각 부서장을 통해 일반 직원에게도 퇴직금누진제 폐지 동의서 서명을 받기 시작했다.

노조는 전 조합원 중식집회(15일), 리본달기(19일~), 로비농성(19~23일)을 거쳐 기획예산처 예산권 남용 분쇄 공공부문 노동자 결의대회(27일)에 대거 참여했고, 2차 로비농성(3월 5~9일)과 기획예산처 규탄 집회(3월 24일)를 이어갔다.

5월 2일, 2001년 임단협 2차 교섭에서 병원이 퇴직금누진제 폐지를 비롯한 개악안을 상정하려고 해 공방은 계속됐다. 6월 13일 임단협을 타결하며 결국 "퇴직금제도에 대해서는 추후 협의한다"고 합의했으나 국립대병원 차원의 공격은 멈추지 않았다. 이에 국립대병원 지부들은 6월 21일 교육부 앞에서도 규탄 집회를 열었다.

하반기 노사협의회에서도 병원은 계속 퇴직금누진제 폐지를 들고 나왔다. 이와 관련한 노조의 설문조사[25] 결과 348명(51.8%)이 "지킬 수 있을 때까지 지켰으면 좋겠다", 72명(10.7%)이 "투쟁을 통하여 반드시 퇴직금누진제는 지켜야 한다"고 답했다.

12월에 노조가 퇴직금누진제 보상안을 제시하자 병원은 안을 일부 수용해놓고도 12월 26일 경북지노위에 조정신청을 접수했다. 해가 바뀐 뒤에도 투쟁을 계속해야 했다. 경북지노위는 조정 대상이 아니라고 결정했다. 노조는 사측의 조정접수를 규탄하는 한편 중식집회와 함께 '조정신청 철회 및 성실교섭 촉구 전 직원 서명'을 이어갔다.

경북대병원측이 퇴직금누진제에 이토록 매달린 것은 공공기관들이 거의 퇴직금누진제를 폐지하고 병원사업장들만 남아있었기 때문이다. 2001년에 서울대병원과 전남대병원은 퇴직금누진제 사수를 위해 파업까지 벌여서 지부장들이 구속된 터였다. 그렇게 결국 경북대병원만 퇴직금누진제는 그대로 둔 채 임단협으로 넘어가서 아직 폐지되지 않고 남아있었다. 병원측은 퇴직금누진제를 없애기 위해 개별동의 서명을 강요하기 시작했다.

2002년 2월 4일 병원에서 퇴직금제도 개선 건으로 단체교섭을

---

25 2001년 12월 3~7일 진행, 671명 참여(조합원 449명, 비조합원 195명, 그 외 무응답).

하자고 했지만 노조는 사안의 성격상 노사협의회에서 논의해야 한다고 맞섰다. 그렇게 2월 18일 열린 노사협의회에서 최종안이 마련돼 '2002년 2월 1일부터 단수제로 전환 적용'에 합의했다. 이와 함께 '2002년 1월 31일 현재 정규직으로 재직 중인 직원에 한해 1호봉 가산(2월 1일부터 적용)', '대민지원비 4월·10월에 각각 30만 원씩 지급' 등에 합의했다.

"불이익 변경이기 때문에 개별동의를 받아야 하거든요. 병원은 전략적으로 관리자부터 먼저 서명받고 그다음에 조합원(일반 직원)들한테 넘어왔는데, 관리자 중에도 머리가 있는 사람들은 '내가 내 퇴직금 없애는 서명을 왜 하냐'고 버틴 사람도 있었지만 관리자기 때문에 결국에는 할 수밖에 없거든요. 그냥 서명하라는 정도가 아니라 달달 볶아서 서명 안 할 수 없게 만드는 거예요. 그렇게 병원이 날마다 현장에서 서명하라고 하니까 조합원들은 계속 노조에 전화하는 거야. 매일 출근해서 그거 대응하는 게 일이었어요. 힘들었죠. 그런데 그것도 한계가 있는 게, 이미 다른 사업장들 다 없애고 국립대병원 중에 우리만 남은 거니까. 결국 조건부로, 다른 단협을 최고로 따내고 퇴직금누진제 없애는 데 합의했죠. 그때 전임자도 한 명 더 따고, 상급단체도 확보하고, 처음으로 자동승진도 만들고…. 특히 임금체계 변경을 노조와 합의하기로 한 것은 엄청 성과죠. 그때도 인주철 병원장이었는데 그렇게 인색하고 노동조합도 악랄하게 탄압하더니, 자기가 답답하니까 막판에 숙이고 들어오면서 뭐든지 다 해줄 테니까 퇴직금 누진제만 없애 달라고 하대요."
(김영희 구술)

이때 합의내용을 구체적으로 살펴보면 ▲2002년 2월 1일 이후 정규직 임용 시 우리병원에서 근무한 경력에 한해 비정규직 경력을 100% 인정하고 비정규직 청원휴가를 정규직과 동일하게 시행 ▲퇴직급누진제 폐지에 따른 보상으로 식대보조비 월 17,000원 인상 지급(2월 1일부터) ▲특별상여금 정기수당급화 ▲일반직 4급 및 기능직 1등급까지 자동승급제 실시(3월 1일부터) ▲일반직 2급 직원으로 당해 직급 7년 이상 근속자, 일반직 3급 이하 및 기능직 1등급 이하로 당해 직급 5년 이상 근속자에 대해 급여의 8%를 대우수당으로 지급(2월 1일부터) ▲연봉제·성과급제 도입시 노사합의로 시행 ▲정원 조정, 부서 통폐합, 비정규직 도입 시 노사협의 등을 포함하고 있다.

병원사업장 최초 근골격계질환 집단산재 인정

"주로 중환자실이나 수술실, 특수부서에 근무하는 사람들과 간호사, 간호조무사들이 산재에 노출되더라고요. 원인을 따져보니 이게 전부다 97~99년에 진료·수술 건수가 엄청나게 증가한 탓이었어요. 게다가 거즈나 소독 물품 모두 이전엔 10장 단위로 썼던 것을 신경영이라며 절약한다고 2~3장 단위로 다 소포장하고, 그러다 보니 손목 나가는 게 다반사였죠. 신경영전략 들어오고 IMF 이후에 노동강도가 엄청나게 올라간 게 5~6년 지나면서 조합원 건강문제가 심각해진 거예요. 게다가 이 시기에는 수술방마다 두 명이 일하던 것을 한 사람이 여러 방 지원하게 하면서 근골격계질환이 많이 왔던 때예요." (이정현 구술)

다른 노동현장과 마찬가지로 병원사업장 구조조정이 일상화되고 있었다. 이는 노동강도 강화로 이어졌다. 이와 함께 장기근속자도 증가하는 시기여서 직업 관련 질병과 건강문제가 심각하게 대두됐다.

"이때 근골격계 투쟁을 하게 됐던 계기는 당시에 보건의료노조가 노동안전에 많은 역량을 투여하면서 병원사업장 내 근골격계투쟁을 한번 시작해보자고 했던 건데, 이 사업을 받은 곳이 아마 유일하게 우리 노조였을 거예요. 다른 현장이 다들 받기 어렵다고 했고, 우리는 한 번 하자고 해서 1~2차 진료부터 설문조사까지 이렇게 쭉 진행해갔던 게 2003년부터죠."(이정현 구술)

노조는 2003년 '노동자의 건강권과 국민의 건강권을 지키는 노조 활동'을 사업 방향으로 정하고 현장의 산업안전관리사업 계획을 세웠다. 구체적으로 ▲상시적 조사팀 구성 ▲산업안전부장·명예안전감독관 등 산업안전모임 정착 ▲산업안전이 노동자의 권리라는 교육 강화 등의 사업을 기획했다. 산업안전보건이라는 당면 문제이자 잠재된 요구를 책임질 단위를 노조 안에 만들어 일상활동으로 정착시키는 것을 목표로 삼았다.

산안위원회 노측 대표를 중심으로 산안부장, 명예산업안전감독관 등이 일상활동으로 근골격계 질환 대응을 시작했다. 낯선 영역이라 처음에는 조합원들의 참여와 활동이 소극적이었고 사업 추진 단위가 공고하지 않은 탓에 한계도 많았다. 그러나 다른 한편으로는 신자유주의 경영구조로 노동강도와 노동 통제가 강화되고 있었기 때문에 현장에서 건강권이 절실한 요구로 다가오고 있었다.

노동조합은 근골격계 질환 대응 활동을 장기적 과제로 설정하고, 공감대를 넓혀 나가며 차근차근 교육과 사업을 펼쳐나갔다. 9월 대의원대회에서 충남 만도공조노동조합의 근골격계 투쟁 사례를 소개하며 교육을 진행했다. 집행부는 투쟁 방향에 관한 논의를 이어갔다.

2003년 11월에 조합원 교육과 함께 근골격계 증상 설문 조사를 진행했다. 결과는 생각보다 심각했다. 477명 중 146명이 '이상 소견자'

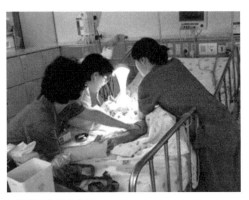
노동강도 강화된 현장.

로 추정됐고, 그 가운데 86명은 중증으로 파악됐다. 노조는 설문 결과를 토대로 곧바로 선전작업을 진행하는 한편 민주노총, 보건의료노조, 그리고 전문단체인 '건강한 노동세상'과 논의단위를 구성했다.

2003년 12월 23일, '경북대병원 근골격계 직업병 1차 대책회의'가 열렸다. 회의에서는 유해 환경조사를 목적으로, 산재신청 근거 자료로 인간공학적 평가를 진행키로 했다. 다음 해 열린 2차 회의(2004년 1월 7일)에서는 1차 집단검진 관련 자료를 검토하고, 환자가 발생한 부서는 물론 전 부서 간담회를 진행키로 했다. 선전활동을 계속 병행하다 3차 회의(1월 16일)에서는 부서별 간담회 내용을 검토하고 문제점도 평가했다.

1월 28일 첫 노사 산안위원회가 열렸다. 노조는 당면한 근골격계 문제에서 노조 설문조사 결과를 제시하며 병원의 의무를 상기시켰다. 5차 대책회의(3월 5일)에서는 2차 검진 대상자의 개인별 점검작업, 대상자 집단 간담회 및 집합교육 등을 주제로 논의했다. 7차 대책회의에서는 대구의료원에서 26명을 2차 검진토록 하고, 근막통증증후군 환자 15명의 병원을 정하는 한편 유해요인을 조사하고 검진기피자 처리 문제를 논의했다.

이와 함께 산재 환자들의 준비도 진행해 나갔다. 2월 10일부터 매주 화요일 4차례 85명을 검진한 결과 2차 진료를 받아야 할 대상이

59명이나 됐다. 38명의 2차 정밀검진 및 요양신청서를 작성하고, 작업환경평가와 환자 개개인의 경위서를 작성하는 등 산재 요양 신청을 준비해 나갔다. 간부들은 '근골격계 직업병 투쟁과 노동조합의 역할'에 관한 교육을 받고, 조합원들은 교육과 함께 근골격계 증상 설문지 작성을 병행했다.

본격적인 집단산재인정투쟁에 들어갔다. 4월 14일 병원에 공문을 보내 부서별 산재 신청 인원을 통보하고 대체인력을 준비토록 했다. 근로복지공단 앞에서는 4월 20일 기자회견을 열었다. 근로복지공단 대구지역본부장 면담과 함께 31명 집단산재 요양을 신청하고 승인을 촉구했다. 병원이 유해요인을 조사한 결과 근골격계 부담 작업 근무자 중 342명, 기타 업무에서 479명이나 질환 증상자로 나왔다.

"그때 수술실이 오래 서서 일하고, 일손이 부족해서 밥도 못 먹고 계속 일해야 했어요. 전체적으로 노동강도가 셌기 때문에 근골격계질환이 상당히 많았죠. 그런데 한 공간에서 계속 같이 일하니까 그만큼 결속력도 좋고 같이 행동하는 게 많았어요. 그래서 집단산재 신청도 수술실 사람들이 주를 이뤘죠. 그런데 산재신청 과정에서 의사들 탄압도 심하고 힘들었어요. 수술실 사람들이라고 다 마음에 무장을 하고 있는 건 아니잖아…." (강혜진 구술)

노조는 산재 승인을 해주지 않는 근로복지공단 앞에서 4월 23일부터 농성에 돌입했다. 4월 27일 병원에 인원 충원 등을 요구하며 신청자 31명 중 15명이 요양투쟁을 시작했다. 근로복지공단은 민주노총 차원의 규탄 집회에 경찰력을 요청하는 등 시종일관 권위적 태도로 일관했다. 노조는 산업안전 투쟁 경험이 있는 금속노조 간부들의 지원에 힘입어 환자권리 보장을 요구하는 투쟁을 계속해 나갔다.

그러던 5월 7일 오후, 근로복지공단은 28명만 산재를 승인하고 3명에 대해 재조사를 통보했다. 산재 환자들은 전원 승인 아니면 받을 수 없다고 항의하며 규탄 농성을 이어갔다. 이튿날, 결국 3명에 대해서도 승인이 나서 31명 전원에게 산재승인이 떨어졌다. 노조는 그동안 근로복지공단이 보인 위압적인 태도에 항의하고 농성을 마무리했다.

경북대병원노조의 근골격계 질환 대응은 병원사업장 최초의 산재투쟁으로서 향후 병원노동자의 건강권 지키기에서도 큰 의미를 지닌다.

"사실 굉장히 부담되기도 했어요. 2004년 주5일제투쟁도 준비해야 하는데 두 가지를 다 어떻게 해낼까 걱정이 참 많았죠. 그런데 일단 해보자고 하고, 또 당사자들도 있는 투쟁이니까 시작했죠. 아, 그런데 이게 또 시작을 해보니까 만만치가 않은 거야. 실무적인 거나 조합원들 조직하는 건 큰 문제 없었는데, 병원사업장에서 집단산재신청이 최초이다 보니까 근로복지공단에 승인받는 과정이 너무 힘들었던 거죠. 그래도 보건의료노조랑 당시에는 근골격계투쟁 경험이 가장 많은 금속노조 도움 많이 받았어요. 다행히도 근로복지공단이 우리 병원 바로 앞이라 가까워서 이불이랑 짐 싸 들고 왔다 갔다 하면서 투쟁했죠. 그렇게 해서 31명 산재승인을 받았어요. 그런데 이게 승인받고 난 이후가 더 큰 문제더라고요." (이정현 구술)

병원은 산재승인을 받은 31명에게 말로는 요양에 들어가라고 하면서도 빈자리에 절반 정도만 인원을 채운 채 나머지 대체인력 충원에 대해서는 차일피일 미루기만 했다. 요양해야 할 산재 환자들은 승인 투쟁을 하느라 제대로 병을 치료하지도 못하는 실정이었다. 이들은 환자모임을 주 1회 진행하며 재활프로그램 등 필요한 정보를 공유했다. 나아가 집단산재인 만큼 현장 복귀 후에도 병원노동자들의 건강권 사수의 모범을 만들어나가기로 결의했다.

그러던 중 7월 8일 수술실 교수가 나서서 파업 참석 간호사와 근골격계 요양 간호사 명단을 게시하고 "근골격계 환자들과 함께 근무하기 힘드니 수술실에서 다른 곳으로 내보내 달라"고 건의하는 연서명을 추진하는 사건이 벌어졌다. 노조는 7월 15일 병원에 공문을 발송해 '산재환자에 대한 부당노동행위 중단'을 촉구했다. 노조는 "병원이 배치전환이라는 간단한 방법으로 유해환경 개선을 피하려고만 한다"고 비판했다. 또 "근골격계 환자들을 이리저리 부서 이동시키고 몇몇 교수들이 같이 근무하기를 거부하는 이런 압력은 사직을 강요하는 것과 같으며, 이후 근골격계 산재신청을 못 하게 하려는 술수"라고 지적했다.

"중간관리자들이 하도 탄압을 해서, 집단산재 잘못했다고 생각하는 애들도 있고, 집단산재 때문에 내가 더 힘들어졌다고 생각하는 사람도 생기고, 그래서 노조에 등 돌리는 사람까지 생겨나고. 하여튼 집단산재 했다고 중간관리자뿐 아니라 교수들까지 나서서 얼마나 스트레스를 줬는지…." (강혜진 구술)

"의사, 특히 병원에 힘을 가지고 있는 교수들하고 매일 마주 보고 일해야 하는데 교수들이 산재 들어갔던 사람들을 엄청나게 탄압했어요. 그중에 한 교수는 맨날 병원 자유게시판에 우리가 놀다 온 사람들인 것처럼 욕하는 글 올리고…." (이영숙 구술)

이런 분위기 속에서 5~6개월 요양한 환자들은 병원의 끝없는 압박으로 제대로 요양하지도 못한 상태에서 현장에 복귀할 수밖에 없었다. 병원은 요양 중인 직원에게 "요양 연기신청서를 총무과에 제출하지 않으면 무단결근 처리하겠다"고 탄압했다. 또 "개인병원이 잇속을 챙기려고 별것 아닌 병에 계속 산재처리를 하고 있다"는 따위의 말을 돌려 스트레스를 주었다. 심지어 산재 환자 요양 기간 행정 처리를 핑계로 "산재 요양자 대체직 인력을 빼겠다"며 환자 본인들에게 전화해서 압박하기도 했다. 노조가 1년째 요구하고 있는 근골격계 예방과 관리프로그램 역시 모르쇠로 일관했다. 지방노동청은 경북대병원을 중대재해사업장으로 규정하고 환경개선과 시정 지시 명령을 내렸지만, 병원은 형식적인 개선에만 그쳤다.

근골격계질환 유해요인조사는 신자유주의의 현장 장악으로 노동자들의 건강상태가 심각해졌기 때문에 제기된 것이다. 그런데도 병원은 현장의 근무상황을 신속히 해결하지 않아서 업무상 불만이 오히려 노조에 쏟아지기도 했다.

"근골격계질환은 복귀 이후 재활부터 여러 프로그램이 병행돼야 하는데 병원이 엄청나게 공작을 해댔어요. 우선 산재 승인이 난 이후부터 병원 의사들 반격이 장난 아니었어요. 그런 게 산재냐, 병도 아니다, 고작 그런 걸로 도대체 얼마를 쉬는 거냐, 이렇게 도덕적으로 흠집 내고 비난하는 거죠. 또 그런 이야기를 병원 게시판에 올리고. 그러니까 산재 요양 들어간 조합원들이 상처를 너무 많이 받아서 괴로워하고 정신적 고통도 심했죠. 산재로 들어가면 다음에는 배치전환시킬 수밖에 없다, 너희가 알아서 스스로 버텨내라, 그게 힘들다면 산재 들어가는 거 쉽게 생각하지 말아라, 이런 메시지를 주려는 거였겠죠. 그러니 현장에 영향이 있을 수밖에요. 산재 요양 들어갔던 사람들이 2년 뒤, 2006년에 돌아왔는데 병원에서는 그런 분위기로 계속 탄압하는 거예요. 그러니까 결국 제2, 제3의 산재신청을 막아버린 꼴이 됐죠. 그래도 IMF 이후에 수술시간 연장과 함께 간호사 인력은 줄이면서 수술 건수는 늘려놓고 간호사 1명이 물품 지원하던 것을, 근골격계투쟁 이후에 원래대로 되돌려서 예전처럼 수술방마다 간호사 2명씩 들어가도록 개선됐죠."
(이정현 구술)

집단산재 투쟁의 성과를 곧바로 이어가기 위해서는 유해요인을 시정해 현장 노동환경을 바꿔내야 했다. 근골격계 산재 환자를 인정하는 풍토를 위해 예방프로그램인 운동시간과 휴식시간, 그리고 추후관리 프로그램의 확립이 필요했다. 이 같은 내용은 2004년 임단협의 주요한 목표가 돼야 했음에도 당시 보건의료노조 본조의 산별합의로 불거진 문제 때문에 충실히 다루어지지 못했다. 결국 이런 내용은 임단협 요구에서 분리돼 노사실무를 통해 6월 이후 2005년 1월까지 협의를 이어갔지만 성과는 만족스럽지 못했다.

1. 한발 더 나아가는 비정규직 투쟁

주5일제 합의 후에도 지부 파업은 계속

"2004년 투쟁의 핵심은 주5일제와 비정규직 정규직 전환이에요. 2000년 파업이 비정규직 정규직화의 물꼬를 트는 투쟁이었다면 2004년 투쟁은 한 단계 더 나아가서 실질적인 정규직화를 위한 파업이었죠. 2000년에 34일 파업해서 순서대로 1년에 20명씩 정규직화하기로 합의했는데, 그때부터 이미 한계가 예상됐어요. 병원은 계속 확장되는데 말이 안 되는 거잖아요. 또 간호사 TO가 계속 늘어나는데 오히려 이게 간호사들에게 피해가 오는 거예요. 우리는 전체 TO에 따라 순서대로 정규직화하는 것으로 합의했는데, 사실 교육부에서 내려오는 TO는 다 간호사 TO로 내려오는 거거든요. 그런데 이것까지 다 다른 직종까지 합해서 전체 순서대로 해버리니까 간호사들은 1년에 정규직화되는 숫자가 도리어 더 적어지게 되는 거죠. 그러다 보니 간호사들은 3~4년 지나도 정규직이 안 되고, 누적되는 인원이 엄청나게 많아지게 돼서 간호사들 불만이 엄청나게 올라왔어요. 그래서 전체를 다 정규직화시키도록 입사 연도로 끊어서 정규직화해야 한다, 2004년도에는 이런 목표를 가지고 투쟁을 시작했죠. 사실은 주5일제가 되더라도 우리는 이걸로 싸워야 한다는 생각으로 파업 준비를 쭉 해왔던 거예요. 그래서 당시에 주5일제 산별파업이 끝나고도 내려와서 비정규직 정규직 전환을 두고 파업을 이어간 거죠." (이정현 구술)

경북대병원은 2004년에 '비정규직의 정규직화'가 노조의 핵심 요구로 떠올랐다. 2000년 2백여 명이었던 비정규직은 4년 동안 100여 명을 정규직으로 발령냈음에도 다시 237명으로 늘어나 있었기 때문이다.

노조는 '비정규직 정규직화' 요구를 핵심 요구로 내세웠다. 내용은 '비정규직의 정규직화 및 노동조건 개선', '간접고용 비정규직의 노동조건 개선' 등이다.

'비정규직의 정규직화 및 노동조건 개선' 관련해서는 ▲1년 이상

비정규직 정규직화 ▲비정규직 임금 정규직과 같은 호봉 100% 지급 ▲비정규직 노동자 노동조건 개선 ▲비정규직이 정규직 발령받을 때 사직서 강요하지 않고 연차휴가일 수는 계속근로에 따라 연속 부여 등의 내용을 담았

2004년 파업중인 서울대병원 마당.

2004년 대구시내 거리행진.

2004년 보건의료노조 파업 참가 고려대학교 상경투쟁.

다. '간접고용 비정규직의 노동조건 개선' 관련해서는 ▲업체 변경 시 근로조건 저하 없음 ▲주5일제로 인한 임금·근로조건 저하 없음 ▲ 근로기준법(수당·휴일휴가 보장) 준수 및 고용보장 ▲4대 보험(연금), 진료비 감면(정규직과 동일) 등 복지 적용 ▲의료산업 최저임금 적용 ▲새마을금고·영양실 직원을 병원 직원으로 전환 등을 내걸었다.

이와 함께 ▲산별교섭 ▲주5일제에 따른 인력 확보 및 구조조정 저지 ▲근골격계질환 대책 마련 ▲의료공공성 강화 및 민주화 ▲국립대병원의 정보화 추진 등을 요구했다.

한편 보건의료노조는 1998년 결성 이후 병원 개혁과 의료제도 개

선에 역점을 두고 투쟁해 왔다. 일방적 구조조정 저지, 인력충원과 주
5일제 쟁취, 임금체계 개선과 생활임금 확보, 노조의 경영 참여, 의료
민주화와 공공성 강화, 비정규직 조직화로 조직강화 등을 목표로 설
정하고 활동했다. 이를 달성하기 위해 산별교섭 쟁취투쟁을 지속해
서 벌여왔지만 산별 교섭 구조를 확보하기가 쉽지 않았다. 이에 보건
의료노조는 이전 병원노련 시기와 유사한 집단교섭이나 대각선교섭
등으로 단위사업장 문제를 해결해오다가 2004년에 산별 총파업을
단행하기에 이르렀다. 보건의료노조는 산별 기본협약, 의료공공성,
근로시간 단축(주5일제), 비정규, 임금인상, 특별요구 등 사실상 단체
협약의 전 범주에 걸친 요구안을 제출했다.

보건의료노조는 이 요구안을 중심으로 6월 10일 산별 총파업에
돌입해 13일 동안 파업을 이어갔다. 경북대병원지부 역시 산별 중앙
교섭 요구에 더해 비정규직 정규직화, 정규직 인력충원으로 주5일제
시행, 근골격계질환 대책 마련 등 지부 요구안을 내걸고 파업을 벌였
다. 조합원들이 적게는 30명, 많게는 2백여 명까지 서울 상경투쟁에
결합하는 한편 현장 파업 대오를 조직해냈다.

"대구 가톨릭병원에서 어떤 일이 있었냐면 주5일제를 교묘하게 변형해서 토
요일에 문 안 닫으려고 '주 40시간만 맞추면 된다, 평일 7시간씩, 토요일 5
시간' 이렇게 자기들 멋대로 해석한 거예요. 우리 병원도 주5일제가 아니고
주 40시간으로 해서 777775로 근무시키려고 꼼수를 쓴다는 이야기가 돌았
죠. 주5일제 관련해서 수당이나 이런 것들을 없애려는 움직임도 있었기 때
문에 우리도 주5일제 투쟁 시작하면서 '주40시간이 아니고 주5일제'를 내걸
고 싸웠어요. 나는 주5일제투쟁 시작하자마자 서울 올라갔어요. 전국에서

올라온 보건의료노조 조합원들이 서울 고려대학교 운동장에 모였었죠. 완전히 모래땅에 텐트 쌓아놓고 1주일 동안 모래바람 부는 텐트 속에서 먹고 자고, 도시락 날라주면 먹고, 밤마다 문화제하고. 그때 전국에 있는 노동가수들 다 구경한 것 같아.(웃음) 낮에는 서울 시내 가투 나가고.” (이영숙 구술)

“서울 갔다가 내려왔다가 이런 게 어찌 보면 육체적으로 굉장히 힘들었는데 조합원들이 그렇게 힘들어하진 않았어요. 고려대 노천극장에 그 많던 먼지 다 마셔가며⋯. 우리는 조합원들이 다시는 안 가려고 할 거 같아서 걱정했는데, 오히려 좋아했어요. 지나고 나니까 다 재미있었다고 얘기하더라고요.” (우성환 구술)

보건의료노조 조합원들의 투쟁 열기가 어느 때보다 높았으나 사용자들은 버티기로 일관했다. 특히 국립대병원 사용자들은 무성의한 태도로 일관했다. 그러던 6월 22일 산별교섭 실무교섭단이 잠정 합의를 했다는 소식이 들려왔다. 서울대병원지부 조합원들이 쟁대위 회의 장소에 찾아가 합의안에 강하게 항의했다는 소식도 전해졌다. 다음날 보건의료노조는 잠정 합의가 이루어졌다며 산별 파업 중단을 선언했다.

경북대병원지부는 어쩔 수 없이 산별 잠정합의안을 최저선으로 지부 투쟁을 통해 더욱 나은 요구안을 쟁취하자고 결의, 곧바로 지부 파업으로 전환하고 지부 교섭에 임했다. 그러나 사측은 ‘산별 잠정합의 10장 2조’를 근거로 임금, 연월차휴가, 생리휴가, 노동시간 단축과 관련한 어떠한 교섭도 거부했다.

“우리는 그때 주5일제도 있었지만 비정규직 정규직화 요구가 대단히 컸어요. 그래서 '4명 중 1명이 비정규직'이라고 써서 현수막 들고 다니며 투쟁했던 기억이 나요. 서울 가서 전국의 보건의료노조 다 모여서 1주일 투쟁하면 끝날 줄 알았어요. 그런데 주5일제는 어느 정도 해결됐는데, 우리 비정규직 투쟁은 남은 거예요. 그래서 처음에는 주5일제로 시작했지만 보건의료노조 파업이 마무리됐다고 하니까 우리가 비정규직 정규직화로 계속 투쟁해야 하냐 말아야 하냐 이 문제로 또 엄청나게 토론했어요. 그때 고려대에 있다가 파업하는 서울대병원 복도에서 하룻밤 자면서 밤새도록 토론했던 기억이 나요. 그때 절반은 당사자인 비정규직이었어요. 임산부나 절대 서울에 갈 수 없는 사람, 현장 지킬 간부 몇 명만 대구에 남고 다 서울로 올라갔었거든. 그래서 우리는 투쟁을 계속하기로 하고 대구 내려와서 2차 파업처럼 또 파업을 한 거죠. 우리가 2000년 파업 때도 파란색 티를 입었는데 2004년 단체복도 하늘색 티였거든. 그래서 파란 옷 입으면 장기투쟁 간다는 얘기까지 있었어요." (이영숙 구술)

2004년 파업으로 비정규직 정규직화 쟁취

파업 22일째가 되던 2004년 7월 1일, 하상록 비정규직특위장이 '비

2004년 상경투쟁.

정규직 정규직화'와 '주5일제에 따른 정규직 인력충원'을 요구하며 단식농성에 돌입했다. 다음날에는 조합원 10명도 단식투쟁에 결합했다. 파업이 20일을 넘기고 있는데도 병원이 성실한 교섭은커녕 책임을 회피하고

'업무 복귀서'를 발송하는 등 노조 탄압에만 몰두했기 때문이다.

병원은 주5일제에 따른 인력충원도 비정규직으로 하겠다는 태도였다. 당시 경북대병원은 간호사 4명 중 1명이 비정규직일 정도로 비정규직 확대가 심각한 상황이었다. 그런데도 병원은 비정규직 축소 방안을 마련하기는커녕 도리어 확대하겠다는 속내를 드러낸 것이다.

24일에 걸친 파업투쟁 끝에 7월 3일, '비정규직의 단계적 정규직화와 처우 개선', '근로시간 단축에 따른 인력충원' 등에 합의했다. '비정규직의 단계적 정규직화와 처우 개선'은 구체적으로 ▲병원은 현 비정규직원 중 86명(2001. 12. 31 이전 채용자)을 금년 내 정규직으로 임용토록 최대한 노력 ▲만 2년 이상 근무한 비정규직원은 해당 직종 정규직 임금의 100% 지급 ▲현 재직중인 비정규직원에 대해 2007

2004년 병원 로비.

년 말까지 정규직으로 임용될 수 있도록 이사회에 상정 ▲2년 미만 근속자의 임금은 해당 정규직 임금의 80% 지급 ▲비정규직원을 정규직으로 임용할 시 연차휴가 기산일을 승계해 인정하며 기 정규직으로 임용된 직원도 비정규직 최초 고용일을 기산일로 ▲비정규직원의 호봉 승급을 분기별로 실시 등의 내용을 담았다.

"마지막에 정리할 때 되게 힘들었어요. 그전까지는 4~5년 지나도 안됐던 부분인데 24일 파업 끝에 병원장이 3년 이상 되면 정규직화하겠다고 안을 냈어요. 그런데 당시 파업대오 가운데 절반이 비정규직이었거든요. 정규직이나 선배들은 2000년 파업의 경험이 있으니까 마무리해야 할 분위기라는 걸 대충 아는 거예요. 하지만 비정규직 당사자들은 파업에 처음 나왔고, 게다가 자신들의 문제니까 불만이 아주 컸던 거죠. 그래서 정규직은 파업 계속 가기 힘들다고 하고, 비정규직은 이 정도 안으로 파업 못 접는다고 하고…. 그래서 토론하면서 같이 마무리하는 과정이 굉장히 힘들었죠. 그래도 2004년 파업을 계기로 2006년도에는 2년 만에, 2009년에도 1년 만에 정규직 전환하는 것으로 점차 좁혀나갈 수 있었어요." (이정현 구술)

결국 경북대병원지부는 처음 계획과 달리 생리휴가 유급화와 연월차휴가 보존 등을 쟁취하지 못한 채 인력 및 비정규직 정규직화 등만 합의하고 24일간의 파업을 마무리할 수밖에 없었다. 물론 노조가 좀 더 강고하게 투쟁해 10장 2조를 뛰어넘는 합의안을 만들어 내지 못한 것에 대한 조직적 평가도 놓치지 않았다.

직접고용 비정규직 정규직 전환투쟁은 2000년 34일 파업으로 시작해서, 4년만인 2004년 24일 파업으로 분기점을 넘었다는 점에서 이후 비정규직 투쟁에 큰 의미를 남겼다.

"깃발 흔들며 몸짓패로 열정 불태웠다"

저는 노동조합을 알지도 못했는데, 2002년 입사해서 과 선배들을 통해 노동조합의 필요성과 중요성을 듣게 되고 가입하게 됐어요. 경북대병원은 졸업 후 가장 희망하는 직장 중 하나였습니다. 사회에 첫발을 내디뎠지만, 계약직으로 입사하다 보니 정규직과 차별이 심한 근로조건이 현실이었죠. 병원은 정규직이 퇴직하면 그 자리에 입사순으로 정규직 TO 발령을 내고 있었습니다. 이런 지경이다 보니 취업이라는 기쁨도 잠깐 언제 정규직이 될지 모르는 현실에 답답하고 직장인으로서의 미래를 설계하기가 어려웠습니다.

그러다가 노동조합에서 2000년에 비정규직 정규직화를 요구하는 파업을 시작으로 2004년에도 비정규직 정규직화를 핵심 요구로 삼고 병원과 임단협을 진행해가고 있었습니다. 이때 우리 요구안은 합의점을 찾지 못했고 무더운 여름에 파업이 시작됐어요. 합의하기 쉽지 않은 요구였기에 파업이 장기화할 거라는 생각이 들었습니다. 이때 주5일제 요구도 있어서 조합원들은 병원 내부 투쟁과 상경투쟁을 이어가며 보건의료노조 산별교섭을 같이 진행하던 해였습니다. 상경투쟁은 옷이 땀에 흠뻑 젖을 정도로 더웠고 힘든 시간이었습니다. 경북대병원 깃발을 책임지는 기수로서 책임감을 느껴 흔들며 뛰어다닌 기억이 나요. 집회 맨 앞자리에서 동지들과 어깨를 나란히 하며 목이 터지라 불렀던 노동가, 따라 외치던 구호들로 투쟁 의지가 한껏 높았던 그해 2004년 여름은 더 불타올랐던 것 같아요.

파업하는 동안 몸짓패 활동을 하면서 몸과 마음이 점점 더 투쟁 속으로 빠져들었어요. 몸짓을 짜고 연습하며 조합원들 앞에서 율동하고 박수갈채를 받으며, 제가 스스로 이것을 즐기고 있다는 생각마저 들었습니다. 노력한 만큼 환영하고 응원해 주는 동료들이 있어 의미 있는 시간이었죠.

몸짓패 활동을 하면서 율동과 음악으로 우리 목소리를 병원에 전하고 투쟁했던 소중한 경험은 아직도 기억 속에 생생하게 남아있어요. 또 낮에는 집회, 밤과 새벽에는 병동 현장순회를 돌며 체력적으로 힘든 적도 많았지만 현장에 가면 따뜻하게 맞아주는 조합원들을 보면 힘을 받게 되고 투쟁을 꼭 성공시켜야겠다는 다짐을 하기도 했습니다. 순회를 하면 조합원들로부터 에너지를 얻고 하루하루를 버티며 피곤함도 잊고 열정을 불태울 수 있었습니다.

선배 후배들과 함께라면 우리의 요구안에 천 보 만 보도 가까이 갈 수 있다는 것을 현장에서 생생히 느꼈고 앞으로 어떤 어려움이 닥치더라도 함께 손잡는 조합원들이야말로 우리의 목소리가 될 수 있으리라 생각했습니다.

지금 우리가 당연하다고 생각하는 모든 것들이 노동조합에서 함께 투쟁하며 얻은 결과라는 것을 머릿속에 항상 되새깁니다.

- 2004년 파업 당시 핵의학과 계약직 노기수씨의 기억

'의료연대' 결성 이어 병원 담장 허물고 '지역지부' 출발

한편 보건의료노조는 6월 22일 산별교섭 실무교섭단이 잠정 합의해 산별 파업 중단을 선언한 바 있다. 보건의료노조 산별협약에서 문제가 된 것은 10장의 2개 조항이었다. 1조는 '산별교섭 합의 내용을 이유로 기존 지부 단체협약과 노동조건을 저하시킬 수 없다'고 규정하고 있다. 그러나 단서조항인 2조가 문제였다.

[보건의료노조 산별 협약] 10장. 협약의 효력

1) 산별교섭 합의 내용을 이유로 기존 지부 단체협약과 노동조건을 저하시킬 수 없다.
2) 단, 제9장(임금), 제3장(주5일제 노동시간단축), 제1조(노동시간단축), 제5조 (연·월차 휴가 및 연차수당), 제6조(생리휴가)는 지부단체협약 및 취업규칙에 우선해 효력을 가지며, 동 협약 시행과 동시에 지부의 단체협약 및 취업규칙을 개정한다.

그동안 노조들은 새로운 협약이 기존 노동조건을 저하하지 않는 것을 원칙으로 단협을 체결해왔는데, 이 협약은 지부 협약과 노동조건을 저하시키는 결과를 초래하는 것이다. 산별협약의 부족한 부분을 지부 투쟁으로 채워나가겠다는 경북대병원지부 입장에서는 교섭과 쟁의가 모두 막힌 꼴이 되었다.

게다가 그간 산별교섭 과정에서 10장 2조에 관한 공유나 논의도 전혀 없었기 때문에 중앙의 산별 합의로 경북대병원지부는 혼란에 휩싸였다. 경북대병원지부는 7월 14일 대의원대회에서 "이후 계속적으로 지부 투쟁의 족쇄가 될 잠정합의안 10장 2조에 대한 근본적 수정이 필요"함을 확인했다. 이에 따라 보건의료노조 쟁대위에 "산별합의가 지부 합의를 가로막아서는 안 된다"며 강력하게 문제 제기하고, ▲산별 잠정합의안 10장 2조 합의 과정 공개 ▲산별합의 10장 2조의 문제점 전 조직적 공유 ▲전면 재교섭을 요청했다.

산별 잠정합의안 10장 2조는 전체 조직의 노동조건을 상향 평준화시키는 것이 아니라 더 나은 요구안을 쟁취하기 위한 지부 교섭을 원천적으로 봉쇄하면서 하향 평준화시키고 있는 게 엄연한 현실이었다. 경북대병원지부는 이 조항이 산별의 기본정신에 어긋난다고 판단했기 때문에 보건의료노조 쟁대위에 "첨예하게 대립하는 노사관계에서 10장 2조가 도리어 다양한 문제를 초래할 수 있음을 인정하고, 이러한 문제점에 대해 전 조직적으로 공유할 것"을 요구한 것이다. 게다가 이는 2004년뿐 아니라 이후 산별교섭과 지부교섭 과정에서 계속 문제가 될 것이기 때문에 10장 2조에 대한 전면적 재교섭도 요청했다. 이때까지만 해도 아직 산별교섭에 대한 조인식이 이루어

지지 않았을 때다. 경북대병원지부는 쟁대위가 지금이라도 잘못을 인정하고 전 조직적으로 공유한다면 10장 2조를 폐기하기 위한 투쟁에 앞장서서 현장을 조직하고 다시 힘을 모으겠다고도 밝혔다. 아울러 산별협약의 문제를 제기하며 이때까지도 파업 중인 서울대병원지부의 파업투쟁을 보건의료노조가 좀 더 조직적으로 지지·엄호할 것도 요청했다.

보건의료노조 산별협약 10장 2조의 문제는 당연히 전체 민주노조운동 진영의 논란으로 떠올랐다. 7월 17일 경북대병원을 비롯한 보건의료노조 대경본부 9개 지부가 '10장 2조 폐기 성명서'를 발표했다. 8월 28일에는 서울대병원지부를 중심으로 전국의 민주노조운동 진영

2008년 의료연대 대구지역지부 건설 활동.

이 전국토론회를 열었다.

토론회에서 경북대병원노조 전 위원장인 황현섭 보건의료노조 대구경북지역본부장은 주발제에 나서 "단체협약 개악의 길을 열어 주고, 지부 쟁의권을 원천적으로 봉쇄했다"고 주장했다. 또 "왜 산별 협약안이 기준협약안이어야 하며, 산별노조에서 공동협약은 어떻게 가능한지" 제기하면서 본조의 입장을 거세게 비판했다. 7월 23일까지 44일 파업을 지속해 유의미한 잠정합의를 끌어낸 서울대병원지부 역시 줄기차게 문제를 제기하며 산별협약에 관한 토론을 주도해 나갔다.

그러나 보건의료노조는 11월 9일 보건의료노조 대의원대회는 "총괄평가에 합의안과 마무리 과정에 문제가 있다는 내용과 타결의 미흡한 점, 10장 2조 문제점에 대한 평가가 들어가야 한다"는 대의원들의 요구를 표결로 폐기한다. 다음 해 3월 31일 대의원대회에서는 '10장 2조는 아무 문제 없으므로 폐기하지 않고, 2005년 산별교섭에서 산별협약 우선 적용 기준을 강화한다'고 결정했다.

산별협약을 둘러싼 논란은 국립대병원지부들의 잇따른 보건의료노조 탈퇴와 새로운 보건의료부문 산별노조건설 운동으로 이어지며 1년 이상 계속됐다. 민주노조진영이 산별노조에 대한 논의를 한 단계 구체적으로 발전시키는 계기를 맞게 된 것이다.

2005년 들어 4월 1일 서울대병원의 탈퇴를 시작으로 충북대병원(6월 16일), 강원대병원(6월 23일), 제주대병원(7월 8일), 울산대병원(7월 14일), 제주의료원(7월 22일), 동국대병원(8월 18일)이 보건의료노조를 탈퇴했다. 경북대병원지부는 5월 12일 정기대의원대회에서 보건

의료노조의 투쟁기금 납부 등 투쟁방침에 함께하지 않기로 결의하고 별도의 지부 임단협을 진행했다.

경북대병원지부는 5월에 진행한 상반기 조합원 하루 교육에서 산별합의 10장 2조 문제점을 공유했다. 9월 간부수련회에서는 지난 산별노조 중심의 운동을 평가하는 한편 진정한 산별노조의 역할과 위상이 무엇인지 토론했다. 이때 이러한 문제로 보건의료노조를 탈퇴하더라도 기업별 노조는 지양함을 분명히 했다. 10월에 진행한 하반기 조합원 하루교육에서는 '보건의료노조 평가 그리고 올바른 산별노조에 대한 이해'를 주제로 교육을 진행하고, 조직 방향 관련 설문조사도 벌였다. 10~11월에는 전현직 간부 간담회, 대의원대회, 민주노총 지역본부 간담회, 보건의료노조 탈퇴 노조 간담회 등을 통해 산별노조 발전 방향에 관한 토론을 해나갔다.

경북대병원지부는 이처럼 꾸준한 교육과 간담회, 토론을 거친 뒤 12월 12~15일 조직형태 변경 건을 투표에 부쳐 보건의료노조 탈퇴를 결정(89.1% 투표, 88.4% 찬성)하기에 이른다. 12월 16일 대의원대회에서는 '경북대병원노동조합'으로 규약을 제정했다. 이듬해 2006년 1월 24일 대의원대회에서 공공연맹 가맹을 결정, 다음날 공공연맹으로부터 가맹 승인을 얻었다.

2006년 산별노조 건설 일지

2005년 10월 21일	7개 노조 합동간부수련회 및 병원노동조합협의회(준) 출범식
1월 11일	병원노동조합협의회(준) 활동과 이후 산업노조 건설 관련 간담회
1월 20~21일	병원노동조합협의회(준) 합동간부수련회 : 산업노조 건설 결의
1월 24일	대대에서 공공연맹 가맹 결정
1월 25일	공공연맹 가맹 승인
2월 9일	병원노동조합협의회(병노협) 출범 : 실질적 공동활동과 산별활동 시작 17개 사업장 5,411명
3월 9일	병노협 산업노조건설위원회 회의
3월 23일	병노협 산업노조 준비팀 회의
4월 4일	병노협 전임자 수련회(산업노조 방향과 조직체계 1차 토론)
5월 12~13일	병노협 합동간부 수련회(산업노조 방향과 조직체계 2차 토론)
4월 18일 ~ 5월 17일	조합원 간담회 '산업노조 건설 왜 해야 하지?'
5월 22일 ~ 6월 3일	상반기 조합원 하루교육시 간담회 - '와? 산업노조 또 할라카노? 보건의료노조와 뭐가 다르노?'
6월 13일	병노협 산업노조 준비팀 회의
6월 16일	병노협 대의원대회 : 산별노조 건설계획 및 투쟁 계획 확정
7월 18~21일	산업노조 건설을 위한 조직형태변경 찬반투표 : 재적 744, 투표 665(85.9%), 찬성 551(82.8%), 반대 107(16%), 무효 7(1.2%)로 가결 ⇒ (가칭)공공보건산업노동조합으로 변경 공고
9월 1일	공공연맹 의료연대노조 발기인대회 및 출범식

9월 2일	의료연대노조 합동 간부수련회
9월 13일	의료연대노조 대구지역지부 준비위 1차 회의
9월 30일	병노협 대구지역지부 준비위 구성을 위한 지역 간부 간담회
11월 28일	의료연대노조 대의원대회
11월 30일	공공연맹 공공서비스노조 발기인대회

2005년 9월 1일 '의료연대'가 새로운 산별노조로 태어났다. 의료연대는 2007년 4월 13일 서울지역지부, 2008년 3월 5일 충북지역부를 출범했다. 이어 3월 19일에는 경북대병원, 경북대병원간병인, 경상병원, 동산병원, 동산병원영양실 등 5개 사업장을 포괄해 대구지역지부를 출범했다.

"다시 지역지부를 만든다고 하니까 조합원들 공감을 만들어 내기가 사실 어려웠어요. 단지 노조 집행부에 대한 믿음만 가지고 같이 따라와 준 부분이 컸죠. 그때 '지역지부 만들면 우리 간부들이 지역지부 일만 하고 우리 사업장은 그만큼 신경 못 쓰는 거 아니냐'면서 '계속 우리만 돌봐줬으면 좋겠다'고 이야기하는 간부나 조합원도 있었어요. 그래서 그때 제가 '그렇게 하면 더는 간부하기 싫어요. 그런 노조 할거면 저도 그냥 그만두고 현장 가서 일하고 싶어요.' 이렇게 이야기했던 게 기억에 남네요. 동산병원이랑 경상병원이랑 세 개 노조가 같이 회의하면서 의료연대 지역지부 논의를 해 들어갔는데 사실상 많이 힘들었죠. 준비위로 1년을 끌다가 출범했어요. 그때 지역지부장이랑 간부, 지역지부를 맡아 끌고 갈 사람을 만들어 내는 게 가장 힘들었어요. 그럼에도 지역지부가 필요했던 이유는 작은 사업장과 비정규직 조직과 투쟁이었죠. 가장 큰 과제였고요. 준비위 시기에 간병, 청소, 동산병원

영양실 투쟁이 있었어요. 2007년이 비정규직 2년 이상 되면 해고되는 법이 통과될 때여서 동산병원도 그때 계약직으로 있던 영양실 직원을 전부 외주용역으로 넘기려고 해서 그때 노조를 만들게 됐거든요. 경북대병원은 간병인 식권이랑 탈의실 다 끊어버리니까 노동조합을 만들었던 때고요. 비록 준비위 시기였지만 지역지부 차원의 연대가 있었기에 가능한 투쟁이었다고 생각해요. 준비위로 1년을 거쳐서 2008년에 대구지부가 출범했죠."
(이정현 구술)

대구지역지부 발기인대회 겸 출범식에서 이정현 지부장은 "20년 노조 활동의 성과를 모아 지역지부 조합원 모두가 이제 사업장 담장을 허물고 지역지부 활동으로 노동조합의 새로운 역사, 노동자의 새로운 희망을 만들어내자"고 힘주어 말했다.

조합원들은 출범결의문에서 ▲기업을 넘어 지역을 골간으로 중소사업장 및 비정규직 노동자의 조직화에 방점을 둔 산업노조 운동 실천 ▲자본과 권력으로부터 자주성을 지켜나가고 신자유주의 구조조정에 맞서 현장조합원과 함께 힘차게 투쟁 ▲이명박 정권의 의료법 개악과 의료상업화를 막고, 병원 현장에서부터 의료공공성을 지켜내고, 사회공공성 강화를 위해 투쟁할 것을 결의했다.

2. 용역직 노동자들도 투쟁 시작

외주용역직 노조 가입…직접고용 요구

병원사업장 비정규직은 전국적으로 계속 늘어나고 있었다. 병원은 구조조정의 핵심내용으로 비정규직화를 추진하고 있는데, 오로지 '비용 절감'만을 위해 환자의 안전이나 직원의 노동조건은 외면한 처사였다.

경북대병원 역시 1993년 세탁실, 1995년에 청소·주차관리, 1996년 시설과 보일러실·변전실에 이어 2001년 들어서는 구급차 야근 부

2006년 파업투쟁.

분과 보철과 업무의 일부를 외주로 넘겼고, 중환자실 간호조무사는 무자격 용역으로 대체하기까지 했다. 2002년 들어 구급차 전체, 2003년 재봉실, 2004년 물류과 업무를 위탁한데 이어 2006년에는 의무기록실까지 용역을 도입했

2006년 파업투쟁.

다. 이것도 모자라 수술환자 이송업무와 응급실 보조 인력까지 용역 도입을 시도하고, 식당 외주화도 엿보고 있었다.

용역직은 정규직과 같은 일을 하고도 임금은 정규직의 절반밖에 받지 못했다. 하루 12시간을 일하고도 한 달 월급은 100만 원이 채 되지 않았다. 게다가 용역업체의 횡포와 중간착취에 부대끼고, 매년 반복되는 해고 위협에 시달렸다.

아직은 외주·용역화가 비핵심·비의료 부문 중심으로 퍼지고 있었다. 하지만 자본 입장에서 비정규직화는 아주 손쉬운 구조조정 방안 중 하나였기 때문에 언제든 의료인력의 일자리까지 확산할 가능성이 컸다. 실제 약사, 영양사, 행정직까지 정규직 정원이 있는데도 비정규직으로 채우기도 했다. 업무에 대한 외주·용역화가 급속도로 진행되고 있었다.

2006년 경북대병원 비정규직 현황

직접고용 비정규직(총인원 262명)

		간호직	행정직	약부직	의료기술직	기능직	기타	총인원	
비정규직	공채계약직	138	4	2	28	20	7	199	262
	임시직	31			6	23	3	63	
정규직		434	104	30	157	328	72	1,122	

간접고용 비정규직(총인원 148명)

청소	주차관리	시설	통신	방제	진료보조	의무기록	총인원
71	30	16	2	1	27	2	148

병원은 2006년 꼭두새벽에 직원식당 외주화 계획을 내놓았다. 병원이 이야기하는 외주화의 근거는 '식사 질 개선'과 함께 '영양실 직원들 연봉이 높아 적자가 나기 때문'이라고 했다. 병원은 사람의 생명을 다루는 곳이라는 데는 토를 달 수가 없다. 노조는 병원에 "원가분석의 논리로 비용 절감을 꾀한다면 의료사고로 이어질 수밖에 없고 환자에게는 의료서비스 하락으로 이어질 수밖에 없다"고 거세게 항의했다. 이와 함께 "식사 질 개선을 명분으로 외주화 운운하지 말고 직원식사 질 개선을 위해 공간을 확보하고 영양실 부족 인원을 충원하라"고 요구했다. 이미 직원식당은 다른 병원과 비교해 조리사 인력이 30%나 부족한 실정이었다.

이토록 병원이 '비용 절감'만 꾀하며 노동자와 환자의 안전은 외면하고 있던 3월, 간접고용 비정규직의 직접고용 투쟁이 촉발됐다.

노동청이 파견근로 관련 현장조사에서 시설팀(전기 및 보일러)이 불법 도급이라며 시정을 권고한 것이다. 병원은 시정 권고를 받아들여 정규직으로 전환한 것이 아니라 시설팀 유지보수업무를 완전히 떼서 외주 용역화하겠다는 계획을 세운다.

"시설과에서 일하는 사람들이 길게는 10년씩 일한 사람들이었어요. 경대병원에서 계속 일하고 있는데 업체만 계속 바뀐 거죠. 전산실 통신 쪽에도 용역이 있었고, 소방 쪽에도 있었어요. 이렇게 시설과에 정규직과 용역들이 혼재돼서 근무했는데, 노동청에서 불법파견이라는 결정문이 내려온 거죠. 그때 제가 회계감사였는데, 대의원대회에서 이 문제에 대응해야 한다고 제기했어요. 그래서 한번 조직해보자, 노동조합 가입시키고 정규직화하자, 이러면서 같이 모여서 노동조합 가입을 하게 되죠." (우성환 구술)

노동조합이 해당 팀과 간담회를 계속하며 대책을 논의하자, 병원은 6월 1일 도리어 이들 6명을 해고했다. 이들의 해고로 근무자가 부족해진 탓에 수술실 냉방기에 문제가 생겼지만 하자 보수가 이루어지지 못하는 일까지 벌어졌다. 해고된 6명 모두 곧바로 노조에 가입하고 출근투쟁을 시작했다. 시설팀 직원들은 '시설과 불법도급 반대! 용역직 직고용하라'는 리본을 달고 일했다. 노조가 병원장 항의면담 등 대응을 이어가자 병원은 결국 6월 10일에 해고자 6명과 다시 계약했다.

노조는 여기에 그치지 않고 '환자 불안과 고용불안 초래하는 시설팀 외주용역, 근무 인원 축소 반대 및 구조조정 분쇄를 위한 중식집회'를 여는 등 용역직원 조직화와 투쟁을 위한 간담회를 계속해 나갔다.

현장투쟁을 이어가다 6월 말부터 임단협 교섭을 20차례나 진행했으나 진전이 없자 노조는 11월 1일 전면파업에 돌입했다. 핵심 요구는 역시 ▲비정규직 정규직화 ▲인력 충원 ▲실질임금 인상 등이었다.

비정규직 확대 문제뿐만 아니라 당시 경북대병원의 인력 부족도 몹시 심각했다. 게다가 여성노동자가 많은 병원 특성상 분만이나 휴직, 병가자 발생에 따른 대체인력이 상시적으로 배치돼 있어야 하는데도, 경북대병원은 인건비를 절감하겠다며 월 100만 원도 안 되는 저임금을 주며 임시직 간호사를 쓰고 있었다.

병원별 응급실 정체환자 대비 인력비교

구분	경북대병원	서울대병원	전남대병원	동산의료원
응급실 운용 병상 수 (내원환자 제외, 평균 정체환자 수)	100명	103명	103명	50명
간호사 총원	42명	94명	82명	23명
진료보조 총원	13명	31명	17명	11명

그밖에도 병원은 성실한 교섭은커녕 환자의 생명과 안전을 위협하는 '무자격자 환자 이송업무 담당', '소정근로시간 확대' 등의 단체협약 개악안을 고수하며 파국을 유도했다. 또 ▲교대근무형태 변경 ▲직원식당 외주 위탁 ▲간호조무사 인력축소 및 배치전환 ▲병동 통합 ▲내과중환자실에 소아 중환자실 배치 등 오로지 '돈'만 벌어들이겠다는 의도를 서슴지 않고 내보였다.

노조가 파업에 들어갔다 해도 파업 미참여 조합원과 직원들로도 충분히 응급실을 운영할 수 있는 상황이었다. 그런데도 병원은 일부

러 인력을 배치하지 않아
서 환자들이 불편을 겪도
록 방치했다. 정작 병원
이 노조 탄압을 위해 환자
를 볼모로 삼은 것이다.

노조는 2000년 34
일, 2004년 24일간의 힘
들었던 파업투쟁에 이어

2006년 역시 유독 극심한 병원의 탄압에도 파업을 벌여냈다. 조합원
들은 노조를 믿고 파업투쟁을 완강하게 사수해냈다. 합의 내용이 많
이 부족했다는 내부 평가도 있었지만 파업 이틀 만에 몇 가지 의미 있
는 합의를 끌어냈다.

무엇보다 직접고용 비정규직 관련 2003년 채용자는 금년, 2004
년 채용자는 2007년 말까지, 2005년 이후 채용자는 만 3년 되는 시
점부터 정규직에 임용되도록 노력키로 합의했다. 2000년과 2004년
파업이 2006년으로 이어지면서 직접고용 비정규직 정규직화 요구
가 또다시 성과를 낸 것이다.

그러나 간접고용 비정규직 정규직화에 대해서는 눈에 보이는 성
과를 내지 못했다. "용역종사원의 처우 개선을 위해 용역비 인상분이
종사원의 실질적인 임금에 반영될 수 있도록 노력한다"는 정도에 합
의했으며, "간접고용 노동자의 고용안정을 위해 최대한 노력한다"는
구두 합의에 머물렀다.

"지금 생각해 보면, 이때만 해도 간접고용 비정규직 직고용에 관해 사측은 그렇다쳐도, 사회적 정서나 우리 조합원들 내부 정서도 덜 성숙했던 거 같아요. 당장 시설과 정규직들조차 용역들을 반드시 정규직 시켜야 한다는 건 아니었거든요. 쉽게 말해서 비정규직은 자기들이 부리기 편하거든. 그래서 조직화 과정에서 굉장히 힘들었어요. 다른 요구들 속에 간접고용 비정규직 정규직화 요구를 넣었는데, 정규직 문제가 타결이 된 거죠. 사실 좀 어거지로 붙잡고 있었는데 파업 2일 차에 사측이 '용역들 정규직 시키는 요구만 남고 너희 문제는 다 해결됐다'고 하니까, 로비에 있던 조합원들이 빠지기 시작한 거예요. 파업을 지속하기 힘들었죠. 처음 조직화 과정부터 회의적인 분위기가 있었죠. '우리는 용역인데 요구한다고 경대병원 정규직이 되겠냐, 택도 없다' 뭐 이런…. 본인들뿐 아니라 전체 조합원들 분위기도 굉장히 회의적이었어요. 그런 분위기를 또 이 친구들도 느끼는 거죠. 하지만 2006년 투쟁은 용역 직고용 요구를 내걸었다는 것 자체가 의미 있는 것 같아요. 실질적 합의를 끌어낸 건 아니지만 이슈로 만들어 냈죠." (우성환 구술)

그렇게 직접고용에 이어 간접고용 비정규직 정규직화투쟁이 시작된 셈이다. 이후 경북대병원노조는 다양한 형태의 비정규직과 연대해서 노동조합으로 함께 가며 정규직화하기 위한 많은 투쟁을 벌여 나간다.

"직접고용 비정규직은 바로 내 후배고 같이 근무한다는 점 때문에 공감대가 큰데, 간접고용은 다른 곳에서 다른 일을 한다는 것 때문에 그때까지는 공감대가 좀 더 적었어요. 정규직들이 봤을 때 노동의 질이나 여러 가지 면에서 다르다고 생각했던 것 같아요. 어쨌든 파업 준비하고 투쟁하면서 이걸 요구로 엮고 최대한 이슈로 만들어보려고 했는데, 잘 안 먹힌 거죠. 또, 다른 요구에 관한 합의안까지 나와버렸으니…. 그분들이 노동조합 가입을 했으니, 파업 끝나고 이들이 조합원이라는 걸 알고 병원 탄압이 많이 들어왔어요. 징계도 받고. 그 뒤로도 여러 힘든 점들이 많았죠. 어쨌거나 그 이후를 생각해 보면 당사자를 직접 조직까지 시도한 게 의미 있었다고 봐요." (이정현 구술)

간병노동자들 노조 만들어 로비에서 '밥' 투쟁

2007년 5월 들어 병원은 갑자기 간병인 식권 지급 중단과 사무실 명도를 통보해왔다. 경북대병원 간병인들은 '대경간병인회'에 속해 일해왔고, 경북대병원은 이들 간병인 70여 명에 대해 간병 알선, 교육, 관리를 지속적으로 해왔다. 그런데 병원이 갑자기 간병인회를 개인 사업자로 등록토록 하고 이런 조치를 통보한 것이다.

2007년 정부가 공공부문 비정규직 종합대책으로 내놓은 법에 따르면 계약직으로 2년 이상 일하면 정규직으로 전환해야 한다. 병원은 법이 시행되면 간병인들을 직접고용해야 하는 상황을 우려해서 미리 관계 정리에 나선 것으로 보인다.

병원은 6월 1일부터 실제 식권 지급을 중단했다. 식권이 없으니 간병인들은 도시락을 싸 와서 병실에서 먹는 처지가 됐다. 병원 밖으로 나가서 식사하려면 비쌀뿐더러 환자 옆을 오래 비울 수 없으니 어쩔 도리가 없었다.

간병노동자들이 대책 마련에 나섰다. 이들은 경북대병원분회[26]를 찾아와 병원의 탄압에 어떻게 대응할지 상담하고, 조직적인 투쟁

---

26 2007년 3월 19일 의료연대 대구지역지부가 출범함에 따라 경북대병원분회로 전환됐다. 편의에 따라 이후 '노조' 또는 '분회'로 표기한다.

을 준비했다. 간병업체 '희망간병'을 설립하고, 공공노조 간병인분회 창립을 위한 실무 준비를 시작했다. 6월 5일 간병인 81명이 공공노조에 가입하고, 6월 16일 공공노조 의료연대지부 간병인분회 설립 총회를 했다.

"간병노동자 몇 분이 노동조합에 찾아왔는데 사실 우리는 간병인투쟁 경험이 전혀 없고, 간병인이 병원 직원도 아니었기 때문에 처음에는 어떻게 해야 할지 감이 안 섰죠. 유인물을 내려고 하는데, 우리 노동조합이 간병인 문제까지 같이 싸워야 하나, 뭘 어떻게 해야 하나, 같이 싸울 수 있는 내용이 뭘까, 솔직히 잘 모르겠더라고요. 그러니 일반 직원, 조합원들은 더했겠죠. 사실 간병인들이 보호자 역할도 하고, 또 간호사 인력이 부족하니까 우리 일도와주는 것도 많았단 말이에요. 그래서 일단은 조합원들이 이해하기 쉽도록 좀 감정적으로, '먹고사는 게 제일 중요한데 일하러 나왔으면 밥 한 그릇이라도 먹어야 일을 할 것 아니냐', '1천 원짜리 알량한 밥 한 그릇 주는 것조차 뺏는 것은 너무 비인간적인 것 아니냐' 그런 내용의 유인물을 썼던 기억이 나요." (이영숙 구술)

6월 20일 경북대병원 노사 단체교섭 상견례에서 간병인분회가 식권 지급과 사무실폐쇄 재고를 요구했다. 그러나 병원은 간병인들은 병원과 관계가 없다고 우겼다. 오히려 10년간 시혜를 베풀어 식권과 사무실을 보장했지만, 재정적 부담과 병원 공간 부족으로 더는 지급할 수 없다고 주장했다.

투쟁할 수밖에 없었다. 간병인분회는 6월 26일 점심시간에 직원식당 앞에서 피케팅을 시작해 주 2회 실천에 나섰다. 병원의 태도에 변화가 없자, 간병인들은 7월 9일부터 로비에서 도시락을 먹는 중식

2006년 파업투쟁.

투쟁을 시작했다. 병원 사무국장과 총무과 직원들이 달려들어 "직원
도 아닌 사람들이 이게 뭐 하는 짓이냐? 너희들이 거지냐?"는 따위의
말을 쏟아냈다. 게다가 식사를 방해하고 밀어붙여 로비는 그야말로
아비규환이 됐다. 그 과정에서 김영희 경북대병원분회장은 허리를
다치고 여러 간부가 크고 작은 상처를 입었다. 간병노동자들은 눈물
젖은 밥을 먹을 수밖에 없었다. 다음날에도 로비 식사투쟁을 벌이자
병원은 또다시 관리자와 청경을 동원해 방해했다. 그것도 부족했는
지 6명을 업무방해로 고발하고, 왜곡된 내용의 보도자료를 뿌리는 등
치사한 태도와 탄압으로 일관했다.

7월 11일 병원이 간병인 사무실을 자물쇠로 잠그고 강제로 폐쇄했다. 13일 항의면담에서 병원은 "복수업체 선정으로 경쟁 관계를 형성해 서비스 질을 향상하겠다"고 했다. 간병인분회 일자리를 축소하고, 그것을 빌미로 생존권을 위협하겠다는 뜻이다.

'간병서비스 질 저하시키는 불법 영리 병간호업체 근절, 희망간병 간병인 일자리 보장을 위한 환자·보호자 서명운동'(7월 6일부터), 로비 결의대회(20일)를 진행했다. 간담회를 거쳐 '의료공공성 확보와 경북대병원 간병노동자 노동기본권 쟁취를 위한 대구지역 공동대책위'를 구성(27일)해 1인시위도 시작했다.

간병분회 결의대회(8월 3일), 출근시간 노동청과 중식시간 시청 앞에서 조합원 1인시위(7일), 간병분회 결의대회(8일), 반신자유주의 학생 선봉대와 함께 시내 곳곳 공동 시민선전전(12일), 간병인분회 결의대회 및 병원장실 항의방문(14일), 법률지원팀 회의(23일) 등을 이어가며 경북대병원 노동자들과 대구지역 노동자·학생들의 연대투쟁이 더욱 공고해졌다.

8월 24일 공대위와 민주노총 대구본부가 2.28기념중앙공원[27]에서 '의료공공성 확보와 경북대병원 간병노동자 노동기본권 쟁취를 위한 결의대회'를 열었다. 간병노동자들이 탄압과 협박에도 굴하지 않고 투쟁을 이어가자, 병원은 8월 27일 입원안내문에서 '희망간병'을 삭제해버렸다. 경북대병원노조는 9월 3일 병원에 노조 탄압 중단

---

27 대구 공평동에 있는 공원으로, 1960년 2월 28일에 부패한 이승만 자유당 정권에 항거해 대구에서 일어난 학생민주화운동을 기념해 만든 공원이다.

요구를 발송했다. 그리고 로비 중식집회와 병원장·노동청장 및 고충위 조사관 면담(9월 5일), 불법파견 및 공급문제 관련 노동청 진정(9월 6일), 7월 9~10일 폭행교사 혐의로 병원 사무국장 고소(9월 7일), 로비 중식집회(9월 12일), 대구지역본부장이 병원장과 면담(9월 17일), 병원장 실무면담(9월 18일) 등 투쟁과 교섭을 이어간 끝에 9월 19일 병원과 구두합의로 타결에 이르렀다.

새로운 산별노조인 의료연대를 만들고, 산별노조에 걸맞은 지역 활동을 도모하던 와중인 대구지부 준비위 시절, 지역지부 차원의 연대와 투쟁이 빚어낸 결실이다. 지역 차원의 연대 또한 그 어느 때보다 활발했다.

경북대병원-간병인분회 9월 19일 구두합의 주요 내용

1. 병원이 현재 희망간병 일자리가 줄어들지 않게 환경을 조성하도록 최대한 노력한다
2. 병원관리자 혹은 직원의 개입으로 희망간병 일자리가 축소되는 경우가 확인되면 병원은 이에 대한 조치를 취한다
3. 식권(1,200원) 제공, 종전 사무실을 탈의실로 사용
4. 7월 9일 이후 상황과 관련 쌍방(노사 및 개인)이 민형사상 소송 일체 취하
5. 희망간병 노동자들이 회의 및 교육을 할 수 있도록 장소 제공
6. 병원 개입으로 희망간병 일자리가 축소된 경우는 병원의 약속 파기로 판단하고 고용보장을 위해 다시 투쟁 전개

이렇게 80여 일간의 기나긴 투쟁이 마무리됐다. 투쟁을 마무리하며 석명옥 간병인분회장은 "연대해주신 경북대병원분회 조합원들과, 함께 고락을 같이 한 간병분회 조합원 여러분께 감사드린다. 또한

공공노조 대경본부와 시민사회단체 분들의 든든한 지원이 큰 힘이 되어서 우리가 버틸 수 있게 했다"며 "앞으로도 간병노동자의 조직화, 간병서비스의 제도화, 의료공공성을 위해 작지만 힘찬 발걸음을 내딛겠다"고 밝혔다.

한편 합의 이후 2달이 지나도록 병원은 각 병동 책임자에게 합의사항을 전달하지 않았다. 여전히 병동 게시판에는 '희망간병'을 빼버린 간병단체 명단이 그대로 게시돼 있었다. 또한 합의사항에 따라 마련된 탈의실도 너무 비좁아 간병인들의 불편이 이만저만이 아니었다. 합의사항을 이행하라는 투쟁을 이어나가야 했다. 투쟁과 함께 간병분회 교육과 조직확대사업을 벌여낸 결과 간병인분회 조합원은 배로 늘어 176명에 달했다.

청소용역노동자들도 노조 결성해 고용승계 쟁취

2007년에는 간접고용 형태인 청소용역노동자들의 조직화 사업도 진행됐다.

당시 경북대병원에는 직접고용 정규직(의사 제외) 1,110명, 직접고용 비정규직 280명, 간접고용 비정규직(청소, 주차, 시설설비, 소방, 통신, 중환자실 도우미 등) 169명, 간병노동자 1,000여 명이 근무하고 있었다. 이 가운데 청소용역직원은 84명이며, ㈜혁산이 13년 동안 맡아왔다.

시작은 임금삭감이었다. 2007년 3월 청소용역 직원들 임금을 삭감하자 그중 한 명이 경북대병원분회를 찾아와 상담했다. 이를 계기로 청소용역직원 모임을 추진했으나 무산된 뒤 노조를 방문했던 직원이 6월 19일 여성노조에 가입했다.

노조에 가입한 당사자를 병원이 7월에 부서이동 하자 여성노조가 부당전직에 대응한 결과 원직에 복귀하게 됐다. 이후 여성노조는 청소용역직원을 대상으로 가입을 독려하는 선전전을 진행하는 한편 노동청에 최저임금 위반으로 진정을 접수했다. 10월 국정감사 때도 피케팅을 진행하는 등 투쟁을 벌여나갔다. 결국 11월에 노동청으로부터 연차수당, 퇴직금, 최저임금 위반 판결을 받아내기에 이른다.

12월에는 경북대병원노조와 여성노조가 간담회를 열어 계약 만료된 청소용역직원 고용 승계에 공동 대응키로 했다. 경북대병원노조가 노사협의회에서 청소용역직원 고용 승계 건을 안건으로 상정하는 한편 전 직원 서명과 선전전을 펼쳤다. 경북대병원 청소용역업체는 ㈜혁산의 최저임금 위반과 노조 가입 때문에 ㈜신영으로 바뀌어 있었다. 따라서 ㈜신영과 면담을 진행한 결과 84명 전원의 고용이 승계됐다.

그리고 청소용역직원 가운데 37명 남짓이 여성노조에 가입해 12월 21일 여성노조 청소용역경북대병원분회가 출범식을 했다. 이후 여성노조에서 2008년 교섭을 진행해 임금인상도 쟁취했다.

청소용역노동자 투쟁에서 경북대병원노조에 직접 가입시키지는 못했지만, 여성노조와 공조해서 조직화와 함께 고용 승계를 쟁취한 것은 소중한 성과로 남았다.

"여성노조 소속으로 교섭을 하고 그럴 때, 사실 처음에는 우리가 조직하려고 했는데 해야 할 몫을 제대로 못 하고 여성노조가 조직한 것이 굉장히 부끄럽기도 하고 그랬죠. 그때 김혜진 철폐연대 대표에게 그 이야기를 하니까 '어느 노조에 가든 잘하면 된다, 많이 도와서 잘할 수 있도록 해주는 게 더 중요하다'고 하시더라고요. 이렇게 해서 그 뒤에 여성노조가 하는 것 많이 도와주고, 또 병원하고 면담이나 이런 것도 그렇고, 그분들이 집회하면 연대하고 그렇게 같이 해왔어요. 그런데 워낙 용역업체 탄압이 심하고, 여성노조는 또 멀리 있고 그러니까 잘 견뎌내지 못하더라고요. 결국 몇 년 뒤에 조직이탈이 계속되고, 분회장도 못 버텨서 사표 내고 나가버리고 노조가 흐지부지돼 없어져 버렸죠. 노조는 나중에 다시 만들었어요. 우리가 지역지부로 자리 잡고 재조직하면서 청소노동자들을 조직하게 됐죠." (이정현 구술)

3. 칠곡 제2병원 외주화 반대 투쟁

합의 깨고 일방적으로 외주용역화 추진하는 병원

2009년 들어 칠곡 제2병원 운영에 관한 소문이 들려왔다. 그간 병원의 행태로 봤을 때 인력은 최대로 줄이고 노동강도는 최고로 높일 것이 불을 보듯 뻔했다. 배치전환도 멋대로 할 터였다. 간호조무사, 시설, 원무까지 외주용역으로 충당할 것이라는 소문이 떠돌았다. 그러나 병원은 노조와 어떠한 정보도 공유하지 않았다.

제2병원의 노동조건은 조합원들의 노동조건과 직접 관련된 일이며, 경북대병원 본원의 노동조건과 떨어질 수 없는 문제다. 이미 현장에서는 "내가 원하지 않는데도 (칠곡으로) 가야 하냐?"는 불안감을 호소했다. 이런 불안을 해소할 방법은 노조가 병원과 함께 제2병원 운영에 관해 충분히 논의하는 것뿐이다.

2009년 파업투쟁

노조는 무엇보다 제2병원 신규채용을 외주용역으로 하는 것에 반대했다. 이와 함께 2009년 임단협에서 부서별 적정인력과 병원 간 배치전환 원칙, 병원 구조와 직원 공간 배치 등에 관해 노조와 협의할 것을 요구했다. 하루 파업 끝에 ▲칠곡병원 개원 최소한 3개월 전에 인력·배치전환 원칙에 직원들의 의사가 최대한 반영될 수 있도록 노사협의 ▲칠곡병원장 등 새 집행부 구성 후 복지 공간(탈의실, 휴게실, 체

력단련실, 의무실) 협의 ▲칠곡병원 외주용역은 개원 최소한 3개월 전에 논의하되 직접 관련된 간호보조 업무는 병원 직원으로 한다고 병원과 합의했다.

한편 노조는 2009년 임단협에서 신종플루와 관련한 특별요

구도 했다. 신종플루의 공포가 전국을 뒤덮고 있었다. 노조는 경북대병원을 지역 거점병원으로 해서 '24시간 진료체계'를 갖추고, 이에 따른 전담인력도 확보하라고 요구했다. 신종플루를 전담하는 의료진이 없다면 의료진에 의한 신종플루 전염 가능성도 있기 때문이다. 노조는 파업을 준비하면서도, 아울러 신종플루와 관련한 진료는 정상적으로 운영할 수 있도록 최대한 노력하겠다는 점을 밝혔다.

11월 7일 잠정합의 후 26일 조인식까지 끝났는데도 병원은 모든 병원노동자에 대한 신종플루 백신 무료접종을 하지 않았다. 병원은 "중구보건소에 백신을 요청했지만 받지 못했다"는 말만 되풀이할 뿐 병원 내 감염을 막기 위한 적극적인 행동을 일절 하지 않았다. 환자와 직접 대면하는 간병노동자, 아르바이트생도 의료진과 마찬가지로 신종플루 백신을 접종받아야 하는 대상임은 명백하다. 이미 동산병원, 서울대병원 등에서는 노동조합의 요구로 모든 병원노동자에게 백신을 무료접종했다. 그런데 유독 경북대병원만 여러 핑계를 대며 시행하지 않았다. 노조는 12월 15일 "병원 내 감염을 차단하기 위해 간병노동자, 청소용역 노동자 등 모든 병원노동자에게 신종플루 백신을 무료로 접종하라"고 다시 한번 요구했다. 이후 노조는

2009년 전조합원 교육 토론

2011년 임단협에서도 '비정규직 용역노동자들에게 백신 무료접종'을 핵심 요구로 내걸어 관철한다.

다음 해 병원은 "노조와 협의"키로 한 합의를 깨고 칠곡분원에서 일방적으로 외주화를 진행하기 시작했다.

병원은 환자 급식과 직원급식, 고객식당, 장례식당 위탁운영에 관해 일방적으로 입찰공고를 진행했다. 노조가 "입찰공고를 중단하고 노조와 협의하라"고 촉구했으나 병원은 5월에 삼성 에버랜드와 3년 외주계약을 맺어버렸다. 7월에 본원에서는 정규직으로 채용하고 있는 청원경찰까지 외주업체와 계약을 체결했다. 곧이어 시설관리업무 전반에 대해서도 노조의 반대를 무릅쓰고 일방적으로 외주업체와 계약을 맺었다. 거기에 한술 더 떠 이후에는 외래안내, 원무과, 수납창구 업무까지 칠곡분원 업무 전반에 걸쳐 외주·용역화를 진행하려는 움직임을 보였다.

"사실 사측은 제2병원 만들면서 플랜을 차곡차곡 다 세워서 밀어붙였는데 노동조합이 대응을 제대로 못 했죠. 그새 동산병원 영양실분회 외주화 반대 투쟁을 했을 거예요. 제가 그 투쟁에 결합했는데 동산병원 사측이 저한테 하는 이야기가 '칠곡병원 다 외주 주던데 너희나 똑바로 잘하라'고 해서 자존심이 많이 상했죠. 동산병원 영양실분회 간접고용 조합원들한테 어떻게 힘을 줄 수 있을까도 고민하면서, 또 칠곡병원 외주식당을 우리가 직고용으로 돌리면 그 힘으로 동산병원 문제도 해결할 수 있지 않을까 생각했어요. 그런데 한 번 외주로 나간 것을 다시 되돌리기는 사실 쉽지 않잖아요. 그래서 당시에 반대도 있었는데, 현장 간부들 설득했죠. 식당도 식당이지만 진료보조, 수납, 원무창구, 하여튼 다 외주로 나가는데 칠곡이 저렇게 되면 본원도 다 외주 들어오게 된다, 막자, 그렇게 힘을 모아서 파업까지 간 거죠."
(우성환 구술)

노조가 진행한 환자·보호자 설문조사[28]에서 응답자의 88%가 병원의 환자식이 외부업체에 위탁 운영되면 "값싼 식재료 사용으로 환자식 질이 떨어질 것"이라고 답했다. 또 91%가 "환자식에 문제가 생겨도 병원은 책임을 회피할 것"이라고 답해 위탁운영에 대해 심각하게 우려하고 있는 것으로 나타났다.

간호조무·시설·원무까지 외주화에 파업으로 맞서다

경북대학교병원은 국민의 혈세를 지원받는 '공공병원'이다. 그렇다면 지역민을 위한 의료공공성을 확대해 나가는 것이 당연한데도, 오로지 돈벌이에만 혈안이 돼 공공병원을 외주용역의 천국으로 만들려고 하는 것이다. 이 같은 칠곡병원의 외주용역 도입은 향후 영리병원이 도입됐을 때를 겨냥한 사전 포석이라는 의심을 살 수밖에 없었다.

노조는 일찌감치 칠곡병원 개원과 관련한 대책위원회를 가동해 왔다. 2010년 임단협에서는 칠곡병원 외주용역 반대, 본원의 구조조정 저지, 인력 확보 등을 내걸고 교섭을 요구했다. 노동조합은 구체적으로 칠곡 제2병원 적정인력 확보와 복리후생을 포함해, 본원에서 칠

---

28 '의료서비스 질 향상과 의료공공성 확대를 위한 환자·보호자 의견조사', 2010년 5월, 138명 응답.

2010년 11월 17일 파업전야제.

곡병원으로 이동한 직원 중 3년 이상 근무한 본인이 원한다면 본원으로 배치전환할 것도 요구했다.

　그런데도 병원은 차일피일 교섭 시기를 미루며 칠곡병원 외주용역을 일방적으로 진행했다. 노조가 칠곡병원 외주화 반대를 주장하며 항의공문도 보내고 입찰 저지 피케팅 등을 했지만 병원은 교묘하게 장소를 옮겨가며 입찰을 강행했다. 칠곡병원의 외주용역은 2009년 임단협 합의사항(3개월 전 노조와 협의)을 무시한 처사이기도 하다.

　경북대병원은 본원에서도 직원식당 외주화와 칠곡분원 개원에 따른 본원 인력 83명(의사 50명 제외) 축소, 정신과 병동·인력 축소를 추진하고 있었다. 병원의 영리적 운영이 의료서비스에 미치는 영향에 관해 설문조사[29]에서 조합원들은 병원에서 일하며 가장 힘든 이유로 '노동강도와 인력 부족'을 꼽았는데, 62%가 "지난해보다 업무량에 비해 인력이 줄었다"고 답했고, 57%가 "노동강도가 강화됐다"고

29　'2010년 투쟁 승리를 위한 조합원 설문조사', 2010년 3월 실시, 586명 응답.

답했으며 35%는 "노동시간
도 늘었다"고 답했다. 특히
의료서비스를 직접 제공하
는 간호사 직종의 경우 73%
가 "업무량에 비해 인력이 줄
었다"고 답했으며, 64%가
"의료서비스를 제공하기 위
한 절대인력이 부족하다"고
답했고, 68%는 "숙련된 인
력이 부족"하다고 답했다. 인
력 부족으로 인한 질 낮은 의
료서비스가 환자의 생명을
위협하고 있는 현실을 고스
란히 보여주는 대목이다. 그
렇기에 노동조합은 2010년
임단협에서 적정인력 확보
도 주요하게 요구한 것이다.

칠곡분원 개원과 본원 구
조조정을 둘러싼 수차례의
교섭에도 병원의 태도에 변
화가 없자 노조는 11월 18일
총파업에 돌입했다. 경북대
병원이 지역 공공병원이라

2010년 파업투쟁.

는 본분을 팽개친 채 오직 돈벌이에만 미쳐 제2병원인 칠곡분원을 '용역 천국'으로 만들어가고 있었기 때문에 피할 수 없는 선택이었다.

이즈음 대구 동산병원 역시 환자식당을 외주화했다가 식사 질이 급격히 나빠져서 입원환자의 항의가 잇따르는 일도 있었다. 서울대병원에서도 당시 태풍 곤파스의 영향으로 정전사태가 일어나 대형의료사고로 번질 뻔했는데, 역시 시설관리를 외주위탁했기 때문이었음이 밝혀진 바 있다.

2009년 임단협에서도 노조가 제기했다시피 제2병원인 칠곡분원 개원은 경북대병원 본원 노동자들의 구조조정과 연동돼 있다. 경북대병원은 이미 칠곡병원 개원을 위해 본원 인력 133명을 이동시켜놓고도, 줄어든 인력을 충원할 계획은 없다고 했다.

앞서 살펴본 설문조사 결과로도 알 수 있듯 경북대병원은 이미 인력이 부족해 노동자들이 거센 노동강도에 시달리고 있었다. 심지어 여성노동자들은 임신조차 순서를 정해야 하는 지경까지 내몰렸다. 병원에서 대체인력을 주지 않기 때문에 동료가 임신하면 그가 해야 할 밤 근무를 고스란히 그 부서에서 떠안게 되는 것이다. 경북대병원 여성노동자들 5명 중 1명꼴로 자연유산이나 조산을 경험했고, 2명 중 1명 이상이 업무과다·교대근무로 생리불순을 호소[30]하는 데는 명백한 이유가 있었던 셈이다.

결국 병원은 칠곡분원 개원을 이용해 본원의 노동강도까지 강화

---

30 '경북대병원 여성노동자 출산 관련 설문조사' 결과, 2010년 11월 12~15일 실시, 188명 응답.

하는 구조조정을 노리고 있었다. 병원노동자들의 노동강도 강화는 결국 경북대병원을 찾는 환자들의 의료서비스 질 저하로 귀결되는 악순환을 불러올 것이 뻔했다. 이뿐만이 아니라 경북대병원은 감사원 지적사항이라며

2010년 파업투쟁.

인건비삭감, 연차축소 등 단협 개악까지 밀어붙이고 있는 지경이었다.

경북대병원노조의 '칠곡병원 외주용역 철회'와 '본원 인력 충원' 요구는 너무도 정당했다. 노동조합은 11월 18일 파업에 들어가며 "우리의 투쟁은 우리 일자리를 지키는 투쟁이자 의료민영화를 막아내고 의료공공성을 사수하는 투쟁이라고 믿어 의심치 않는다"고 밝혔다.

파업 9일만인 11월 27일 ▲칠곡병원 환자식당 외주계약(3년) 만료 후 직영화 ▲인력충원 ▲임산부 야간근무 금지 ▲청소노동자 휴게공간 마련 등의 내용으로 잠정합의에 이르렀다. 앞서 파업 6일 차인 11월 23일 칠곡병원 외주용역과 구조조정에 관해 상당한 의견접근이 이루어져 극적 타결이 예상됐으나 병원쪽이 "교육과학부와 기획재정부가 '칠곡병원장이 부담스러워한다'고 하더라"며 의견 접근된 단체협약 사항을 번복하기도 했다. 11월 26일에는 장기파업에 대비한다는 명목으로 대체인력을 투입하려 해서, 노조가 병원장 항의방문과 농성을 벌인 끝에 교섭이 재개됐다. 이어 밤까지 간부회의와 조합

2010년 11월 23일 의료연대 결의대회.

원 토론 등을 거치며 최종교섭을 진행, 다음날 새벽 잠정 합의에 도달했다.

경북대병원노조의 파업투쟁은 국립대병원들의 향후 외주화 흐름에 제동을 걸었다는 점에서 매우 의미가 크다. 당시 국립대병원들이 제2병원을 만들면서 대체로 외주화하는 추세였고, 전남대병원이 화순병원을 만들면서 간호조무사·식당 등 기본 업무들을 다 외주로 돌렸다. 그런 상황에서 경북대병원이 칠곡병원에서 외주화 저지선을 친 것이다.

조직적인 파업투쟁은 조합원들에게 노동자의식을 고취하고 간부들에게는 역량 강화로 이어졌다. 노동조합이 이제까지 비정규투쟁을 계속해온 만큼 앞으로도 언제 다시 벌어질지 모를 본

원과 칠곡분원 외주화를 막아내는 투쟁을 계속 벌여나가야 한다는 점도 다 같이 공유하게 됐다.

한편 노조활동 기반이 취약할 수밖에 없는 칠곡분원에서의 조직화 과제를 함께 남기기도 했다.

"외주화도 문제였지만, 본원 직원들을 칠곡으로 보내는 문제도 대응해서 본인이 원하지 않으면 보내지 않는 것으로 합의했어요. 사실 나중에는 그게 후회되더라고요. 같은 시기 전남대병원도 화순에 제2병원을 오픈했는데, 병원이 화순병원 오픈할 때 기존 노조원들이 있으면 골치 아프니까 다 신규로 채운 거죠. 그런데 노동조합에서 문제 제기해서 연차를 섞어서 보냈더라고요. 중간 연차 조합원들이 많이 가다 보니 화순병원은 조직화가 확 된 거예요. 다른 이유도 있겠지만, 어쨌든 우리는 보직자 중심으로만 가고 대부분 신규 채용하다 보니까 처음에 조직화가 안 되고 너무 어려운 거예요. 그래서 몇 년 고생했죠." (우성환 구술)

"그때 우리가 너무 조합원 보호만 생각했던 게 실수였던 것 같아요. 노조도 그렇고 병원 입장에서도 전국 병원에서 완전 신규들로만 모아서 세팅하니까 운영이 보통 어려운 게 아닌 거예요. 노조도 조합원들 보호하려던 게 잘못했다기보다는 우리 병원이 공공의료기관인데 공공성 측면에서 바람직하지 않았던 거죠. 지금 생각해 보면 근시안적이고 이기적인 요구였던 거죠."
(이정현 구술)

외주화 막아야 공공의료·인력충원 가능하다

말도 많고 탈도 많았던 경북대학교병원 제2병원, 칠곡분원이 2011년 3월 개원했다.

칠곡에 600병상으로 분원이 문을 연 뒤 핵심 직종을 제외하고는 병원이 생각하는 비핵심부서인 원무과 창구, 환자·직원식당, 시설과, 그 외 많은 영역에 모두 용역이나 간접고용으로 외주를 냈다. 노동조합이 특히 심각하다고 판단했던 게 간호조무사와 진료보조 업무까지 외주화하는 것이었다.

우려했던 대로 병원은 제2병원(칠곡병원) 부채와 제3병원 건립을 위한 재정을 마련한다는 이유로 환자가 증가하고 있는데도 응급실과 신생아 중환자실 인력동결 방침을 고수했다. 인력충원은 이미 지난해에 노사가 합의했던 사안인데도 병원 이사회가 정부방침을 핑계로 부결시켜버린 것이다. 인력 부족으로 빚어진 피해는 고스란히 환자와 의료인력에 돌아갔다.

노조는 ▲응급실 적정인력 충원 ▲신생아 중환자실 적정공간·인력 충원 ▲비정규직 운영 중단 및 공채 즉시 정규직화 ▲비정규직 초임삭감 중단 및 원상회복
간병·용역노동자 백신 접
종과 식비 차별 중단을 요구
했다. 8월부터 임단협 교섭
을 벌여오다 합의점을 찾지
못해 10월 24일 조정신청을
접수했다. 이어 10월 26~28
일 쟁의행위 찬반투표에서
86.1%가 투표, 77.8% 찬성
으로 쟁의행위를 결의했다.

2010년에 이어 또다시
파업에 나섰다는 것은 그만
큼 절박했기 때문이다. 병원
운영을 조금만 더 들여다보
면 '대구·경북 지역의 대표
적인 공공병원'이 맞나 싶을
지경으로 심각한 문제들이
산적해 있었다.

예컨대 응급실의 경우 환
자 수를 비롯해 검사와 촬영
건수 등은 늘어났지만, 인력
은 제자리였다. 도리어 응급
의료서비스는 후퇴하고 있

었던 셈이다. 경북대병원 응급실 근무자 설문조사(2011년 8월) 결과를 보면 '응급실 과밀화에 대한 요인별 기여도'에서 가장 심각한 요인으로 '근무간호사 부족', '환자 수 과다', '근무보조 인력 부족'을 꼽았다. 특히 '근무간호사가 부족하다'는 항목에는 100%가 "심각하다"고 응답했다. '응급실 과밀화 해소방안'으로는 66.7%가 "인력확충"을 꼽았는데, 당시 경북대병원 응급실 과밀도는 전국 최고로 알려져 있었다. 응급병동 병실 1곳에 환자 30명을 입원시키고 있는 실정이었다.

그뿐만이 아니었다. 대구·경북 지역에서 신생아 중환자가 발생하면 경북대병원을 찾을 수밖에 없어 그 수가 계속 늘어가고 있었다. 그런데도 경북대병원에 신생아 중환자실 허가 침대는 12개에 지나지 않았다. 입원환자 수가 허가 병상의 2배인 24명에 달하기도 해 병상가동률이 평균 150% 수준에 달했다. 그렇게 입원환자 수가 늘어도 간호 인력을 충원시키지 않아, 간호사 1명이 신생아 중환자를 최고 14명까지 간호해야 하는 위험천만한 상황에 노출돼있었다.

문제는 칠곡병원이다. 이미 개원 당시 무분별한 외주·용역을 도입했다. 그뿐만 아니라 인건비를 절감하겠다며 신규직원을 채용하고도 정규직 임금의 80%만 주는 비정규직으로 묶어뒀다. 칠곡병원에서는 용역노동자와 간병노동자의 식비마저 차별 지급했고, 시간외수당 미지급, 근무당 인력 줄이기, 변형 근무 등 직원들 쥐어짜기에 여념이 없었다.

사정이 이러다 보니 칠곡병원은 개원한 지 1년도 되지 않아 이직자가 속출했다. 병원노동자에게는 숙련된 기술이 무엇보다 중요하다. 병원노동자의 이직률 증가가 숙련도 감소로, 또 의료서비스 질 저하로 이어지는 것은 불을 보듯 뻔하다.

노조가 11월 9일 총파업에 돌입하자, 파업을 둘러싸고 일부 언론의 왜곡·편파 보도가 도를 넘어섰다. 당시 상황은 노조의 인력충원 요구 등 어느 것 하나 명쾌하게 의견접근을 보지 못하고 있었다. 게다가 본원에서는 환자가 자율적으로 간병단체를 선택할 수 있는 자율간병시스템을 운영하는 것과 달리 칠곡병원에서는 특정업체와 협약을 체결함으로써 환자·보호자의 간병 선택권마저 빼앗고 있었다. 이를 빌미로 칠곡병원은 유독 무료소개소인 '희망간병'과 협약하는 것을 거부해, 노조는 칠곡병원에도 자율간병시스템을 도입하라고 요구하고 있었다.

그런데 〈조선일보〉는 11월 10일 자 '간병인 문제로 대립, 환자들 피해 불가피'라는 기사에서 "임금인상, 인력충원, 비정규직 처우 개선 등 3가지 사항에 대해서 어느 정도 합의점을 찾았지만, 칠곡경북대병원 간병인

2011년 파업투쟁

관련 분쟁문제에 첨예한 입장차를 보이고 있다"고 보도했다. 〈한국일보〉도 "노조와 무관한 제3업체와 간병인공급협약을 체결하자 노조측이 '불법파견'이라며 합의 파기를 요구해 심화"라고 자본의 입맛대로 보도했다.

파업 중에 노조는 응급실, 중환자실, 수술실 등 주요 부서에 100% 인원을 배치해 응급환자나 중환자에 대한 진료 차질은 전혀 발생하지 않았다. 그런데도 언론은 사실과 다른 보도를 내보내며 노조의 파업을 불법으로 몰아갔다. 노조는 11월 14일 보도자료를 내 이 같은 내용을 상세히 밝히며 "악의적이고 왜곡된 언론 보도를 중단하라"고 촉구하기도 했다.

그러던 11월 5일, 7일간의 파업투쟁의 성과로 ▲의료공공성 및 인력충원 ▲비정규직 정규직화 및 처우 개선 ▲칠곡병원 노동조건 개선 등 주요 쟁점에 관한 의견이 접근해 합의에 이르렀다.

인력충원 관련 합의사항은 ▲진료과 병상 조정 시 공용병상 축소 및 병동별 진료과 최소화 노력 ▲응급실 간호사 4명, 간호조무사 1명, 신생아 중환자실 간호사 2명 충원 ▲응급실 간호사 2명, 신생아실 간호사 2명을 충원을 전제로 2012년 4월 논의 ▲2010년도 합의사항(순환간호사 5명 충원)에 대해 차기 이사회에 상정해 충원 ▲2010년 합의사항인 치과위생사 충원 연말 시행 등이다.

비정규직 정규직화 및 처우 개선과 관련해서는 ▲만 1년이 되는 시점에 정규직화 ▲신규초임삭감 원상회복 ▲임시직 임금인상(정규직 임금의 64%에서 70%로) 및 처우 개선 ▲간접고용 용역직원에 대한 예방접종은 병원이 비용부담해 일괄 접종 ▲칠곡경북대병원 용역직원 식대는 해당 업체와 신규 계약시 직원 식비와 동일하게 하도록 적극 권고 등에 합의했다. 칠곡병원과 관련해 응급수당은 칠곡병원 응급실 24병상이 모두 가동될 시점에 적극 검토하기로 했으며, 교대근무시간(8-8-8)에 대해서는 현장 의견수렴 후 논의키로 했다.

2년 연속 파업으로 피로도가 쌓였을 텐데도 2011년 파업에서 조합원들의 결합도는 역대 파업보다 높았다. 파업대오는 상시 300명 규모 이상을 탄탄하게 유지했다. 병원은 제3병원 건립을 앞두고 노조파괴 전문업체인 '창조컨설팅' 출신 노무사까지 채용해 '노조 손보기'에 나섰다. 하지만 노동조합을 중심으로 똘똘 뭉친 조합원들이 기필코 이겨낸 것이다.

2011년 파업 중 토론하는 조합원들

한편 그해에는 처음으로 칠곡병원에서도 조합원들이 파업에 참여해 의미가 더욱 컸다. 노동조합이 전략적으로 근무조건을 비롯해 칠곡병원 현장의 요구를 병원에 제기하고 관철했기 때문이다. 이때 칠곡의 파업 주축은 영상의학과 중심으로 본원에서 옮겨간 조합원들로, 2000년 파업에도 함께 했던 조합원들이다. 이러한 성과로 파업 투쟁을 거치며 칠곡병원에서 노동조합 가입자가 늘어나 조합원 수는 60명을 넘어섰다. 본원에서도 30여 명이 노조에 새로 가입해 조직확대를 이루었다.

파업을 계기로 가장 큰 성과는 새로 문을 연 칠곡병원 현장에서도 노조 활동에 숨통이 트였다는 점이다. 이후 2012년에는 칠곡병원에 조합원이 3백 명을 넘어서게 되고, 본원과 분원 양쪽에서 모두 명실상부한 노동조합 활동을 펼쳐나갈 수 있게 됐다. 그러나 칠곡분원에서 안정적인 노조 활동을 펼치기까지 과정은 험난한 가시밭길이었다.

칠곡병원도 본원처럼 노조를 노조답게

"우리(노동조합 간부들)가 가면 총무과에서 CCTV 보고 다들 따라와요. 우리 나가고 나면 간호부장이나 간호과장이 그 병동 찾아와서 뭐라고 하고. 심지어 제가 칠곡에 가면 직원들이 눈치 보이니까 불편해했어요. 제가 다녀가면 관리자가 찾아올까 봐. 그래도 나이트순회 가게 되면 이야기를 좀 하는데 순회 마치고 나면 그다음에 또 병원 관리자한테 보고가 되고, 내부에서 또 이야기하는 사람들이 있고, 보안팀에서 CCTV 보고 노동조합 애들이 가더라고 동선 파악해서 보고하고. 병동에 들어가서 만났는데도 자유롭게 얘기를 나눌 수가 없으니 근무 마친 뒤에 다시 밖에서 미팅을 잡는데 그마저도 눈치를 많이 보더라고요. 본원은 중간 그레이드 이상 조합원들이 있어서 수간호사나 관리자와의 문제를 막아주고 해결해주고 이러거든요. 그런데 (칠곡에는) 그게 없으니까 굉장히 불안해하고 눈치 보고. 거기다가 신규니까 환자 보는 것도 의료사고 날까 봐 걱정이 많고, 일 배우기 바쁘니까 일에 치이는 거죠. 다 불안 불안했던 거 같아요. 하여튼 그 칠곡병원장이 노무관리를 굉장히 철저히 했어요." (우성환 구술)

유완식 칠곡분원 초대병원장은 노조 탄압은 물론 노동조합 가입 자체를 못 하게 하는 등 노조 혐오정책으로 일관했다. 그런 탓에 본원의 간호사 노조 가입률이 70%인데 반해 칠곡분원의 간호사 노조 가입률은 30%에 지나지 않았다.

노조 탄압의 선봉에 섰던 사람들은 수간호사와 관리자들이었다. 본원은 조합원이 노조 교육을 받는 것은 당연한 사항이었다. 그러나 칠곡분원에서는 노조가 조합원 교육을 하려고 하면 수간호사들이 가로막았다. 사실상 조합원 교육에 못 가게 해놓고서 노조에는 "신청하는 사람이 없다"고 둘러댔다. 노동조합에 가입할라치면 계속 면담하며 들들 볶아 압박하는 등 드러내놓고 하는 탄압이 비일비재했다.

심지어 노조의 정당한 현장순회도 방해했다. 본원에서는 현장을 돌며 유인물을 나누어주며 노동조합 가입을 독려하고 노동조합 소식을 알려주는 일이 노조의 일상적인 업무다. 그러나 칠곡분원에 가서 현장순회를 돌면 청원경찰이나 보안요원, 또는 병원 관리자들이 졸졸 따라다니며 채증을 하고 방해했다. 노조가 헌법에 보장된 정당한 활동이라고 항의해도 소용없었다.

그런 어려운 조건 속에서도 노조는 칠곡분원 조직화에 심혈을 기

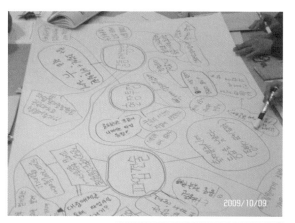

울였다. 노조 조직화의 씨앗은 본원에서 넘어간 의료기술직이었다. 의료기술직 조합원들은 본원에서 돈독한 선후배 관계 속에서 노동조합의 전통을 가지고 있었기 때문에 칠곡분원에서도 노조 가입은 당연한 거라고 직원들을 모아내고 가입도 시켰다. 당시 그나마 임상병리사, 방사선사, 해부병리사 등 의료기술직 조합원들이 꽤 칠곡분원으로 넘어갔기 때문에 가능한 일이었다. 반면 칠곡분원으로 넘어간 간호사들은 대체로 수간호사나 관리자가 되고자 노동조합을 탈퇴하고 간 사람들이 많았기 때문에 도리어 노조 탄압에 앞장섰다.

"의료기술직 중심으로 조직화의 토대가 조금 마련됐지만 결국은 우리가 일일이 발품을 팔아야 했어죠. 사실 본원은 역사와 뿌리가 있고 선배들이 있잖아요. 1988년에 노동조합 만들면서 초창기 발기인부터 선배들이 각 부서 곳곳에 많이 있고, 조합원들도 노조활동에 대한 경험과 인식이 있기 때문에 선배들은 당연히 노동조합 가입을 권하고 신규직원들도 가입을 당연시 여기는 역사와 전통이 있거든요. 그런데 칠곡은 그걸 해줄 선배가 없는 거예요. 칠곡병원 조직확대에 가장 큰 애로사항이 그거였죠. 전임자들이 병동 순회하면서 가입원서 뿌리면 개중에는 가입하는 사람도 있지만 극히 소수였죠. 왜냐면 직원들이 대부분 신규고, 외지에서 들어온 사람들이니 노조에 대한 인식도 없거니와 또 생판 모르는 사람들이 가입하라니까 쉽지 않았죠. 그래도 우리가 계속 순회하고 발품을 파니까 병동마다 몇 명씩 가입하면서 조합원층이 좀 만들어졌어요. 그렇게 인적 자원을 만들어 냈어요. 초창기에 가입했던 사람들이 지금 칠곡 노동조합의 토대가 된 거죠. 하지만 그때까지만 해도 병동마다 편차가 심했는데, 2014년에 병원이 노조 탈퇴공작을 하며 탄압했을 때는 또 우르르 탈퇴하기도 했고. 하여튼 그때는 전임자들이 계속 가서 발품 팔아 일일이 한 명 한 명 만나서 이야기하고, 힘든 것 없냐고 물어봐 주고, 노동조합 가입하라고 하고, 노동조합 있으면 이런 것도 할 수 있다고 본원 사례도 얘기해주고, 다 발로 뛰면서 해낸 거예요. 아이고, 그런 얘기를 하다보니 힘겨웠던 그 시기가 참 주마등 같이 지나가네요." (이영숙 구술)

탄압이 극심했던 칠곡 초대병원장 임기가 끝나고 박재용 병원장으로 바뀌었지만, 노조 정책이 바뀌지는 않았다. 칠곡분원의 숨막히는 노조 탄압은 본원에서도 '노조탄압 백화점'을 열어젖힌 조병채가 그만두던 2016년까지 이어졌다.

"그런 시절이 2016년까지 계속되니까 시작이 참 중요하다는 생각이 들더라고요. 그때 본원 조합원은 1천 명 정도 됐는데 전임자는 3명뿐이니 노조 역량에 한계는 있고, 칠곡까지 조직하면서 담당할 여력이 안 되는 거죠. 거기다 탄압까지 극심했으니까 가입하는 사람은 소수고, 그러니 당연히 노조가 힘을 발휘하지도 못하고. 그때 제가 칠곡 담당자였는데 왔다 갔다 하면서 본원 업무도 하고 칠곡 업무도 해야 하고, 게다가 병원의 온갖 탄압들까지 다 쳐내며 혼자서 활동하기가 버겁더라고요. 노조사무실 안 주면 부당노동행위니까 주긴 줬는데, 지하 2층에 주차장 바로 옆이어서 늘 매연이 가득했고. 그렇게 힘든 상황이 2016년까지 계속됐어요." (김영희 구술)

특히 가장 어려웠던 점은 칠곡분원에 전임자가 없다는 거였다. 일상적으로 노조 활동을 펼치며 책임질 전임자가 칠곡에 없으므로 본원에서 담당자를 파견할 수밖에 없었고, 그러다 보니 본원 담당자가 바뀌면 사업을 연속성 있게 진행하기 어려웠다. 물론 그런 어려운 환경 속에서도 칠곡분원에서 비정규직이 해고되거나 현안이 발생하면 노동조합은 또 칠곡으로 몰려가 투쟁에 집중했다. 투쟁할 때는 그렇게 하는 노조가 바로 경북대병원노조였다.

그러던 칠곡병원에도 변화가 찾아온 계기는 바로 촛불투쟁이다. 박근혜가 탄핵되고 정권이 바뀌면서 박근혜 정권의 정책을 그대로 받아 노조 탄압을 일삼았던 조병채도 물러났다. 그러면서 칠곡분원 노사관계도 어느 정도 정상을 찾아가기 시작했다.

"촛불로 탄생한 문재인 정부의 영향을 받지 않았다고 할 수는 없어요. 적어도 문재인 정권은 출범할 때 노동존중을 얘기하면서 노조 탄압이나 부당노동행위를 엄벌하겠다고 했잖아요. 취임 100일째 국정 기자회견에서 그런 내용의 '노동 존중사회' 정책을 발표하고 나니까 병원 사용자도 달라졌어요. 우리 사업장은 공공기관이기 때문에 그런 영향을 받지 않을 수 없었던 거죠. 병원장 바뀌고 난 뒤로는 그전처럼 현장 순회할 때 사찰하는 등의 노조 탄압을 대놓고 하지는 않았어요. 수간호사들이 노조 가입한 사람들 불러다가 대놓고 뭐라고 하는 짓도 중단됐죠. 그러니까 노동조합 가입도 늘고, 비정규직도 정규직으로 전환하면서 대거 노조에 가입하고, 그러면서 노사관계가 정상화되고 노조도 안정을 찾아갔어요. 특히 2017년에 발표한 공공기관 비정규직 정규직 전환 정책으로 우리 병원은 2018년에 직접고용 비정규직 4백 명 가까이가 정규직으로 전환됐고, 2020년 3월에는 간접고용 비정규직도 4백 명 가까이 정규직으로 전환되면서 그분들이 대거 노동조합에 가입했거든요. 그래서 1,200명이던 조합원이 지금은 2,000명이 넘어요. 그렇게 칠곡 분원도 조직이 확대돼서 지금은 칠곡 현장에서 직접 나온 전임자 2명이 활동하고 있거든요." (김영희 구술)

4. 결국, 칠곡병원 비정규직들 투쟁에 나서다

청소노동자들 노조 만들어 '민들레'로 다시 태어나

경북대병원은 양질의 의료와 교육, 그리고 나아가 사회적 공헌을 해야 마땅한 대구·경북 지역의 핵심적 공공병원이다.

그러나 경북대병원은 이명박 정권의 비호 아래 무리하게 사업을 확장하기만 했을 뿐, 정부의 '총정원제' 방침에 빌붙어 끊임없이 비정규직을 확대해 나가고 있었다. 병원의 비정규직 확대는 지역사회 주민의 건강권을 훼손할 뿐만 아니라 의료공공성의 최전선에 서야 하는 국립대병원의 역할마저 져버리는 행위다.

표에서 보듯 칠곡병원의 비정규직 비율은 개원 1년 만에 이미 본원의 2배에 달했다.

경북대병원 정규직·비정규직 현황(2011년 12월 31일)

전체직원 수 (의사 제외)	정규직	비정규직	
		직접고용	간접고용
본원	1,408명	76명(4.5%)	208명(12.3%)
	83%	17%	
칠곡분원	460명	126명(17%)	154명(20.8%)
	62%	38%	

2007년 계약이 만기 되는 비정규직이 급증하자 정부는 비정규직 보호법을 제정했다. 계약직으로 2년 이상 일하면 정규직으로 전환토록 하는 법이다.

이런 사정으로 경북대병원 비정규직 당사자들도 공채 또는 특채 시 2년 동안[31] 무기계약직이라는 형태로 근무해야만 정규직이 될 수 있었다.[32] 그러나 무기계약직은 일반정규직과 달리 별도의 취업규칙을 적용받기 때문에 처우가 달랐다. 또 인건비 예산이 아닌 사업비로 운영하는 경우가 많아서 언제든 구조조정될 처지에 있었다. 경북대병원은 공채로 채용돼 상시업무를 하는 직원에 대해 총정원제를 핑계로 1년 동안 정규직 임금의 80%만 줘서 차별했다. 또 칠곡병원을 개원하는 과정에서는 임시직을 채용해 6개월 단위로 계약했다.

경북대병원은 2010년 칠곡병원 개원에 앞서 애초 800명의 정원을 기재부와 교과부에 요청한 바 있다. 하지만 간호사 및 의료기술직을 제외한 기능직군(업무보조, 진료보조, 사무보조 등 약 130명)은 비핵심부서로 분류되면서 정원을 확보하지 못했다. 결국 병원을 운영하기 위해서 꼭 필요한 상시업무 인력임에도 정원에서 제외됐다는 이유로 임시직으로 채워졌다.

그러던 중 칠곡병원에서는 2012년 12월 말 계약 2년째가 도래하는 비정규직 수가 30명을 넘었다. 그들을 정규직으로 전환해야 하는 시기가 다가오자 병원은 정원을 확보하지 못했다는 이유로 임금을

---

[31] 임금은 1년째에 정규직 5급 1호봉의 80%, 2년째에 정규직 2호봉의 90% 지급.
[32] 이후 2011년 임단협에서 '1년 이상'으로 줄었다.

70%만 주는 '업무지원직'이라는 비정규직군을 일방적으로 신설했다.

"2010년 파업 때 간호조무사 직종은 외주내지 않고 직접고용하기는 했지만 정원이 확보되지 않았다는 이유로 직접고용 비정규직을 지속적으로 사용했죠. 정부에서 비정규직으로 2년 되면 정규직으로 전환하라는 비정규직 보호법을 만들었는데, 이게 오히려 비정규직 노동자들이 2년을 넘기지 못하고 상시적으로 해고되는 상황을 만든 거예요. 그 문제가 우리 병원 칠곡분원에서도 발생하기 시작했습니다. 2010년에 직접고용 비정규직으로 채용된 진료보조 간호조무사들이 2012년이 도래하는 시점에 해고될 위기에 처한 거죠. 이건 상시 지속업무인데 병원은 정원이 확보되지 않았다는 이유로 직접고용 비정규직을 쓰고 있다가 2년이 된 거예요. 그러면 이 사람들을 정규직으로 전환하든 자르든 해야 하니까 그때 병원이 '업무지원직'이라는 형태로 별도 직군을 또 만든 거예요. 직접고용 비정규직이긴 하지만 새로운 임금체계, 고용은 보장되는데 신분은 정규직이 아닌 무기계약직 형태로."
(김영희 구술)

경북대병원은 "임시직에 대한 고용안정 대책"이라고 헛소리를 했지만, 1년에 2차례 평가를 통해 계약 여부를 판단하겠다는 것은 결과적으로 자신들 입맛대로 하겠다는 심보다. 게다가 병원이 제시한 업무지원직의 임금도 정규직 임금의 70% 수준에 지나지 않았다. 또 10호봉이 최고호봉이어서 향후 15년 이상 근무한다고 하더라도 임금에서 정규직과 연간 2천만 원 이상의 격차가 발생하게 된다. 인사규정에 독소조항을 만들어 임금과 근로조건에 심각한 차별을 둔 것이다. 다른 사업장의 모범이 되어야 할 국립병원이 도리어 직원 간 불화를 조장하며 '고용'을 칼날 삼아 노동을 착취하겠다는 의도를 노골적으로 드러낸 것이다.

한편 칠곡분원 업무지원
직 문제는 전국의 모든 국립
대병원에 해당하는 심각한
문제였다. 교육과학부와 기
획재정부는 의료공공성 강
화라는 취지 아래 여러 신생
사업을 확대하면서도, 사업
지원비를 무기 삼아 정작 비
핵심업무로 분류된 직종에
는 정원을 주지 않았다. 정부
가 나서서 국립대병원의 비
정규직 확산을 부추긴 꼴이
다. 정부가 총정원제로 인력
을 규제함으로써 분원 개원
과 업무증가로 인한 적정한
정규직 인력이 충원되지 않
은 것이다. 결국 비정규직은
양산됐고, 이는 필연적으로
의료서비스 질 하락으로 이
어질 수밖에 없었다.

예측대로 제2병원(칠곡분
원)은 많은 비정규직을 만들

청소노동자들 '민들레분회' 활동.

어 냈다. 그런데도 경북대병원은 사태 해결은 안중에도 없이 중증외상센터와 제3병원까지 계획하고 있었다. 국립대 총정원제 때문에 향후 사업이 확장되더라도 비정규직만 더욱 급증할 판이다. 국립대병원들이 '비정규직 양산소'로 전락하고 있었다. 대구·경북지역 의료 공공성 확보와 양질의 의료 제공을 위해서 총정원제는 반드시 폐지돼야 했다.

노조는 비정규직 정규직화와 인력충원을 요구하며 다시 파업을 결의했다. 정규직과 같은 업무를 하면서도 임금과 근로조건에 차별받는 비정규직만의 단독직군을 폐기하라는 것이다. 칠곡분원에 비정규직 확대하는 '업무지원직'을 폐기하고 정규직으로 채용하라는 요구다. 이와 함께 양질의 의료서비스 제공을 위해 병원 인력을 충원하라고 요구했다. 응급상황에 제대로 대처할 수 있도록 응급 CT실 인력을 충원하고, 의료서비스 질의 핵심인 근무당 동일인력을 유지하고, 충원 인력을 직접 간호에 투입하라고 요구했다.

노조가 파업돌입을 예고한 11월 14일 새벽, 임단협 잠정합의안이 마련됐다. 칠곡병원 임시직과 관련해서는 독소조항인 "근무성적 2회 이상 '양' 이하일 경우 계약해지" 항목을 삭제했다. '한계호봉 폐지'와 '임금을 정규직의 70%에서 75%로 인상'까지도 합의했다. 그러나 전원 고용 승계는 확보하지 못해 이후 곧바로 비정규직 해고 사태를 불러왔다. 응급실 인력과 관련해서도 인력충원 자체가 너무 절실했기 때문에 어쩔 수 없이 임시직 충원에 합의할 수밖에 없었다.

한편 2012년은 경북대병원 청소노동자들의 조직인 민들레분회가 만들어진 해이기도 하다. 5월 8일 청소노동자 간담회를 거쳐 22일에 전체모임을 하고, 교육과 사전모임을 꾸준히 이어나간 성과다. 앞서 2007년에도 청소용역노동자들의 투쟁으로 고용 승계를 쟁취하긴 했지만, 그때는 여성노조 소속이다 보니 경북대병원노조가 직접 결합하기에 한계가 있었고 조직이 오래 유지되지 못했다. 민들레분회는 이후 정규직으로 전환해서 현재는 모두 경북대병원노조 조합원으로 함께하고 있다.

"청소노동자를 조직하기로 했지만 어디서부터 시작해야 할지 막연했죠. 그래서 이전에 여성노조 소속으로 분회장했던 분한테 사람을 추천해 달라고 했어요. 어쨌든 이런 조직은 서로에 대한 신뢰가 기본이 되어야 하니까. 그래서 나중에 민들레분회장이 되는 이계옥이라는 분을 소개받아서 당시에 우성환지부장이 만난 거죠. 그렇게 이야기가 시작되면서 조직을 다시 규합할 수 있었어요. 두 번째 조직은 굉장히 탄탄하게 잘 됐어요. 원청인 경북대병원분회가 나서서 적극적으로 하니까 조합원들도 아는 거죠. 원청인 정규직 노조가 파업도 하면서 잘 싸운다는 걸 봐온 사람들이잖아요. 그러니까 100% 다 가입했고, 처음에는 노조가 굉장히 잘 운영됐어요. 하지만 이마저 조병채 병원장 들어서면서 탄압이 거세지니까 절반 정도 떨어져 나갔어요. 그때 재계약 과정에 분회장까지 해고하고. 나중에 부당해고 판결은 받았지만, 그렇게 겁을 주니까 또 조직이 갈라지고 어려워졌죠. 지금은 다 정규직으로 전환해서 우리 노조에 들어와 있어요. 지금은 청소 조합원들이 간부나 대의원 서로 하려고 하고, 열심히 하고 있어요." (이정현 구술)

비정규 해고자들 연대투쟁으로 본원 복직

2012년 11월 업무지원직 독소조항과 한계호봉 폐지에 합의한 이후 11

2013년 칠곡분원 비정규 해고자 복직 연대투쟁.

월 28일 칠곡병원 업무지원직 전환 채용공고가 났다.

노동조합은 12월 3일 칠곡병원장을 면담해 2년 경과 임시직 전원의 고용을 승계하라고 요구했다. 그런데도 12월 14일 1차 합격자 발표 결과 40명 중 6명이 탈락했다. 이는 곧 해고였다.

"병원이 대상자 전체를 다 무기계약직으로 전환하는 게 아니라 채용절차를 다시 거치겠다고 한 거예요. 분명히 상시업무를 해왔던 사람들이고, 이미 2010년에 채용과정을 통과했잖아요. 그런데도 일부 탈락은 불가피하다면서 상대평가를 해서 6명을 해고했어요. 이건 분명히 비정규직 보호법이 오히려 비정규직을 양산하고 고용불안을 가져와서 생긴 희생양이잖아요. 누군가는 탈락시키겠다는 경쟁 논리로 열심히 일만 하게 만들려는 병원의 속셈이에요. 이건 칠곡분원이 생길 때부터 아예 노동조합이 발을 못 붙이게 하겠다는 병원 정책과 맞닿아 있는 거죠. 노동자들을 경쟁시키고 누군가는 탈락하는 시스템을 만들어서 노동자들이 노동조합으로 가지 않게 하고, 단결하지 않게 하고, 개별화해서 최대한 적은 인력으로 많은 수익을 내겠다는 정책.” (김영희 구술)

노조는 이듬해인 2013년 1월 2일 칠곡병원장 항의면담을 시작으로 1월 8일 칠곡병원 앞에서 기자회견을 하고, 천막농성을 시작했다. 1월 29일에는 새누리당 대구시당사에서도 농성을 시작했다. 그러나 농성 4일째인 2월 1일에 농성자들이 연행됨과 동시에 2차 업무지원직 합격자가 발표됐다. 22명 중 또 2명을 해고했다. 이는 명백하게 노동조합을 무시한 도발이었다. 노조는 2월 5일 칠곡병원 로비에서도 농성을 시작했고, 농성장은 두 차례나 침탈당하기도 했다.

“천막농성장 앞에서 매일매일 집회하고, 저녁에는 문화제하고, 즐겁고 재미있게 시작했죠. 하지만 그 추운 겨울에 천막을 치니까 사실은 굉장히 걱정됐죠. 당번으로 돌린다고 하더라도 추운 겨울에 천막을 사수하는 게 가능할까 했는데 지역의 많은 동지하고 우리 분회 간부, 대의원, 조합원들과 함께 투쟁을 이어나가니까 처음에는 그렇게 힘들지 않았어요. 무엇보다도 가장 힘이 됐던 것은 우리 투쟁의 정당성이었습니다. 이분들은 아무 잘못도 없는데 단지 비정규직이라는 이유 하나만으로 해고됐기 때문에 이건 잘못됐다, 반드시 복직해야 한다는 정당성.” (김영희 구술)

천막농성 44일째인 2월 20일 우성환 경북대병원 분회장이 삭발투쟁을 감행했다. 또 노조는 임시직 신규채용 면접 저지 투쟁을 비롯해 중식 집회, 노동청 진정, 기자회견, 환자선전전, 시민선전전, 국회토론회, 대규모 집회 등 할 수 있는 모든 투쟁을 벌여나갔다. '상시지속업무 정규직화' 요구를 내걸고 투쟁하는 동안 4월에 임원선거를 진행, 김영희 집행부가 출범해 투쟁을 이어받았다.

"그런데 투쟁이 길어진 게 문제였어요. 12월 말에 시작한 천막농성이 해가 바뀌도록 지속되니까 당사자들이 가장 먼저 지쳐갔어요. 애초 싸움을 시작할 자신이 없다며 떠난 분들 말고 3명이 노조와 함께 투쟁을 시작했는데, 한 분이 또 투쟁 과정에서 힘드니까 포기하고 떠났어요. 그렇게 2명과 투쟁을 이어갔는데, 6개월 넘어서니까 '과연 이 투쟁이 승리할 수 있을까?' 하는 생각이 드는 거죠. 둘이 서로 의지했지만 한 명이 힘들어해서 설득하면 또 다른 한 명이 힘들어하고, 그런 과정이 반복되면서 이렇게 서로 기운 빠지는 상황에서 이 투쟁을 이어갈 수 있도록 중심을 잡아가는 역할이 굉장히 힘들었던 게 사실이에요." (김영희 구술)

이토록 노동조합이 칠곡병원 비정규직 해고에 맞서 총력을 다해 투쟁한 데에는 몇 가지 중요한 의미가 있다.

첫째는 업무평가로 노동자 목줄을 조이는 행태를 중단시키기 위한 투쟁이라는 점이다. 노조는 2000년에도 파업투쟁으로 '입사순서대로 발령'내는 인사 원칙을 쟁취한 바 있다. 사용자 입맛대로 노동자를 평가한다면 이후에도 정규직이든 비정규직이든 꼼짝할 수 없게 되고, 구조조정과 연봉제 도입의 근거가 될 것이다. 정규직은 자동승진, 비정규직은 정규직화해야 마땅하다.

두 번째로 이 투쟁은 병원업무의 외주·용역화를 막는 투쟁이었다. 정부와 병원의 인력정책은 최소 인건비로 최대 수익을 내는 것으로, 이후에도 값싼 비정규직 채

용을 확대해 나갈 것이다. 지금 저항하지 않는다면 영양실, 진료보조, 나아가 간호사까지 외주화를 시도할 게 뻔했다. 앞서 2011년에도 9일간의 파업투쟁으로 칠곡분원의 환자식당과 진료보조 업무의 외주·용역화 시도를 막아낸 바 있다. 지금 하는 비정규직 고용 승계투쟁은 2년 전 투쟁의 연장선에 있다.

마지막으로 이 문제를 칠곡분원만의 문제나 비정규직만의 문제로 치부하고 노동조합이 투쟁하지 않는다면 정규직의 안전

역시 담보할 수 없다. 경북대병원은 칠곡분원 개원으로 이미 1천억 원의 빚을 졌으면서도 제3병원 건립을 추진하겠다고 한다. 빚이 많아지면 병원은 수익을 더 내기 위해 직원들의 노동강도를 더욱 강화하고 비정규직도 더 확대할 것이다.

"투쟁이 길어지니까 당사자도 힘들었지만, 정규직 조합원들도 굉장히 힘들었어요. 병원이 '우리 노동조합은 정규직들 노조인데 왜 비정규직 복직투쟁에만 올인하냐'는 식으로 정규직과 비정규직을 분리하고 이간질하는 선동을 엄청 많이 했거든요. 물론 거기에 흔들리지 않고 꿋꿋이 버티는 조합원, 간부, 대의원도 있었지만 일부는 지치고 힘드니까 병원의 그런 말에 동조하기도 했거든요. 왜 우리 노조가 이 사람들 복직시키는데 1년 가까이 투쟁을 해야 하냐, 왜 천막농성을 해야 하냐, 왜 그러냐고. 노조가 정규직 복지는 신경 안 쓰고 비정규직 해고투쟁만 한다는 사측의 논리 그대로 노조 집행부에 와서 얘기하고 투쟁을 중단하라는 조합원이나 간부들까지 있었어요. 그럴 때 참 힘들었죠. 그때는 사용자가 하는 얘기 그대로 하는 사람들 미워서 욕도 좀 했지만, 한편으로는 우리가 비정규직 문제에 대해 조합원들이 제대로 인식을 전환할 수 있도록 하는 교육이 부족하지 않았나 반성하며 끊임없이 올바른 기조를 세워내려고 노력했습니다. 하지만 현실은 여전히 힘들었죠. 그런데 사실 우리 노동조합이 비정규직 투쟁만 했냐, 그건 아니거든요. 직원들의 복지나 근로조건 문제도 지속적으로 제기하고 싸워왔거든요. 사측의 논리는 그냥 억측일 뿐이었는데, 그런 게 우리 조합원들한테 먹힌다는 게 안타까웠어요. 우리 사회가 비정규직 문제로 신음하고 있는데 비정규직 문제로 눈을 돌리지 못하는 정규직 조합원의 한계를 보면서 끊임없이 교육하고 공부하는 게 필요하다, 그렇지 않고서는 우리가 점점 고립될 수 있겠구나, 이런 생각을 했어요." (김영희 구술)

천막농성 185일 차인 7월 12
일, 노조는 본원 로비와 칠곡병
원 천막농성을 해산하고 다시
전열을 가다듬어 임단협과 결
합해 더욱 강력한 투쟁을 벌여
나가기로 결의했다.

노조는 병원에 "돈벌이경영
을 멈추고 국립대병원으로서 지역거점병원의 역할을 다 하라"고 촉
구했다. 그리고 칠곡병원 해고자 복직을 통한 비정규직 정규직화와
함께 인력충원, 실질임금 인상, 제3병원(임상실습동) 전면 백지화 등
을 요구로 내걸었다.

노조는 2010년 합의사항 이행도 함께 촉구했다. 칠곡병원 개원

당시 노조와 협의 없이 일방적으로 외주화한 환자식당에 대해 2010년 파업투쟁의 성과로 계약 기간 3년이 지나면 직영으로 전환키로 합의한 바 있는데도 병원이 정원을 확보하지 못했다며 약속을 지키지 않고 있었기 때문이다. 노조는 11월 12~14일 찬반투표로 쟁의행위를 결의하고 21일 총파업 돌입이 임박해 타결을 이루었다.

"임단협에서 결국 두 분이 복직하셨어요. 2013년도 임단협에서 우리가 2명 복직을 요구안으로 걸었고, 교섭을 마무리하면서 합의를 해냈죠. 비록 칠곡으로 원직 복직되지는 못했지만 본원에 간호조무사로 복직이 되셨어요. 이 투쟁에서 당사자들이 지치고 힘들어서 투쟁을 중단하려 한 점, 우리 조합원과 간부들이 사용자의 말도 안 되는 분열 정책에 넘어가 투쟁에 나서지 않았던 점, 그 두 가지가 가장 힘들었죠. 그럼에도 우리가 투쟁을 이어갈 수 있었던 것은 우리 투쟁의 정당성 때문이죠. 그리고 지역에 있는 동지들이 함께 했기 때문에 가능했어요. 그때 건설 동지들을 비롯해 많은 동지가 우리 비정규투쟁에 정말 많은 힘을 보태주고, 적극적으로 지지 연대해줬어요. 두 분은 2013년 연말 임단협에서 복직에 합의하고, 2014년 봄에 본원에 복직해서 간부·대의원으로 열심히 활동하셨고, 지금도 노동조합의 중요한 인자로 아주 열심히 활동하고 계십니다." (김영희 구술)

조합원 교육과 부서별 간담회를 통해 확정된 조합원들의 소중한 요구 하나하나를 모두 따내지는 못했지만, 많은 부분을 쟁취해 냈다. 무엇보다 칠곡분원 비정규직 해고자의 복직은 소중한 성과다. 상시 지속업무 비정규직 정규직화에 합의하고, 칠곡병원 계약 만료로 퇴사한 2명은 본원 임시직으로 1년간 근무 후 업무지원직으로 전환키로 했다. 그 외에 난임 여직원의 유급휴직, 간호사 정규직 정원 확보·

충원 및 핵의학 주사업무와 간호사 임시직 충원 등에도 합의했다.

"본원에서 인사경영권을 다 갖고 있어요. 본원에서 채용해서 칠곡에 주고, 본원이 발령권도 있고 티오 관리하고 다 했거든요. 그러니까 칠곡에서 투쟁하다가, 칠곡병원장은 권한이 없으니 권한이 있는 본원으로 옮긴 거죠. 그때 칠곡에서 투쟁하면서 합의서는 못 만들었지만, 칠곡병원장하고 구두로 합의한 게 '앞으로는 계약 2년 도래하는 사람들은 무조건 다 재고용하겠다'는 거였어요. 나중에 확인해보니 계속 지키고 있더라고요. 칠곡병원장이 나한테 '노조랑 약속했기 때문에 다들 절대 안 된다고 하는 사람까지 다 재고용해줬다'고 자랑하더라고요. 그때부터 계약한 지 2년 됐다고 해고하는 건 없죠. 그게 이 투쟁의 의미죠." (우성환 구술)

간호사 인력부족에 극한 노동강도…비정규직은 다시 급증

경북대병원의 칠곡분원 개원은 병원에 많은 변화를 가져왔다. 안타깝게도 그 변화는 '만성적인 인력 부족'과 '비정규직 확대'다.

경북대병원은 칠곡분원 개원 전까지만 해도 지역에서 나름 안정적으로 운영되는 탄탄한 중심 의료기관이었다. 2007년부터 2010년까지 4년 동안 경북대병원이 일궈낸 928억의 흑자는 지역주민이 치료하고 낸 비용이다. 또 한편으로는 상시적인 인력 부족과 거센 노동강도를 감내하며 직원들이 희생한 결과다.

그렇다면 그 수익은 직원과 환자에게 되돌려주는 게 당연한데도 경북대병원은 상식을 뒤엎었다. 칠곡분원 개원 후 4년 동안 수익의 2배에 가까운 1,730억 원을 투입한 결과, 경북대병원 부채비율은 2배

이상 늘어났다. 2011년 382억 원의 의료손실과 206억 원의 당기순손실, 2012년에는 127억 원의 의료손실을 기록했다. 안정적이던 병원의 운영구조가 흔들리자 경북대병원은 대규모 투자에 든 비용을 회수하기 위해 돈벌이에 혈안이 됐다. 비정규직 확대와 노동력 쥐어짜기가 더욱 심각해진 것은 필연적인 결과다.

이런 상황에서 병원은 칠곡분원의 규모를 뛰어넘는 임상실습동 건립까지 계획했는데, 예정된 투자 금액만 2,468억 원에 달했다. 이미 칠곡분원 건립 때문에 810억 원을 차입해 이자 비용만 매년 40억 원이 발생하고 있었다. 그런데도 임상실습동 건립을 강행한다면 차입금 규모는 1,200억 원 이상으로 예상되고, 연간 이자 비용은 100억 원이 훌쩍 넘게 된다.

한편 경북대병원의 만성적인 인력 부족은 이미 심각한 문제로, 마른수건을 짜내는 수준의 노동강도 강화를 가져왔다. 2009년부터 2012년 사이 경북대병원의 병상당 인력은 2.04명에서 1.89명으로 줄었다. 노조는 심각한 노동강도 문제를 해결하고 의료서비스의 질을 높이기 위해 해마다 인력충원을 핵심 요구로 내걸고 싸워야 했다. 하지만 병원은 필요한 인력을 충원하기는커녕 최소한의 합의사항마저 지키지 않았다.

특히 간호 인력 부족 문제가 심각했다. 경북대병원이 정부가 권장하는 규모의 간호 인력을 갖추려면 165명(병동 144명, 중환자실 21명)이 추가로 필요하고 현장에서 꼭 필요한 추가 간호 인력만도 최소 45명에 달했다. 더욱 심각한 문제는 경북대병원이 이러한 상황을 해결하기 위해 간호실습생 수십 명을 무급으로 쓰고 있다는 점이다. 이는 무자격자에게 의료행위를 하게 한다는 점만으로도 큰 문제다. 게다가 실습생들은 정상적인 교육을 받지 못하고, 문제의 근본적 해결책인 인력충원을 가로막는다는 점에서 더욱 심각했다.

병원은 간호 인력 부족 문제를 해결한답시고 기존 인력의 노동시간을 늘리는 방식으로 대응했다. 2012년에 간호직이 사용하지 못한 휴가 일수는 14,262개로, 인력 규모로 환산하면 55명에 해당한다. 직원들이 보장된 휴가라도 제대로 사용할 수 있으려면 전체 간호 인력의 6%가 추가로 확보돼야 한다는 의미다. 또 같은 해 간호사들은 13일씩 휴일(오프)에도 쉬지 못하고 근무한 것으로 나타났다. 이 역시 병동 간호사들이 법적으로 보장된 휴

일에 쉴 수 있으려면 간호 인력의 5%가 추가로 확보돼야 한다는 뜻이다. 이는 곧 간호 인력이 법적으로 보장된 휴일과 휴가만이라도 제대로 사용할 수 있게 하려며 11%가 충원돼야 한다는 결론이다.

경북대병원이 또 비정규직 천지가 되고 있었다. 경북대병원은 필요한 인력을 충원하는 대신 비정규직을 대규모로 고용했다. 2013년 현재 686명의 비정규직을 고용하고 있어, 직원 5명 중 1명(21.4%)이 비정규직이다.

비정규직 문제는 칠곡분원 개원 시점인 2011년을 기점으로 급격히 심각해졌다. 2010년 243명(전체 인력의 9.4%)에서 2013년 2/4분기 686명(전체 인력의 21.4%)으로 3배 가까이 증가했다. 병원 규모 확장 과정에서 비용 절감을 위해 비정규직 고용을 확대한 결과다.

경북대병원은 칠곡분원 건립 당시 필요한 정원을 확보하지 못했고, 부족한 정원을 비정규직으로 채웠다. 정부가 필요한 만큼 정원을 확대하지 않음으로써 국립대병원의 비정규직 확대를 방조하고 있었다. 경북대병원은 바로 그 정원을 핑계로 돈벌이경영을 강화했다. 칠곡분원 개원과 함께 병원의 상업화 경향이 매우 심각해졌음을 뜻한다. 병원사업장의 비정규직 증가는 불안정한 일자리라는 점에서 숙련 정도에 따라 의료서비스의 질에 결정적 영향을 미치기 때문에 더욱 위험하다.

칠곡병원의 이런 만성적인 인력 부족과 비정규직 급증은 노조에 이후 해결해 나가야 할 과제로 남겨졌다.

1. 49일 파업으로 박근혜 정권과 맞장뜨다

공공기관 구조조정에 대항

"2012년 말에 박근혜가 대통령에 당선되자마자 한진중공업 노동자 최강서가 스스로 목숨을 끊었어요.[33] 이명박 5년도 견디기 힘들었는데 박근혜가 당선됐으니 앞으로 노동자들이 얼마나 더 힘들까 상상만으로도 절망적이었죠. 이명박 정권 5년 동안 노동자를 비정규직으로 마구마구 가져다 쓰고, 오로지 기업 하기 좋은 나라 만드는 정책만 펴서 노동자들이 신음하며 힘들어했는데, 박근혜가 당선됐으니 그런 흐름에 더 불을 붙이는 상황이었죠."
(김영희 구술)

"공공기관 노동자들에게 엄청난 희생을 강요한 이명박에 이어 박근혜 정권도 2014년에 의료영리화 정책에 불을 붙이는 정책들을 쏟아냈어요. 6·7월 상경파업으로 당시에 '의료민영화 반대 파업'이 실시간 검색어 1위가 될 정도로 이슈화되면서 의료민영화 정책이 주춤하기도 했어요. 그런데 연말에 공공기관의 방만 경영을 정상화하겠다면서 또 공공기관 노동자들에게 칼을 대는 정책을 꺼내 든 거죠. 2014년 '방만경영 정상화'로 시작한 공공기관 노동자들의 근로조건과 복지를 후퇴시키고 임금을 삭감하는 정부지침이 2015년 임금피크제, 2016년 성과연봉제로 이어지는 겁니다. 그때 우리가 산별노조 차원에서 계속 교육받던 게, 2014년부터 단계별로 시작해서 종착역은 성과연봉제다, 성과연봉제는 노동자들을 개별화시키고 경쟁시켜서 노동조합

---

33 2012년 12월 21일 금속노조 한진중공업지회 최강서 조직차장은 '악질 한진자본, 민주노조 사수, 손배소 철회' 등의 내용이 담긴 유서를 남기고 스스로 목숨을 끊었다.

이 초토화될 수 있기 때문에 그 시작인 '방만경영 정상화'를 반드시 막아야 한다는 거였죠. 그런데 말만 '방만경영 정상화'였죠. 공공기관이 적자라면 그건 경영을 방만하게 해서가 아니라 공공기관으로서 국민한테 제공하는 필수 서비스이기 때문에 당연히 정부가 감당해야 하는 거잖아요. 오히려 이명박 정부가 4대강 사업을 하고 자원외교라면서 밖에 투자 잘못해서 공공기관이 엄청나게 손실을 본 것은 누구도 책임지지 않고 다 국민 세금으로 충당했잖아요. 노동자들이 경영에 참여해본 적도 없고, 공공기관 적자가 노동자들 잘못도 아닌데 적자를 죄다 노동자들의 임금과 복지 줄여서 해결하려고 한 거예요. 특히 병원사업장들은 적자가 있다면 병원이 계속 증축하고 분원 짓고 그러면서 빚을 내니까 그렇게 된 건데, 마치 노동자들이 잘못해서 이렇게 됐다는 식으로 공공기관 노동자들을 희생시키고, 임금과 복지를 삭감하는 게 무슨 정상화냐고요." (김영희 구술)

6월과 7월 두 차례의 공동파업 이후, 10개 국립대병원 노조 대표자들은 단협 개악 없이 임금만 합의하기로 결의하고 완강한 투쟁을 이어갔다. 정부 방침이 철회되지 않는 한 투쟁을 계속할 수밖에 없었다. 경북대병원노조도 그 투쟁의 최전선에 있었다.

투쟁을 준비하면서도 노조는 교섭을 통해 원만하게 해결하고자 끝까지 노력했다. 그러나 2014년 초부터 시작된 교섭에 병원장이 거의 참석하지 않는 등 병원의 태도는 끝까지 실망스러웠다. 인내심을 갖고 투쟁과 교섭을 병행해오던 노조는 결국, 11월 27일 총파업에 돌입하겠다고 예고한다.

병원은 파업을 하루 앞둔 교섭에서, "파업하지 않으면 임금을 인상해주겠다"며 '개악안 없는 임금 1.7% 인상' 안을 던졌다. 임기응변으로 파업을 모면하려고만 할 뿐 근본적인 문제 해결은 끝까지 외면

한 것이다. 병원이 제시한 임금인상 1.7%는 정부가 정한 공무원 임금가이드라인일 뿐이었다.

정부방침 철회와 함께 노조가 요구하고 있는 ▲의료서비스 질 저하하는 만성적인 간호 인력 부족 대책 ▲상시업무 비정규직 정규직화와 환자식당 직영 운영 등 이전 합의사항 이행 ▲경북대병원의 영리화를 심화시키는 방만 경영인 제3병원 건립 대책, 어느 것 하나 해결된 게 없었다. 노조의 이 같은 요구들이야말로 병원 '정상화'이자 방만 경영을 개선하는 지름길인데도 말이다.

노동조합은 경북대병원이 지역의 공공병원으로 제대로 설 수 있도록 의료공공성을 지키기 위해 파업을 결의할 수밖에 없었다. 현장의 어려움과 환자를 외면하는 경북대병원의 태도에 경북대병원 노동자들은 정의로운 파업투쟁을 선택한 것이다. 병원의 무성의한 대응이 결국 경북대병원 노동자들의 파업을 불러온 셈이다.

"그해 임단협 교섭 시작하기도 전 노사협의회에서부터 병원이 방만경영을 정상화하겠다면서 정부지침 10가지 항목을 안건으로 냈어요. 모조리 근로조건 후퇴시키고 임금 삭감하는 내용이라 거부했더니 임단협 교섭 때 10가지 항목을 그대로 병원 요구안으로 가져왔더라고요. 퇴직금수당 없애라, 자녀 대학학자금 지원 없애라, 직원 하계휴가 없애라, 직원들 진료비 감면 폐지해라, 지금 생각나는 게 그 정도 내용인데 그렇게 직원들의 복지와 근로조건 이런 것들을 다 축소하는 내용이니까 그걸 경제적 손실로 따져보니 1명당 연간 500만 원가량 삭감되더라고요. 우리 간부, 대의원, 조합원 교육도 엄청 했죠. 당시 일부 내용을 받아들인 사업장도 있었는데, 우리는 철회하라고 버티고 있었죠. 병원은 정부지침이기 때문에 철회할 수 없다고 하고, 결국 노동조합과 붙게 된 거죠. 어느 노동자가 자기 임금과 근로조건, 복지가 삭감되는 걸 받겠다고 하겠어요. 결국 병원이 철회하지 않으니 파업에 들어갔는데, 그렇게 오래 갈 거라고는 생각도 못 했어요." (김영희 구술)

경북대병원노조의 투쟁은 정부와의 싸움이었다

병원은 노동조합의 요구는 묵살한 채 정부방침 관철만 밀어붙이고 있었다.

인력 부족으로 인한 노동강도 강화는 이미 고질적인 문제로, 노동조합은 매년 인력충원을 요구해 왔다. 그러나 병원은 2014년에도 인력 부족으로 병들어가는 현장에 대해 어떠한 대책도 내놓지 않았다.

2013년에도 노사가 간호 인력 30명 충원에 합의했지만, 병원은 정부에 요청만 했을 뿐 정작 인력이 채워지지 않았는데도 나 몰라라 했다.

병원이 인력을 채우지 못하는 가운데 현장에서는 거센 노동강도 때문에 노동자들의 몸과 마음이 병들어가고 있었다. 한 달에 4~5번밖에 쉬지 못한 채 밤 근무까지 해야 하는 삶이 계속됐다. 부족한 간호인력은 노동자의 삶도 망가뜨리지만 제대로 된 의료서비스를 제공하지 못한다는 점에서 더욱 심각하다.

부족한 인력으로 운영하려다 보니 병원에서는 갖은 편법과 파행이 넘쳐났다. 본원은 병동마다 담당하고 있는 진료과와 무관하게 환자를 받는 이른바 병동파괴정책[34]을 시행하고 있었다. 병동의 시스템을 무너뜨리고 진료의 전문성을 떨어뜨림은 물론 의료의 질과 환자의 안전성을 심각하게 위협하는 정책이다.

게다가 칠곡분원에서는 최근 인력충원은 고사하고 병동에 근무하는 간호사를 도리어 줄이는 정책을 폈다. 병동마다 정해져 있는 간호 인력 기준을 임의로 낮추는 바람에 간호사 1명당 관리하는 환자 수가 계속 늘어났다. 이렇게 간호사 네 팀이 근무하던 병동에 세 팀이 근무하고, 세 팀이 근무하던 병동에서 두 팀이 근무하는 등 간호 인력 축소 경향이 더욱 빨라지고 있었다. 노동조합은 병원의 이러한 정책이 경북대병원의 공공적 기능을 훼손하고 있다고 판단, 조속히 파행 운

---

34 병상가동률이 떨어지자 진료과에 따른 병동의 전문성 확보라는 원칙을 무너뜨리고 병동 고유의 진료과와 무관하게 모든 환자의 입원을 받는 정책으로, 병원은 '전용/공용병상 시차제'라 부른다.

영을 중단하라고 요구했다.

병원은 노조가 계속 반대해 온 제3병원 건립에 대해서 역시 어떤 진전된 답도 내놓지 않았다. "빚내서 지으면 된다"는 어이없는 말만 되풀이했다. 병원은 2011년 칠곡분원을 개원하자마자 또다시 2016년 개원을 목표[35]로 700병상 규모의 제3병원(임상실습동) 건립을 추진하고 있었다. 2,500억 원 이상의 자금이 투입되는 무리한 시설확장이라는 비판이 일었고, 심지어 본원을 1/3 규모로 축소(현 955병상에서 340병상으로)하려는 계획까지 드러났다. 사실상 본원 역할을 축소하고 칠곡분원과 임상실습동 중심으로 운영하겠다는 계획으로, 지역의 중심 공공병원이자 3차 의료기관으로서 본원의 위상을 포기하겠다는 것이다.

칠곡분원 개원 이후 이미 본원의 분만실과 신생아실을 칠곡으로 이전했고, 이를 핑계로 본원 신생아실은 대폭 축소·운영하고 있었다. 분만실도 사실상 운영을 중단해서 필수의료 공백과 환자 접근성 저하를 불러왔다. 국립대병원으로서 맡은 바 책임을 다하려면 도리어 본원의 산과 진료와 분만실·신생아실 운영을 정상화해야 할 상황인데도 말이다.

당시 의료기관들의 무분별한 시설투자와 과도한 경쟁은 이미 사회적인 문제로 지적되고 있다. 병원은 공공적 역할이 큰 만큼 그간 국립대병원의 과도한 시설투자를 무책임하게 승인해준 교육부 역시 비

---

35 제3병원(임상실습동)은 2015년 4월 22일 기공식을 하고, 논란 속에 개원이 미뤄져 오다가 2020년 칠곡병원에 문을 열었다.

판받았다. 따라서 내·외부적 조건 변화에 따라 계획 또한 바꿔야 함에도 경북대병원은 무책임한 주장만 반복할 뿐이었다.

결국 병원 건립으로 발생한 빚을 갚기 위해 경북대병원은 환자들에게 과잉진료를 권하게 되고, 노동자들을 더욱 쥐어짤 것이다. 돈벌이를 위한 부채가 고스란히 환자와 노동자에게 전가되는 꼴이다.

병원은 노조의 요구를 외면했고, '방만경영 정상화'라는 외피를 쓴 10가지 개악안도 접지 않았다. 경북대병원노조는 결국 11월 27일 파업에 돌입했다.

"파업 3일 차 정도 되니까 병원 손실이 엄청났어요. 적자가 쌓이니까 병원장이 처음에는 엄청 힘들어하는 것 같더라고요. 우리 파업 대오는 350명가량을 유지하고 있었기 때문에 조금만 더 밀어붙이면 철회될 줄 알았어요. 그런데 그다음에 병원장을 만났는데 태도가 돌변해서 얼마든지 해보라는 기세더라고요. 나중에 들어보니, 병원장이 정부 관료들을 만났는데 '경북대병원은 지금 정부지침을 둘러싼 대리전이다, 정부지침을 병원이 적극적으로 열심히 따라서 절대 철회하면 안 된다, 정부 대리전이니 손실이 나도 걱정하지 말고 노동조합이 얘기하는 철회나 정부지침 중단은 절대로 받지 말라'고 했다는 거죠. 그래서 병원장이 처음에는 파업으로 인한 손실 때문에 엄청 걱정하다가 정부 관료 만난 뒤에 자신감을 얻은 거예요. 뒤에 정부가 있으니까. 그렇게 파업이 길어지게 된 거죠. 우리는 파업이 길어진 이유를 몰랐지. 나중에 알고 보니 그 뒤에 정부가 버티고 있었던 거예요." (김영희 구술)

병원은 노조의 요구는 안중에도 없이 정부지침 관철에만 몰두하는 한편 도리어 그것을 활용해 노동조합을 아예 짓뭉개려고 했다. 파업을 시작하자 병원은 노조 간부 7명을 업무방해로 고소하는 한편

"다른 병원이 합의해도 경북대 병원은 합의 못 한다"는 고압적인 태도를 고수했다.

파업이 장기화하자 12월 17일에는 노조가 끝내기 교섭을 요구하며 10시간 동안 마라톤 교섭을 진행했다. 이때도 병원은 "임금만 합의하면 내년에도 똑같은 이유로 또 파업할 것 아니냐"며 임금협상마저 거부했다. 그러면서 "방만 경영을 개선하지 않으면 결국 재정지원이 안 되니 노동강도가 강화될 것"이라는 협박까지 서슴지 않았다. 그들이 이야기하는 '방만 경영 개선'은 노동자를 최대한 쥐

2014년 파업투쟁(세종시 교육부 앞).

어짜겠다는 말이다. 그러며 뒤편에서는 조합원들을 개별로 압박하며 노조 탈퇴를 종용했다. 12월 19일에는 병원이 "방만 경영 개선이 전 직원에게 이익"이라는 내용의 설명회를 진행하려고 해서 파업 대오가 저지투쟁을 벌이기도 했다.

정부의 국립대병원에 대한 '방만경영 정상화 지침' 1차 정리 시점인 2014년 12월 31일이 다가오고 있었다. 정부는 '병원장 해임'과 '2015년 임금동결'이라는 초강수로 압박해 들어왔다. 그러나 경북대

병원 노동자들은 11개 국립대병원 노동자들과 함께 방만경영 개선안을 거부하고 해를 넘겨 투쟁하며 '연대전선'을 구축해 냈다. 칠곡분원에서도 소수지만 간호사 조합원들이 파업에 참여했고, 영양실 조합원도 처음으로 파업에 동참하며 탄탄하게 대오를 유지하고 있었다. 12월 26일 교섭에서도 노조는 병원부터 정상화하자고 제안했지만, 병원은 병원 정상화보다 정부지침이 더 중요하다며 도리어 상황을 악화시켰다.

병원은 12월 29일부터 부서별로 취업규칙 변경 개별동의서를 돌리기 시작했다. 노조가 동의를 해주지 않으니 개별 조합원들을 압박하기 시작한 것이다. 파업농성 중인 경북대병원 로비에서 열린 민주노총 차원의 결의대회에서 김영희 분회장은 삭발을 단행했다. 조합원들은 곳곳에서 "그러지 마세요", "더 열심히 싸우면 되잖아요"라며 울음을 터뜨렸다. 김영희 분회장은 "병원에 들어온 지 24년 차인데, 3년 차부터 노동조합 활동을 해왔다. 내 손으로 조합원과 함께 만든 이

2014년 파업투쟁.

두꺼운 단체협약이 하루아침에 날아가려고 해서 그냥 볼 수 없었기에 투쟁을 준비했다"고 말했다. 또 "파업 34일까지 오니 많은 조합원이 힘들어하고 앞이 보이지 않는 상황이지만 처음의 그 마음을 다시 새기자. 우리 투쟁은 절대 헛되지

않다. 끝까지 웃으면서 함께
투쟁하자"며 조합원들을 다
독였다.

다음날 병원은 단체협약
일방 해지를 통보해왔다. 국
립대병원 중 '단체협약 일방
해지'도 '취업규칙 변경 개별동의'도 처음이었다. 여기에 간부 고소·
고발 횟수도 최다를 기록해, 조병채는 노조 탄압 1등 병원장으로 등극
했다.

병원이 요지부동인 탓에 결국 노동조합이 결단할 수밖에 없었다.
노조는 2015년 1월 1일부로 전면파업을 중단했다. 대신 노동현장을
지켜내는 새로운 현장투쟁을 결의하고 간부 중심 지명파업으로 전환
했다. 장기간 파업으로 인한 환자들의 고충을 더는 내버려 둘 수 없었

기 때문이다. 파업 기간 누적된 의료진의 피로 또한 조금이라도 풀어야 했다.

"전면파업 36일 만에 합의서도 없이 현장에 복귀하기로 결정했습니다. 우리 노조는 그간 합의서 없이 투쟁을 중단한 적이 없었는데…. 당시에는 그게 패배라고 생각했죠. (눈물) 제가 삭발을 하니까 조합원들이 '조금만 더 버티면 정부와 병원이 손들 거예요, 파업 더 해요, 그러면 정부의 잘못된 지침 철회시키고 우리 요구 쟁취할 수 있을 것 같아요' 라면서 눈을 똘망똘망 뜨고 얘기했는데…, 그런 조합원들을 현장에 복귀시켰어요. 그때는 다른 선택의 여지가 없었어요. 파업을 계속하자니, 무엇보다 파업으로 인한 무노동무임금 손실을 전체 조합원들이 N분의 1로 책임져야 하는 시스템에서 부담을 안 가질 수가 없었으니까요. 또 파업을 계속한들 저들이 지침을 철회할 가능성도 없었고요. 결국 합의서 없이 현장에 복귀했는데, 우리 노동조합 역사상 가장 힘든 파업이었습니다." (김영희 구술)

그러나 병원은 현장으로 복귀한 조합원에게 업무배치를 하지 않고 교육을 강행했다. 교육을 거부하면 대기발령 하겠다고 엄포까지 놨다. 병원 정상화는 뒷전이고, 이 기회에 노동조합을 완전히 무력화시키겠다는 의도였다.

노조는 13일까지 지명파업을 계속하고 14일에 다시 하루 전면파업을 벌였다. 49일, 노동조합 출범 이래 최장기 파업이었다. 그렇게 파업은 마무리됐지만 1월 16일 병원이 임금 일방인상을 적용해 지급하는 바람에 노조는 무노동무임금과 임금 일방지급을 규탄하며 중식집회를 열기도 했다. 병원은 노조 탈퇴를 종용하며 초유의 탄압을 일삼았지만, 그럴수록 노동조합의 필요성이 더 두드러질 뿐이었다.

"전면파업 끝나고 지명파업으로 전환한 건, 합의서도 없이 모두 현장에 복귀해버리면 조합원들도 혼란스럽고 현장탄압도 극심할 거라고 판단했기 때문이에요. 그래서 간부와 대의원 50여 명이 파업을 계속하며 현장 단도리를 했어요. 병원이 현장 복귀한 조합원들을 얼마나 탄압했냐면, 현장 복귀 전에 교육을 받아야 한다면서 현장에서 일만 열심히 하도록 하는 정신무장 비슷한 굴욕적인 교육을 시켰어요. 우리도 대응했죠. 강사들이 얘기할 때 조합원들한테 문자를 보내 '카톡, 카톡, 카톡, 카톡~' 이렇게 계속 소리가 나도록 해서 강사 이야기를 무력화시키기도 했고요. 그렇게 하루 이틀 지나면 병원이 또 '너희 일할 자리 없다, 너희 현장 복귀 못 한다'는 식으로 압박을 주기도 해서 굉장히 혼란스러웠어요. 그래서 우리가 전면 복귀를 하지 않고 간부·대의원, 그리고 파업 때 활약했던 조합원들 중심으로 남아서 파업을 더한 거죠. 그렇게 보름가량 파업을 더 하면서 현장을 안정시켜 나가다 현장 복귀를 하게 됐죠. 복귀하고도 굉장히 힘들었어요. 우리가 그때 얼마나 힘들었는지…." (김영숙 구술)

'가짜정상화' 막아내기 위한 최장기파업

2014년 말부터 2015년까지 2년에 걸친 역대 최장기 파업의 가장 큰 성과는 무엇보다 국립대병원을 비롯한 공공기관에 몰아닥치는 '가짜정상화' 저지선을 만들었다는 점이다. 비록 사측과 합의서 없이 파업을 종료했지만, 경북대병원노조의 파업으로 11개 국립대병원 노동조합 전체가 정부지침을 거부하고 연말을 넘길 수 있었다. 사실상 정부 정책에 맞서는 투쟁이었기에 정부의 압박과 병원의 탄압은 유례없이 거셌다. 그러나 노동조건 개악에 저항하는 노동조합의 정신에 따라 원칙대로 가장 노동조합답게 투쟁했다.

　　이 같은 성과는 병원사업장의 한계를 딛고 다양한 전술을 구사하며 투쟁을 완강하게 이어온 결과다. 경북대병원노조는 정부의 공공기관 정상화 정책에 맞서 전국에서 유일하게 49일간 파업투쟁(간부 지명파업 포함)을 힘차게 진행했다. 경북대병원 역사상 최장기 35일간 총파업투쟁을 진행하고, 13일간 지명파업, 또다시 14일에 하루 총파업 등 다양한 투쟁 전술을 구사했다. 어떻게 보면 총파업보다 더욱 힘든 지명파업과 하루 파업을 성사시켜낸 과정, 현장 복귀 후 강제교육과 대기발령 등을 극복하는 과정에서 조합원들은 더욱 노동조합의 필요성을 느끼며 소중한 경험을 공유했다. 더불어 영양실과 칠곡분원 간호사 조합원들이 처음으로 파업에 참여하기도 했다.

물론 아쉬움도 컸다. 그 어느 때보다 파업 대오 규모도 크고 흔들림도 없었지만, 눈에 보이는 성과가 많지 않았던 게 사실이다. 박근혜 정부의 공공기관 정상화 정책에 맞서기에 개별사업장만의 파업으로는 한계가 있었다. 국립대병원 공동투쟁을 만들지 못한 점이 더욱 아쉬운 대목이다. 파업이 장기화하자 정부의 압박과 전국적 관심 탓에 병원도 손실을 감수하면서까지 끝까지 버티는 상황이었기 때문에 결국 합의점을 찾지 못하고 현장에 복귀할 수밖에 없었다.

한편 장기파업으로 인한 임금손실분 부담(1/N)과 사측의 압박으로 노조 탈퇴자가 늘어나고 있어, 노조는 이후 과반수노조 확보를 위한 조직력 강화를 주요 과제로 삼았다.

현장에 복귀한 뒤에도 힘겹게 버티고 있었지만, 역대 가장 길었고 또 탄압이 가장 극심했던 파업의 후유증은 그만큼 컸다. 파업투쟁을

주도했던 간부들은 물론 조합원들까지 극심한 고통과 부담에 시달려야 했다.

"제일 큰 게 죄책감이죠. 투쟁을 진두지휘하고 가장 중심에 있던 사람은 저잖아요. 그런데 노동조합 역사상 최초로 합의안 없이 복귀했던 역사를 만들었죠. 조합원들은 집행부 지침에 따라서 36일, 또 지명파업 보름까지 정말 열심히 했단 말이에요. 그런데 결과적으로는 우리가 패배하는 투쟁에 조합원들이 복무하게 한 거잖아요. 그 책임이 저한테 있다는 죄책감이 너무 컸어요. 그리고 또 그때가 병원의 노조 탄압이 극심했던 때라, 날마다 무슨 일이 벌어질지 몰라 불안하고 혼란스럽고 매일 전쟁이었어요. 노동자들에게 파업은 축제라고 하잖아요. 물론 파업 초기에는 축제였죠. 그게 얼마 지나지 않아 정부가 뒤에 있다는 걸 알게 되고, 그러니 병원은 전혀 풀지 않고, 그 이후부터 날마다 온갖 노조 탄압이 총알처럼 날아오고, 총만 안들었지 전쟁터를 방불케 하는 상황을 하루하루 버텨내는 게 무척 힘들었어요. 조합원들도 매일 전쟁터였죠. 파업을 오래 하면서 '환자를 버리고 나왔다'는 죄책감으로 힘들어하던 조합원이 있었는데, 그 조합원이 정신적 갈등을 겪으면서 차도 중앙선을 걷고 있다는 연락을 받은 적이 있어요. 그때 아, 잘못하면 이 조합원이 죽을 수도 있다, 나 때문에 조합원 한 명이 잘못되는 것 아닌가, 이런 온갖 불안증이 심해지면서 한계까지 가더라고요. 하루하루가 견뎌내기 힘든 상황이었어요. 게다가 또 파업 끝나고 나니까 병원이 엄청난 탄압을 해대면서 탈퇴공작을 벌였어요. 매일매일 탈퇴서가 내용증명으로 날아오는 거예요. 보통은 노동조합 찾아와서 탈퇴서 쓰는데 그때는 병원이 탈퇴하라고 강요하면서 지배개입, 부당노동행위를 한 거죠. 그러니까 조합원들이 노조사무실에 오지도 못하고 그냥 우체국 가서 탈퇴서를 우편으로 보내거나 병원 총무과 가서 탈퇴하는 거예요. 그걸 매일 받는 하루하루가 진짜…, 매일 날아오는 그 탈퇴서 앞에서 덤덤해질 수가 없었죠. 사람을 한계지점까지 내몰더라고요. 거기다가 죄책감까지 더해져서 너무 힘든 거예요. 지금은 제가 그때 상처에서 조금은 자유로워졌다고 해야 하나, 조금 더 강해졌다고 해야 하나, 하여튼 그때 상황을 직시할 수는 있는 거죠. 모든 상황이 병원의 탄압과 탈퇴공작 때문인데, 그때는 내가 잘못해서 이 많은 조합원이 탈퇴하는 건 아닌지부터 투쟁이 패배하게 된 것까지 다 내 탓이라는 자책이 너무 컸어요. 그러면서 가장 불안했고. 저를 견디기 힘들게 만들었던 건, 내 책임으로 우리 노동조합이 힘든 나락으로 떨어지는 것 아닐까, 그런 두려움이었어요."
(김영희 구술)

투쟁으로 만들어온 단체협약, 휴짓조각으로 만들 수 없다

긴장은 계속됐다. 2014년 12월 말 노조에 일방적으로 단체협약 해지를 통보한 병원은 2015년 들어 54개 항목에 달하는 개악안을 내놓았다. 30년 동안 투쟁으로 만들어온 단체협약이 휴짓조각이 될 판이었다. 온갖 방법을 다 동원해 노조를 탄압해온 병원이, 가장 악랄한 수단

인 단협 해지라는 칼날까지 꺼내든 것이다.

병원이 내놓은 개악안은 모두 구조조정을 자유롭게 하고 노조 활동을 대폭 축소하는 내용이었다. 부서 통폐합이나 용역 도입 또는 근무형태를 변경할 때 노조와 협의하기로 돼 있는 것을 병원이 일방적으로 진행할 수 있도록 바꾸는 따위의 내용을 담고 있었다.

그간 노조는 경북대병원 상업화, 응급실 과밀화, 칠곡 환자식당 외주화, 비정규직 해고 등의 문제를 제기하며 공공성을 지키기 위해 최선의 노력을 다해왔다. 그런데 병원이 그 모든 노력을 원천봉쇄하겠다고 나선 것이다. 노조는 사측의 단체협약 해지 시도가 의료공공성을 주장하는 노동조합 활동 자체를 무력화시키려는 시도라고 판단했다.

사측의 단체협약 일방 해지통보로 7월 1일까지 다시 체결하지 않으면 단체협약이 휴짓조각이 돼버리는 상황에 내몰렸다. 그러나 49일간의 장기파업 이후 석 달 만에 또다시 총파업을 벌이기에는 무리가 있었다. 물리적인 시간의 압박 등 여러 가지 불리한 조건에서 투쟁과 협상을 병행해야 하는 어려움이 있었다.

노조는 다시 투쟁에 나설 수밖에 없었다. '가짜정상화 반대, 단체협약 사수, 의료상업화 반대'를 내걸었다. 압도적 찬성(88.9%)으로 쟁의행위를 결의하고 4월 21일 조정 종료로 파업권도 따냈다. 그래도 노조는 대승적 차원에서 4월 29일 새벽까지 교섭을 벌이며 파업을 유보하고 집중교섭 기간을 설정하는 등 사태 해결에 최선을 다했다. 5월 6일 우성환 비대위원장[36]이 단식농성에 돌입하는 등 완강한 투쟁을 이어가다 5월 18일 임단협 잠정합의에 이르렀다. 노조 활동 관련 조항 등 단체협약의 일부 후퇴는 아쉽지만 이후 원상회복을 과제로 가져갈 수밖에 없었다.

"그때 매일 탈퇴서 들어오고 상황이 많이 안 좋았죠. 49일 파업하고 나니까 무노동무임금으로 조합원들 임금 손실액이 16억 5,000만 원인 거예요. 그러니까 탈퇴도 많았고. 그래서 이렇게 해서는 안 되겠다, 공세적으로 가자고 해서 조합원 1인당 2만 원씩 투쟁기금 결의를 했어요. 그리고 전임자 7~8명에 무급전임 3~4명까지 현장에서 올려서, 본원과 칠곡 나눠서 어떻게든 반전시켜보자고 투쟁을 준비했어요. 7월 1일부터 단협이 해지되는 상황이었기 때문에 6월 말로 디데이를 잡고 어쨌든 투쟁으로 돌파하자고 다시 준비한 거죠. 보통 노동조합 전임 올라오는 친구들은 대의원이나 간부를 좀 한 뒤에 구력이 돼서 올라왔는데, 그때 새롭게 전임으로 온 친구들은 파업에 열심히 복무했던 칠곡 조합원들이었어요. 장단점이 있지만 우선 이 친구들은 알아서 새벽부터 칠곡 현장순회 돌고, 열의가 대단했어요. 그때 재정사업으로 옷도 팔고 투쟁기금도 많이 받았어요. 옷 팔아서 5천만 원가량 벌었나? 서울대병원, 전남대병원 등 국립대병원들로부터 투쟁기금도 받고 이래저래 해서 2억 가까이 모았던 것 같아요. 까짓것 투쟁기금 걷어서 총알 준비하고, 조직도 해서 한 판 붙으려고 했죠. 그런데 파업전야제 때 딱 조직 분석해보니까 파업에 230명 정도 나오는 거로 예상되더라고요. 이 숫자로는 안 되겠다,

---

36 장기파업으로 선거를 진행하지 못함에 따라 집행부 임기가 종료된 시점인 2015년 2월 6일부터 9월 1일까지 비상대책위원회로 노조를 운영했다.

파업 철회했죠. 그러고 나서 협상할 때 엄청나게 내준 거죠. 제가 웬만큼 다 내준 원흉입니다." (우성환 구술)

2014년 말부터 계속된 병원의 노동조합 무력화 시도를 조합원들의 단결된 힘으로 이겨내고 단체협약을 지켜냈다는 것은 성과로 꼽을 수 있다. 2014~2015년 극심한 탄압에 맞선 투쟁 과정에서 병원의 노조 탈퇴 강요와 무노동 무임금 등으로 일부 탈퇴도 있었지만, 가입자도 늘어서 조합원은 역대 최고인 1,225명까지 증가했다. 그간 조직화에 어려움을 겪었던 칠곡분원에서 집회도 하고 전임자와 간부도 배출하는 등 칠곡분원 현장의 노동조합 활동도 활성화되고 조직도 확대됐다.

임단협은 마무리됐지만, 투쟁이 끝난 것은 아니었다. 정부에서 일방적으로 밀어붙이고 있는 2차 '가짜정상화'가 여전히 노조 앞에 놓여 있었다.

한편 정부의 공공기관 정상화 정책에는 통상임금 공세도 포함돼 있었다. 각종 수당을 통상임금에서 제외함으로써 연장근로수당이나 퇴직금 계산에서 노동자의 몫을 줄이려는 꼼수다. 노조는 2015년 7월, 관련 설명회과 간담회 등을 거쳐 통상임금 소송단 995명을 모아 소송을 제기했다.[37] 노조는 체력단련비, 진료 지원수당, 응급의료센

---

37 이후 경북대병원노조는 2019년 10월, 4년간 끌어온 통상임금 소송에서 일부 승소했다. 재판부는 "경북대병원이 소송을 제기한 직원들에게 9억6,830만 원을 지급하라"고 판결했다. 승소는 했지만, 통상임금에 대한 범위가 제한되면서 직원들이 요구했던 금액(약 35억원)보다는 인용 금액이 크게 줄어들었다.

터 근무수당 등 9가지 수당을 통상임금에 포함하지 않아 그만큼 직원 몫이 줄게 됐다고 주장했다.

노조탄압·용역확대 주범 조 병원장 퇴진투쟁

"박근혜 정권이 임명했던 의사 조병채가 병원장을 하면서 사실상 20~30년 동안의 노사관계를 전면 부정하고 새로운 노사관계를 만들겠다고 나섰어요. 지금까지 해왔던 건 전부 다 못마땅하니 다 부정하는 거죠. 그가 말하는 새로운 노사관계라는 게 결국은 노조를 무시하고 오로지 탄압하는 거더라고요. 박근혜와 싱크로율 99%로 똑같은 정신상태에 있는 사람이라고 보면 돼요. 노조를 파괴하려는 거죠. 그러다 보니 관리자들도 다 병원장 입맛에 맞는 사람들로 배치돼 있더군요. 그렇게 현장의 모든 노동조합 활동 자체를 부정하고, 현장순회부터 부서간담회, 선전물 돌리는 것까지 법적으로 걸고, 하여튼 병원 안에서 노조활동하는 모든 것을 다 채증하고 못 하게 했어요. 조병원장은 노조에 고소·고발도 엄청나게 많이 했어요." (이정현 구술)

2014년에 조병채 병원장이 취임한 이래 노동조합에 대한 탄압의 강도는 걷잡을 수 없도록 거세졌다. 49일 파업도 그 탓이다.

조병채 병원장 재임기간(2014~2017) '업적'

부당해고·외주 용역화로 직원 불안 조성	- 노조 김대일 전 사무장 부당해고(8.19 지노위 복직판결) - 새마을금고 전 상무 해고(대법원 복직판결) - 2016년 응급수납 및 전화예약·교환업무 외주화
환자 생명·안전 위험으로	- 환자 안전 위협하는 의사성과제 도입 - 성과연봉제 개악안으로 직원 성과급제 도입 시도 - 상시업무 비정규직 허위 보고, 비정규직 계속 사용 - 비용절감으로 저질재료 사용, 비급여 확대로 환자 부담 증가 - 보건복지부 의료질 평가에서 최하등급

비용 절감한다고 직원 권리 침해	- 직원식당 외주로 직원 건강 위협 - 연차수당 안주려고 연차사용 촉진 - 오프 다 해야 생리휴가 허용, 신청한 생휴도 관리자 통해 불허 - 임산부 검진휴가 안 주고 임산부 숫자 허위 보고 - 신종플루 직원 병가 안 주다가 언론에 문제되니 그제야 병가 인정 - 동일질병 병가 안된다, 타병원 진단서 안 된다, 병가 통제 - 출산휴가자·육아휴직자 급여 국립대병원 중 꼴찌 지급
법과 원칙 운운 하며 멋대로	- 로비에서 병원행사는 진행, 노조 집회는 고소·고발 - 징계자에게 정근수당 폐지하는 규정변경 시도(직원 과반 동의 못얻어 실패) - 신규직원 퇴직수당 보상 근속가산금 폐지 - 집단행동 금지와 품위유지 조항 신설(근로기준법 위반으로 노동청·인권위 고발) - 지급했던 정근수당 환수(법 위반으로 기소유예 처분됨)
노조 탄압	- 병원 로비에서 집회 파업했다고 고소·고발 - 명예훼손 입었다고 고소·고발 - 정당한 노조 선전활동·집회 방해, 채증, 사찰하고 고소·고발 - 해고자들 농성했다고 업무방해로 몰아 통장에서 돈 뺏어가기 - 일베식 병원 소식지 발행 - 교섭원칙 합의 안 돼도 개악안 상정 못 해도 교섭 못한다, 교섭 파행
비정규직 탄압	- 2015년 10월 주차 하청노동자 26명 해고 - 청소하청노주 민들레분회 대표자 부당해고와 극심한 노조 탄압 - 청소하청노동자 파업에 불법·편법 대체인력 투입 - 노조무력화 제안하는 불법 용역입찰 제안서 받고 계약
차별	- 직원 정년퇴직 식사자리 없애고 교수님 퇴임식은 1천만원 식사 잔치 - 치과교수는 진료 안 해도 수년동안 임금 지급, 직원들은 가족수당도 전수조사해서 3년치 환수조치
직원 감시·협박· 통제	- 메르스 예산으로 직원감시·통제용 CCTV와 지문인식 출입통제문 설치 - 일하다 다쳐도 개인 책임이라고 협박

　　노조의 투쟁으로 막아내거나 원상회복한 현안들도 있지만, 탄압의 방식과 종류가 너무도 다양하고 집요했다.

"조병채 때문에 많이 힘들었죠. (한숨) 병원 규정을 바꿔서 단협을 무력화하려는 시도를 계속했어요. 부서마다 규정 바꾸는 데 동의하는 사인을 받으려고 한 거지. 제가 평간호사 땐데 수간호사가 한 명씩 붙들고 사인할 때까지 집에를 안 보내줬어요. 심지어 야간 근무한 간호사를 두 시간씩 붙들고 사인하라고 하고. 저는 계속 사인하면 안 된다고 하고. 수간호사가 계속 내 눈을 피해서 나 없을 때만 애들을 붙들고 한 시간씩 두 시간씩 설득하는 거예요. 그때는 그래도 부서원들이 부서에 있는 노동조합 오래 한 간부들 생각을 듣고 많이 따라줬어요. 특히나 중환자실 같은 데는 파업도 내려갈 수 없기 때문에 상황을 잘 모를 수가 있는데, 그래도 간부들의 이야기를 귀하게 듣고 대부분이 사인 안 하고 버텼어요. 그때는 누가 사인했는지도 철저히 숨기고 그랬는데, 그걸 알게 돼서 서로 관계가 안 좋아지는 일도 있었죠. 사실 중간관리자가 계속 종용하면 안 하고는 못 버티잖아요. 어쨌든 부서마다 규정

개정하는 거 막아내느라고 엄청 힘들었죠. 모든 부서가 다 그랬어요. 노동조합이 다니면서 이야기도 하고 유인물도 내고 했지만, 결국은 한 명 한 명이 관리자하고 부딪혀서 싸워야 하고 스스로 끝까지 버텨야 하는 건데, 그렇게 못하면 이길 수가 없잖아요. 그래도 조합원들은 거의 사인 안 했어요. 그런데 결국 비조합원들하고 의사들 사인받아서 규정을 개정했잖아. 그것뿐만이 아니라 조병채 때는 엄청나게 오래 싸우고 가슴 아프고 그런 일들이 많아서…." (이영숙 구술)

"2016년에도 정부 정책을 등에 업고 온갖 노동조합 탄압 종합선물세트가 우리 병원에 뿌려졌어요. 그걸 다른 전임자들과 매일매일 견뎌냈죠. 2014년 파업으로 사무장이 벌금형을 받았는데 해고까지 했어요. 이때까지 벌금형으로 해고한 적은 한 번도 없었거든요. 결국 지노위 가서 부당해고로 복직판결을 받긴 했지만, 그런 식으로 병원이 완전히 칼을 휘두르고 있었어요. 그리고 비정규직 노동자들 다 해고했고, 정규직이 하던 업무였던 직원식당 외주용역 내고, 그러면서 노동조합 탄압의 완전 끝판왕, 종합선물세트였죠. 그래도 우리는 계속 대응했어요. 버텨낸 거죠." (김영희 구술)

이러한 탄압은 조합원들에게도 심각한 고통을 안겨줬다. 병원장 선출과 관련한 전 직원 설문조사[38]에서 조병채 병원장은 낙제점인 25점을 받았다. 조병채 병원장은 연임을 위해 다시 출사표를 던진 상태였지만,

---

38 2017년 1월 16일부터 23일까지 실시, 1,100명 참가.

2018년 구속동지 우성환 구출 집회.

연임에 찬성하는 직원은 단 1%에 지나지 않았
고, 85%가 연임에 반대했다. 응답자의 78%는
"조병채 병원장이 임기 동안 잘한 게 없다"고
답할 지경이었다.

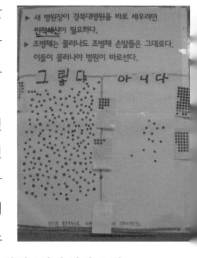

　　노조는 설문조사 결과로 병원 안에서 선전
전을 진행하고 기자회견, 경북대병원 이사진
면담 등을 진행했다. 그 결과 2월 21일 병원장
선출 이사회에서 조병채는 탈락해 연임에 실패
했다. 조병채는 임기 만료를 하루 앞둔 날, 노조
전·현직 간부 14명을 대상으로 2014년 파업과 관련 5억여 원의 손해
배상 청구 소송을 접수하기도 해서 모두를 경악하게 만들었다.

"그렇게 노조를 탄압해놓고 또 병원장을 연임하겠다고 하니까 딴 건 몰라도 연임은 절대 안 된다, 이명박이 5년 하고 박근혜가 다시 5년 했던 것처럼 조병채가 3년을 더하면 우리 다 죽는다, 그때 우리 조합원들 정서가 그랬어요. 여론전, 기자회견 하고 국회로 교육부로 다니면서 조병채의 그동안의 만행에 대해 알려내고 연임은 절대 안 된다는 투쟁을 엄청나게 했죠. 이런 상태로까지 갔는데도 연임하려고 해서 병원장 퇴진투쟁도 준비했어요. 이때 마침 촛불투쟁으로 정권이 바뀌면서 연동해서 어쨌든 연임 못 하게 만드는 성과를 냈죠." (이정현 구술)

노조는 병원장을 직선으로 선출할 것을 주장하며 792명의 서명을 받아 병원에 전달하기도 했다. 그러나 2017년 4월 16일 조병채 병원장 임기가 끝난 뒤 4개월이 지나도록 병원은 병원장 선출을 차일피일 미뤘다. 직무대행체제가 유지되다가 8월 3일에야 정호영 신임병원장이 들어왔다. 노사 신뢰가 여전히 부족한 상황이었지만, 신임병원장 발령 이후 시작한 임단협 교섭에서 단협의 많은 부분을 회복하고 11월 말 마무리했다.

2. 안정 찾아가는 현장과 노동조합

공공기관 성과연봉제에 맞선 연대투쟁

2016년 노동조합의 최우선과제는 칠곡 현장요구를 가지고 임상실습동 개원 전에 칠곡병원 조직을 확대·강화한다는 것이었다. 그러나 2014년과 2015년 두 해에 걸친 파업투쟁으로 단협을 지켜냈음에도, 정부지침으로 '공공기관 2차 정상화'가 계속 추진되고 있었다. 3월부터 시작된 임단협과 부당해고 철회 투쟁, 노조탄압 대응, 병원장 퇴진 투쟁 등이 중심사업이 되면서 나머지 일상사업은 엄두도 못 낼 지경이었다.

정부의 공공기관 구조조정 정책은 노동자들의 노동조건 악화로 이어졌다. 공공부문의 경우 이는 곧바로 국민의 피해로 직결된다는 점에서 더욱 심각하다. 특히나 의료기관에서 '이윤'만을 추구해 구조조정을 일상화하는 것은 환자들을 위험으로 내몬다는 점에서 노동조합의 투쟁은 더욱 절실할 수밖에 없었다.

당시 정부 정책의 핵심은 성과연봉제였다. 경북대병원뿐만 아니라 공공기관 전체에서 무리하게 추진하고 있는 성과연봉제는 직원들의 업무능력과 성과를 등급별로 평가해서 차별을 합법화하는 것이다. 경쟁을 부추겨 노동자를 개별화하고 노동조합의 손발을 묶겠다는 '성과퇴출제'의 다른 이름일 뿐으로, 심각한 공공성 훼손으로 귀결될 수밖에 없다.

경북대병원은 ▲하위 20% 저성과자 자동승진에서 제외 ▲규정 변경 시(성과연봉제 도입 시) '노사합의' 삭제 ▲근무시간 중 노조 활동 무급 ▲산업안전보건위원회 활동시간 보장 삭제 ▲노조사무실 상급 단체 간부가 사용하면 사무실 퇴거 등을 고집했다.

노동조합은 기본인력과 기본권리를 지키는 게 곧 의료공공성을 지키는 길이라고 판단했다. 수익 중심의 병원경영정책과 노동조건을 악화시키고 인력을 축소하는 등의 가장 기본적인 권리를 침해하는 병원의 행태를 폭로해 나갔다.

병원은 1년 내내 부당해고[39], 외주화, 노조 무력화를 끝없이 시도했다. 그러나 노조는 이에 굴하지 않고 꾸준한 활동을 펼쳐 100여 명의 신규조합원을 가입시켰다. 해고자 생계기금과 파업기금을 마련하는 등 다양한 사업으로 조합원과 함께 조직을 강화해 나갔다. 또 병원은 현장통제로 기본권리를 축소하려 했지만, 병가·연차 촉진 등 지속적인 현장투쟁으로 기본권리를 사수하고자 투쟁을 이어갔다.

성과연봉제 철회와 상시업무 정규직화 및 외주화 철회를 내걸고 끈질기게 저항한 노조는 9월 29일 파업돌입을 결정했다. 파업을 예고한 가운데 노조는 파업전야제를 진행하며 조합원의 힘을 모아 최종교섭을 벌여 성과퇴출제를 막아냈다. 성과연봉제 도입의 사전 포석인 '하위 20% 저성과자 자동승진 제외'를 막아냈고, 성과연봉제 등 임금체계 변경은 기존대로 노사 '합의' 사항으로 지켜내는 등 중요한 단협도 사수했다. 상시업무 정규직화와 부당해고 문제도 최우선 해결과제로 삼아 투쟁한 결과, 일부지만 해소할 수 있었다. 다만 현안투쟁과 임단협이 길어지며 일상사업, 특히 칠곡병원 현장 문제 해결과 조직화에 소홀했던 점은 아쉬움으로 남았다.

---

39 2016년 3월 18일, 2014년 파업으로 벌금 3백만 원을 선고받은 김대일 경북대병원분회 전 사무장을 징계위원회에 회부해 해임 결정했다.

　　한편 2016년에는 정부의 무리한 성과연봉제 강행으로 공공부문 노동자들의 저항투쟁이 몹시 격렬하게 벌어졌다. 공공운수노조는 7월 6일부터 지역별 순환파업을 비롯한 공동투쟁을 벌였고, 성과연봉제에 반대해 9월 28일부터 총파업을 시작한 전국철도노동조합은 72일 동안 파업을 이어갔다. 2017년 1월 31일, 철도노조 등 공공부문 5개 노조는 성과연봉제 효력정지 가처분 재판에서 모두 승소했다. 2015년 말 박근혜 정부의 잘못된 노동정책에 맞서 시작된 민중총궐기는 2016년 말 박근혜 퇴진투쟁으로 이어졌다.

　　"다른 공공기관 사업장들도 다 성과연봉제 지침에 반대 파업을 준비할 때였어요. 중요한 사안이었지만 우리는 2014년 장기파업을 거친 뒤라 사실 다시 파업을 준비하기에는 내부적으로 어려웠어요. 또 한편으로 우리 단협에는 이미 임금체계 변경 시 노동조합과 합의하도록 안전장치가 있었기 때문에 병원이 일방적으로 성과연봉제로 진행 할 수는 없었어요. 하지만 건강보험공단, 가스공사, 철도, 이런 공공기관 노조들은 성과연봉제 반대 파업투쟁을 시작했고 연말에 촛불투쟁이 일어난 거죠. 우리도 병원에서 온갖 탄압으로 하루하루 버텨내던 때지만, 주말에는 매주 거리로 뛰어나가 촛불을 들었

어요. 박근혜 정권을 무너뜨리지 않으면 우리 노동자들이 계속 이렇게 당하고 산다, 우리가 박근혜 정권을 몰락시키지 않으면 노동자의 삶에 희망은 없다, 그런 생각 때문이었죠. 우리 노조 간부와 조합원들 진짜 열심히 나갔어요. 조합원 중에는 촛불집회에 하루도 안 빠지고 참여한 분도 있을 정도였다니까요. 가뜩이나 헬조선이라고 하던 때에 2014년 세월호 참사 터지면서 안전한 사회를 원하는 국민의 목소리가 높아졌던 때잖아요. 생명과 안전보다 이윤을 추구하는 박근혜 정권에 대한 제기가 거세게 올라왔죠. 촛불집회에 우리 사업장도 성과연봉제 폐지를 들고 매주 나갔고, 지역뿐만 아니라 서울까지 갔어요. 최고로 많이 모였다는 그날, 몇백만 명이 광화문을 꽉 매웠을 때, 그 현장에서 참 가슴 벅찼죠. 이 많은 사람이 박근혜 정권이 잘못됐다, 이 사회는 잘못 가고 있다, 바꿔야 한다고 얘기하는 걸 보며 가슴 뭉클했어요. '아, 그래도 희망은 있다'고 생각하면서 촛불투쟁 정말 열심히 했어요. 그래서 2017년 3월 10일, 박근혜가 헌법재판소에서 탄핵당한 그 날을 잊지 않고 있습니다." (김영희 구술)

한편 2016년 1월에 병원은 정규직이 일하던 응급실 경비업무를 외주로 돌렸다. 5월에는 국립대병원 최초로 응급실 원무과 수납 업무를 외주화했다. 7월에는 결국 직원식당까지 외주로 돌린 데 이어 9월부터는 진료 예약 업무를 담당하는 콜센터를 외주로 돌리겠다며 입찰 공고까지 냈다.

콜센터는 진료 예약을 위해 환자의 질병 정보와 개인정보를 다루는 업무를 맡고 있다. 이 업무를 외주용역으로 돌리게 되면 환자의 개인정보를 외주용역업체에서 직접 취급·수집하게 된다. 이는 곧 외부 유출 위험이 커진다는 의미여서 그냥 두고 볼 문제가 아니었다.

2016년 8월 24일 노조는 기자회견을 열어 "국립대병원이 경비 절감을 목적으로 영리적 운영에 힘을 쏟는 것은 원래의 설립 취지인 의료공공성을 파괴하는 것"이라고 지적했다. 아울러 "조병채 병원장은 제대로 된 의료서비스 공급을 위한 공공병원의 역할을 위해 노력하고, 콜센터 외주화 계획을 즉각 철회하라"고 촉구했다.

한편 상시근로 비정규직의 정규직화는 이미 2013년에 합의한 사항이다. 그런데 3월에 부서별로 2년 이상 상시로 비정규직이 일해온 자리를 조사해 보니 최소 78명(본원 48명, 칠곡분원 30명)이나 됐다.

노조는 문제를 해결하기 위해 지역단체와 함께 기자회견(3월 30일), 고용노동부 면담(5월 25일), 정의당 의원 통해 노동부장관에 국회 서면질의(6월 27일), 더불어민주당 의원 통해 교육부와 병원관계자에 국회 질의(6월 29일)를 진행했다. 그렇게 해서 병원과 교육부 관계

자로부터 상시업무 비정규직 문제를 해결하겠다는 답변을 받아냈다. 그러나 임단협 교섭 시기 이 문제를 쟁점으로 삼아 해결을 위한 구체적 협의를 촉구했지만 병원은 협의를 거부했다. 이어 병원 게시판을 통해 상시근로 비정규직 관련 입장[40]을 일방적으로 발표했다.

박근혜 퇴진 촛불 투쟁을 발판 삼아 출범한 문재인 정부는 2017년 5월, '비정규직 제로시대'를 선언했다. 그러나 늘 그렇듯 '선언'은 '선언'에만 그쳤다. 비정규직은 더욱 확대되고 고용불안은 도리어 극심해졌다. '고용'이라는 칼날 밑에서 비정규직은 더욱 어려운 일, 힘든일, 위험한 일에 내몰렸고, 노동조건이 더 열악해졌음은 말할 나위도 없었다.

---

40 10월 상시근로 비정규직 자리에 28명 신규채용, 44명은 정부에 TO 요청.

경북대병원 역시 사정은 다르지 않았다. 2017년 8월에는 경북대병원에 비정규직이 8백 명을 넘어섰다. 노동조합의 힘겨운 투쟁이 다시 불가피해졌다. 노조는 비정규직 정규직화를 위해 비정규직 간담회와 함께 노조 조직화를 위한 사업을 진행했다. 병원을 상대로 한 노사협의와 함께 다양한 투쟁도 펼쳐나갔다.

경북대병원 비정규직 고용형태별 현황 [2017년 8월 현재]

고용형태		인원	비고
외주용역		398명	공채 채용 후 1년 동안 해당직급 임금의 85%, 2년차에 동일
무기계약직		100명	칠곡분원의 별도직군 '업무지원직'으로 기능직 임금의 85%로 고용보장
상시근로 비정규직	임시직	243명	전 부서 인력부족 문제 해결, 11~23개월 쪼개기 계약, 장기간 비정규직 고용, 해당직급 정규직 임금의 85%
	단시간임시직	66명	근로학생(7시간 아르바이트), 최저임금
대체 비정규직		52명	분만·휴직·병가자 대체인력, 해당직급 임금이 85%
계		859명	

이같은 사정은 다른 병원에서도 마찬가지였다. 이 해에 의료연대본부는 ▲직접고용 비정규직 전원 ▲외주 용역업체 소속 노동자 전원 ▲장례식장·직원식당 등 임대·사업권 계약을 체결한 필수시설노동자 전원(고용승계) ▲분만·육아휴직으로 인한 대체인력 비정규직 ▲정부 지원사업 권역별 전문 질환 센터, 호스피스 완화 의료지원센터 등 소속 모든 비정규직을 정규직으로 전환하라고 요구했다.

한편 2015년 해고됐던 주차 비정규직노동자들은 해고된 지 2년 2개월만인 2017년 11월 모두 일터로 복귀했다. 앞서 2015년 8월, 경북대병원이 일방적으로 4명을 축소한 인원으로 입찰 공고했고 병원과 수의계약을 맺은 하청업체는 선별 채용공고를 낸 바 있다. 노조는 집단해고로 규정하고 복직투쟁에 나섰다. 로비 농성을 이어가다 2016년 2월 25일부터 천막농성으로 전환했다. 지역대책위도 구성해서 경북대병원뿐만 아니라 대구지역

사회 전체가 대응에 나섰다. 2016년에 해고 1년째를 앞두고 끝장 투쟁을 벌인 결과, 9월에 '주차현장에 결원이 발생하면 해고자 9명을 우선 복직시킨다'는 내용으로 합의하고 하청업체에 합의내용을 권고하기에 이르렀다.

합의 직후 2명은 바로 복직하고, 2명은 청소현장 결원 자리로 복직할 수 있었다. 5명이 대기 중인 상황에서, 병원은 2017년 칠곡분원 주차난을 해결하기 위해 주차장 유료화와 함께 정산원을 증원할 계

획임이 밝혀졌다. 노조는 2017년 임단협에서 '주차해고자 우선 복직' 합의를 이행하라고 촉구해 병원이 수용하기에 이른 것이다.

　일방적이고 부당한 병원 구조조정에 맞서 비정규노동자들이 원하청 사용자에게 정당하게 저항해 승리한 것이다. 2016년 합의 이후 1년 넘도록 기다리다가 생업을 찾아 떠날 수밖에 없었던 2명이 현장에 복직하지 못한 점은 아쉬움으로 남는다.[41] 이 투쟁은 비정규직이라고 해서 쉽게 해고할 수 없다는 점을 보여줬다. 또 지역 전체가 연대해서 공공기관의 사회적 역할을 되돌아보게 한 의미 있는 투쟁으로 평가된다.

41　2016년 합의 당시 대기 중이던 5명 가운데 2명은 "이미 하는 다른 생업을 유지하겠다"고 밝힌 바 있다.

3. 투쟁의 역사는 승리의 역사가 된다

'비정규직 없는 병원현장' 꿈을 이루다

경북대병원노조의 출발은 비정규직이었다. 열악한 노동환경과 비인간적 처우에 신음하던 임시직노동자들이 1988년 노동조합을 출범시켰다. 출범하자마자 파업투쟁을 벌인 노동조합은 '일용잡급직'이라는 명칭을 '임상직'으로 바꾸고, 임금과 노동조건 전반에서 만연했던 정규직과의 차별을 어느 정도 좁혀냈다.

공무원인 탓에 노동조합에 합류하지 못하고 있던 정규직 직원들은 1993년 법인화로 신분이 공사 직원으로 변하자 대거 노동조합에 가입했다. 이때 모든 임시직도 공사 직원으로 신분이 바뀌면서 정규직이 됐다. 그러나 법인화 이후 사회 전반에 신자유주의 바람이 불어닥치면서 현장에서는 노동유연화정책이라는 이름으로 현장통제가 강화됐다. 대표적인 게 비정규직 확대였다.

경북대병원은 1993년 변전실을 시작으로 1994년 시설과 설비실까지 외주용역으로 돌리는 것을 추진했다. 1995~1996년부터 신경영전략이라는 이름으로 노동자의 정신적·육체적 통제를 강화하기 시작했다. 인주철 병원장이 취임하자 그 정도는 더욱 거세졌다. 정규직에게는 노동강도 올리기 정책이 만연했고, 인원이 필요한 부서에는 계약직이나 외주용역 등 비정규직을 투입하기 시작했다. 이때부터 병원에 비정규직이 급증했다.

노동조합은 비정규직 처우 개선과 고용안정, 나아가 정규직화를 요구하며 불굴의 투쟁을 시작한다. 1996년 시설과 변전실 책임용역 도입에 맞서 노동조합은 외주화 반대 투쟁을 벌였다. 투쟁과 함께 전체 조합원들에게 비정규직의 실태와 문제점, 그리고 대응방향에 관한 교육도 해나가기 시작했다. 외주화가 무엇보다 안전을 위협한다는 점에서 병원사업장에서는 더욱 심각한 문제라는 점에 대체로 공감했다. 결국 책임자를 제외한 관리·점검 부분은 외주로 넘어가고 말았지만, 그 뒤로부터 노골적인 외주화를 추진하지는 못했다. 노조가 투쟁으로 맞섰기 때문에 그 시기 다른 국립대병원에 비해 경북대병원 외주용역이 상대적으로 적었다.

2000년, 비정규직 정규직화를 요구하는 노동조합의 파업투쟁이 34일 동안 벌어졌다. 비정규직 50여 명이 노동조합에 가입해 파업 대오의 선두에 섰다. 앞서 1998년 임시직으로 해고된 뒤 노동조합에 가입해 투쟁 끝에 복직한 김은주 조합원 이후 비정규직이 집단적으로 노조에 가입한 것은 이때가 처음이다.

조합원들 역시 대다수가 정규직이었음에도 '비정규직 정규직화' 요구를 끝까지 가져가서 투쟁을 승리로 이끌었다. 비

정규직과 정규직이 합심한 파업투쟁으로, '정규직 결원 시 현재 비정규직을 우선 임용하고 고용을 보장하는 원칙'이 마련됐다. 특히 정규직 결원은 3개월 이내 충원을 원칙으로 하며, 2000년 말까지 32명, 2001년 말까지 20명, 2002년 말까지 15명을 증원하고, 그 이후 증원에 대해서도 최대한 노력키로 합의했다. 직접고용 비정규직에 대한 정규직화 근거를 처음으로 마련한 성과다.

2000년 파업은 경북대병원노조에서 이후 비정규직 정규직화의 물꼬를 튼 투쟁으로 큰 의미를 지닌다. 노조는 이를 계기로 임단협과 노사협의회 등을 통해 끈질기게 비정규직에 대한 임금·노동조건 차별철폐와 정규직과 단체협약 동일하게 적용, 궁극적으로는 정규직화를 제기하며 투쟁을 불사했다.

이때부터는 산별노조 중앙 차원에서도 비정규직 정규직화에 대

한 체계적인 교육이 진행됐다. 노조는 그 내용을 전체 조합원들과 함께 공유하고 토론하며 주요한 사업 내용으로 마련해 나갔다. 그리고 비정규직 처우 개선과 정규직화는 산별교섭에서도 가장 중요한 공동 요구로 자리 잡았다.

2000년 파업이 비정규직 정규직화의 물꼬를 트는 투쟁이었다면 2004년 파업은 실질적인 정규직화를 위한 투쟁이었다. 2000년에 2백여 명이었던 비정규직은 파업투쟁 끝에 순차적으로 정규직화했지만, 누적되는 비정규직이 점점 늘어나서 불만도 쌓였다.

주5일제 쟁취라는 전체 요구로 시작한 산별 파업이 끝난 뒤에도 경북대병원노조는 '비정규직 정규직화'를 내걸고 파업을 이어갔다. 24일에 걸친 파업 끝에 비정규직 중 2001년까지 채용자는 모두 당해(2004년) 정규직화하고, 그 이후 채용된 비정규직도 2007년까지 정규직화를 위해 노력하기로 합의했다.

노동조합의 이러한 노력에도 전국적으로 병원사업장 전반에 비정규직이 계속 늘어나고 있었다. 경북대병원 역시 비핵심·비의료 부문 중심으로 외주·용역화를 추진했고, 의료인력까지 비정규직을 채우더니 2006년 직원식당 외주화 계획까지 내놓았지만 노조와 현장 노동자들의 거센 저항으로 막아냈다. 하지만 결국 3월, 노동청으로부터 시설팀 비정규직이 불법도급이라며 시정 권고를 받자 해당 직원 6명을 해고하기에 이르렀다. 노동조합은 또다시 전면파업을 벌이며 직접고용을 요구했다. 특히 2006년 투쟁은 의료연대 건설 과정에서 대구지역지부 차원의 연대가 큰 힘이 됐으며, 지역지부 역시 병원사업장 비정규직과 중소병원 노조의 투쟁을 묶어내고 지역지부 차원의 투쟁으로 결합하며 조직의 틀을 갖춰나갔다는 점에서 의미가 크다.

파업까지 벌였음에도 2006년에 간접고용 비정규직 직고용투쟁
은 뚜렷한 성과를 내지는 못했다. 처우 개선과 고용안정을 위해 노력
한다는 구두 합의 수준에 머물러 실질적 합의를 끌어내지는 못했지
만, 간접고용 노동자의 직고용 요구를 내걸고 쟁점화시켰다는 것 자
체로도 의미를 남겼다. 한편 직접고용 비정규직에 관해서는 '비정규
직 2003년 채용자는 금년(2006년), 2004년 채용자는 2007년 말까
지 정규직 임용되도록 노력, 2005년 이후 채용자는 만 3년 되는 시
점부터 정규직 임용되도록 노력'키로 합의한 성과를 남겼다. 이어
2009년 임단협에서는 1년 이상 근무한 비정규직을 모두 정규직화하
기로 합의하기에 이른다.

2000년 이후 직접고용 비정규직 정규직화 흐름

년도	합의내용
2000년	정규직 결원 시 현재 비정규직 우선 임용 및 고용보장 원칙으로, 특별한 사유 없으면 입사순. 정규직 결원은 3개월 이내 충원 원칙으로 2000년 말까지 32명, 2001년 말까지 20명, 2002년 말까지 15명 증원하고, 이후 증원 최대한 노력
2004년	비정규직 단계적 정규직화와 처우 개선(현 비정규직원 중 2001년 12월 31일 이전 채용자 86명을 금년 내 정규직으로 임용토록 최대한 노력, 현 재직중인 비정규직원은 2007년 말까지 정규직으로 임용될 수 있도록 이사회 상정)
2006년	비정규직 2003년 채용자는 금년, 2004년 채용자는 2007년 말까지 정규직 임용되도록 노력, 2005년 이후 채용자는 만 3년 되는 시점부터 정규직 임용되도록 노력
2009년	1년 이상 근무한 비정규직 정규직화

경북대병원노조가 굽힘 없이 이어온 비정규직투쟁은 2011년에 제2병원인 칠곡분원이 문을 열며 분기점을 맞는다. 칠곡분원이 대다수 부서를 외주로 돌리고, 비정규직의 고용 자체가 불안에 휩싸였다. 노조는 칠곡분원의 외주화도 심각하지만, 이는 곧 본원까지 불어닥칠 혼란이라고 판단해 9일간의 파업으로 칠곡분원의 외주·용역화 시도를 막아내는 등 사안마다 적극적으로 나서서 대응했다.

2012년 말 칠곡분원이 계약 만료된 비정규직의 정규직 전환을 피하려고 업무지원직이라는 직군을 일방적으로 신설한 뒤 평가를 핑계로 몇 명을 재계약하지 않아 사실상 해고가 발생했다. 노조는 또다시 1년여에 걸친 천막 농성투쟁으로 해당 직원을 본원으로 복직시켜냈다. 이 투쟁으로 칠곡분원장은 계약 기간이 만료돼도 무조건 재고용하겠다고 약속했고, 이후로 계약 기간 만료로 해고되는 경우는 발생하지 않았다.

물론 조병채 병원장 시절에는 노동 탄압이 극에 달해 어려움을 겪기도 했다. 내부에서 너무 비정규직 투쟁에만 힘을 쏟는 것 아니냐는 제기도 없지 않았다. 그러나 노동조합은 비정규직 문제를 외면하지 않았고, 항상 노조의 핵심 요구로 받아안아 해결될 때까지 투쟁하고 연대하고 실천하는 원칙을 사수해 왔다. 출범 후 20년 남짓 지나오며 조합원의 권리를 위협하는 사안 어느 것 하나 소홀하지 않고 투쟁해 온 노조다.

"병원이 일방적으로 외주화를 추진하고 그럴 당시 사실 노조가 무기력한 상태였는데, 동산병원도 비정규직 투쟁을 하고, 비정규투쟁에 열의를 가지고 헌신해온 동지들이 집행부로 올라오면서 다시 새로운 힘을 얻게 됐죠. 또 비정규직으로서 열심히 투쟁해서 정규직화된 동지들 주축으로 다시 비정규직 투쟁에 힘을 쏟을 수 있는 동력이 만들어졌어요. 그런 힘들이 모여 노조에 담긴 거죠. 그게 없었다면 여기까지 오기 어려웠을 거예요. 그 힘으로 악랄했던 조병채 병원장 시절의 절망적인 상황도 이겨낼 수 있었던 것 같아요."
(이정현 구술)

암흑 같은 시간이 지나고 박근혜가 탄핵당하며, 노조탄압백화점을 열어젖힌 주범 조병채 병원장도 물러났다. 문재인 대통령이 당선 직후인 2017년 5월 인천공항을 찾아 "공공부문에서부터 비정규직 제로시대를 열겠다"고 약속하자 희망을 품기도 했다. 경북병원노조는 대통령의 약속만 믿고 기다린 게 아니라, 의료연대 안에서 함께 공동투쟁을 벌여나갔다. 조합원과 간부가 똘똘 뭉쳐 교육과 토론도 게을리하지 않았다.

그리고 2017년에 발표한 공공기관 비정규직 정규직 전환 정책으로 경북대병원은 마침내 '비정규직 제로' 현장을 맞이했다. 2018년에 직접고용 비정규직 387명이 정규직으로 전환했고, 2020년 3월에는 간접고용 비정규직 400명 가까이도 정규직으로 전환했다. 정규직으로 전환한 그들은 대부분 노동조합에 가입해 현재 경북대병원노조 조합원 수는 2천 명을 넘어섰다. 이는 온갖 탄압과 어려움 속에서도 좌절하지 않고 비정규투쟁을 끈질기게 벌여온 노동조합과 조합원들의 투지가 있었기에 이루어낸 성과가 아닐 수 없다.

수익만 좇는 병원경영 바로잡는 투쟁은 계속된다

경북대병원노조 사업의 또다른 커다란 한 축은 바로 의료공공성을 지켜내고 강화하는 투쟁이다. 의료공공성은 특히 코로나 시대를 경험하면서 사람의 목숨과도 직결되는 문제라는 점에서 더욱 주목받고 있다.

노조는 아직 의료공공성의 개념이 광범위하게 확립되지 못했던 출범 직후부터 이 문제에 관해 끊임없이 고민하고 실천해 왔다. 사실상 병원사업장이라는 특성상 해당 사업장에서 일하는 직원의 노동환경을 개선하는 일이 바로 환자의 안전과 직결되므로, 어찌 보면 노동조합이 제기하는 모든 주제가 의료공공성의 문제라고 해도 지나치지 않다. 실제 노조가 줄기차게 제기해온 인력 부족이나 노동강도 강화, 외주화, 비정규직 확대 등은 곧바로 환자의 안전을 위협할 수밖에 없는 현안들이다.

거슬러 올라가 노조는 출범하던 첫해에 특진제도 철폐를 강력히

주장했다. 단지 교수한테 진료받는 대가로 특진료를 추가 부담토록 하는 것은 평등한 의료혜택을 받아야 하는 환자들의 권리를 심각하게 침해하는 것이다. 노조는 "의료는 돈 내는 만큼이 아니라 평등

하게 제공해야 한다"고 주장했다. 처음에 병원은 이런 주장을 들은 체
도 하지 않았지만, 노조가 줄기차게 요구해 특진제도는 폐지됐다.

노조 초기에 의료공공성 요구는 주로 환자의 권리 중심으로 제기
했다. 지금은 너무 당연한 권리로 인식하고 있지만 ▲병실 환자 무료
TV 시청 ▲주차장 무료화(환자·보호자 1인 무료주차) ▲환자·보호자
휴게실 설치 등은 모두 노동조합이 줄기차게 요구해서 관철한 사항
들이다.

병원노련, 그리고 산별노조로 출범한 보건의료노조 차원에서도
'의료제도 개선' 요구를 공동으로 제기해 많은 병원에서 합의에 이르
렀다. 1994년에는 ▲의료보험 적용기간 180일 제한 철폐 ▲고가 의
료장비 의료보험 확대 적용 ▲보건의료 예산 증액 등 국민 건강권 보

호·확대에 직결된 사안들을 50여 개 병원에서 관철했다. 1995년에도 ▲의료보험통합 일원화 ▲필수적 의료서비스에 대한 의료보험 적용 확대 ▲지정진료제 개선 ▲각종 연금의 민주적 관리 운영 ▲의료서비스 개방 저지 등을 제기해 쟁점으로 만들었다. 당시 공동교섭과 의료제도 개선투쟁은 산별로 도약하는 양 날개였다.

1998년 IMF 이후 한국 사회는 신자유주의의 영향으로 민영화 광풍이 불어닥쳤다. 의료기관인 병원들조차 환자의 안전보다는 '돈벌이'에 혈안이 돼서 공공성을 버리고 수익만 좇게 된 것이다.

대표적인 게 환자 수를 비상식적으로 늘리는 시스템이다. 진료 시간을 분, 초 단위로 제한해 최대한 많은 환자를 진료하게 했다. 경북대병원도 마찬가지였는데, 심지어 환자를 최대한 많이 보기 위해서 다른 환자가 진료받는 방에 다음 순번 환자까지 대기하게 하는 이른바 '밀어내기'식 진료를 하기도 했다. 진료의 질은 물론이며, 보호받아야 할 환자의 정보까지 무방비로 노출되는 지경이었다.

수술실은 더욱 심각했다. 최대한 많은 수술을 위해 수술방을 계속 돌리고 심지어 응급수술이 아닌데도 야간까지 수술방을 열었다. 이는 결국 인력 문제와 연결되는데 간호사 인력은 터무니없이 부족해서 노동강도는 더욱 높아졌다. 의사들은 성과급제로 회유해 수술방을 24시간 돌리다 보니 의사 한 명이 여러 방을 돌아다니며 동시에 수술해야 하는 지경이었다. 이는 결국 위급한 환자의 안전과 생명까지 위협하는 꼴이다.

이런 상황은 모두 환자를 '돈'으로 보는 행태로, 의료서비스의 질을 심각하게 침해하는 것이어서 노조는 이런 잘못된 진료행태 구조를 폭로하며 개선하라고 끊임없이 요구하고 투쟁했다.

"사실 이런 문제는 현장마다 관성적으로 대응하기 쉬운데, 경북대병원이나 서울대병원은 의료공공성의 문제를 현장 문제와 연결해서 실제 우리 병원에서 어떤 일이 벌어지고 있는지 조사하고, 또 해당 부서 조합원들과 토론하며 개선해나가는 투쟁을 계속 해왔어요." (이정현 구술)

현장의 문제가 의료공공성으로 직결된 사례는 2009년 신종플루 사태 때도 여실히 드러났다. 당시 병원은 모든 병원노동자에게 백신을 무료로 접종하지 않았다. 청소나 간병노동자들에게 백신 접종을 하지 않은 채 일하라고 하거나 직원이 신종플루에 걸리면 숨기기까지 했다. 노조가 이 문제를 언론에 알리고 "신종플루 전담 인력 확보"와 "간병·청소 등 모든 병원노

동자에게 신종플루 백신 무료 접종"을 요구했다. 그러나 병원은 "우리만 창피하고 손해 보는 일을 왜 알리냐. 이러다 병원 망하면 노조가 책임질 거냐"는 식으로 이데올로기 공세를 퍼부었다.

최근 코로나19 사태에서도 비슷한 행태를 보이는 병원이 적지 않다. 몇몇 병원에서 내부에 감염자가 발생한 것을 숨기다가 더 확산되는 경우가 알려지기도 했다. 결국 내부 감시가 얼마나 중요한지 여실히 드러내는 사례로, 노동조합의 역할이 강조되는 대목이다. 경북대병원노조는 최근 환자 안전을 위해 의료인력 확보를 끈질기게 제기해서 관철했다. 일례로 환자 낙상사고가 많다 보니 환자 이송 과정에는 반드시 최소 2명을 배치하라고 요구해서 결국 병원과 합의하기도 했다.

2014년 노조는 의료민영화를 저지하고 공공기관 가짜정상화에 맞서 49일 동안 파업을 벌인 바 있다. "돈보다 인간을, 이윤보다 생명"이라는 기치 아래 뜨거운 여름에는 상경투쟁을 벌였고, 해를 넘겨 투쟁을 계속했다.

이는 노조가 해마다 수장하고 있는 의료공공성 요구와 맥이 닿아

있다. ▲권역별 응급의료센터 질 개선 ▲병원 운영에 노조와 지역사회 참여 ▲의료서비스 질 향상을 위한 필수인력 충원 ▲환자 안전·정보 보호 ▲의사 성과급제 폐지 등 수많은

요구는 결국 공공병원의 역할을 다하고 환자 안전을 지키기 위해 너무도 당연하게 이루어져야 할 내용이다.

　노조의 끈질긴 제기와 투쟁이 없었다면, 경북대병원이 지금처럼 지역 공공병원의 위상을 가질 수 없었을 것이다. 노조의 투쟁이 공공의료를 지켜내고 있는 사실은 틀림이 없다.

탄탄한 믿음으로 쌓아올린 노동조합의 힘

경북대병원노동조합의 힘은 무엇일까. 헌신적인 간부, 열심히 따라준 조합원, 그리고 그들 사이의 믿음이라고 모두 입을 모아 말한다.

"병원 입사해서 어떻게 기회가 와서 노동조합 간부활동을 하다 보니까 노동자가 주체로서 현장을 바꿔나가려면 노조 활동이 꼭 필요하다는 것을 절실하게 느끼게 됐어요. 선배들이 끌어주기도 했지만 제가 현장에서 일하고 직접 겪으면서 세상을 바꿀 수 있는 건 노동조합 활동이라는 걸 깨달은 거죠. 그런데 그 과정은 무척 힘들었어요. 노동조합 간부도 오래 하고 전임활동도 많이 했지만 하루도 편한 날이 없었으니까요. 특히 지부장으로서 투쟁을 끌어갈 때 책임감의 무게는 또 달랐고요. 그런데 제가 지금까지 올 수 있었던 건 경험 속에서 느낀 노동조합 활동의 필요성이 절실했기 때문이에요. 병원이 시키는 대로 하는 직원이 아니라, 내 목소리를 내고 내가 주체적으로 행동할 수 있는 건 노조 활동을 통해서

2006년 문화기행(감포 감은사지석탑).

라는 걸 뼈저리게 느낀 거죠. 나아가서 우리 사회를 좀 더 나은 방향으로 바꿔 갈 수 있다는 생각에 보람도 느꼈고요. 박근혜 정권 조병채 원장 시절에 지독하게 탄압받고, 2014년에 49일 파업까지 하면서 그 모진 시기를 우리가 똘똘 뭉쳐 견뎌왔잖아요. 그런 힘든 시기를 지나왔기 때문에 현재도 있는 것 아닐까요. 자기를 희생하고 모든 걸 던져서 노동조합 활동에 헌신한 선배들, 그런 간부 대의원 전임자들이 있었기 때문에 조합원들도 노동조합을 믿는 거죠. 노동조합은 또 그런 조합원을 믿고 투쟁을 만들어나가는 거고요. 그런 헌신과 신뢰가 있었기에 우리 노동조합의 전통이 만들어진 거라고 생각합니다." (김영희 구술)

"우리 노조가 비정규직 정규직화나 의료공공성 강화라는 굵직한 일들을 많이 해왔어요. 그런데 그렇게 할 수 있었던 근간은 조합원들에 대한 끊임없는 교육사업이라고 생각해요. 물론 교육시간도 투쟁으로 따냈고요. 그래서 매년 상하반기에 조합원 교육을 굉장히 중요한 사업으로 해왔거든요. 7~800명씩 모여서 교육 듣던 기억도 나고요. 우리 병원 투쟁이나 임단협에 관한 교육도 했지만 사회적으로 쟁점이 되는 주제들, 세상이 어떻게 돌아가는지 정세, 이런 다양한 교육도 굉장히 많이 했어요. 훌륭한 강사님들도 많이 초청했는데, 그분들이 와서 우리 조합원들 눈을 띄워준 거예요. 지금까지 교육

해온 주제들을 보면 시기적절한 내용으로 정말 잘 뽑아서 해왔거든요. 우리가 왜 비정규직투쟁을 해야 하고, 왜 정치적인 투쟁에 나서야 하며, 왜 대정부 투쟁을 해야 하는지 조합원들에게 많은 이야기를 해주신 거죠. 그런 교육을 듣고 나면 조합원들 생각이 정말 많이 달라져 있는 걸 느끼거든요. 노조가 하는 사업이나 투쟁

에 조합원들이 공감하고 같이할 수 있는 기반이 저는 교육을 통해서 마련됐다고 봐요. 경대병원노조가 지금까지 싸울 수 있었던 것도 교육의 힘이 제일 컸다고 생각해요. 그래서 저는 늘 우리 조합원들 수준이 남다르다는 자부심이 있어요." (이영숙 구술)

"단위사업장에서 비정규직 요구로 이렇게 꾸준하게 투쟁하는 사례가 사실은 많지 않을걸요. 경북대병원노조 나름의 투쟁의 선명성이라고 해야 하나, 투쟁의 원칙과 과정을 꾸준하게 지켜왔던 것 같아요. 그 속에서 일정한 성과도 냈고, 또 그 성과로 조직도 확대해온 거죠. 특히 비정규직 당사자들이

조합원 교육.

정규직화되면서 노동조합의 중심적인 역할을 해온 점도 노조에 큰 힘이 됐죠. 투쟁한 당사자들이 노조 활동을 하면서 또 그 정신이 이어지고, 이러면서 노조 활동도 단절되지 않고 꾸준하게 갈 수 있는 토양이 만들어진 거죠. 공공부문 비정규직 정규직화 과정에서 조합원들이 무리 없이 비정규직을 수용할 수 있었던 과정도 그런 힘이었고요. 이 모든 힘의 기본은 신뢰 아닐까요? 간부끼리의 신뢰도 중요하고, 간부와 조합원 간의 신뢰도 중요하고, 결국 사람에 대한 신뢰가 제일 중요한 거죠. 사람을 중심에 둔 관계, 그런 끈끈함이 우리 노조의 장점이자 힘이라고 생각해요." (우성환 구술)

기본원칙에 충실하며 지역활동으로 확장해 나가야

경북대병원노동조합은 항상 노동조합의 기본원칙에 충실했다.

병원에서 벌어지는 모든 일을 항상 노동자 관점으로 바라보고자 했다. 경북대병원은 공공병원인데도 경영진들은 자본가 입장이 돼서 병원을 돈벌이 수단 삼아 경영했다. 이에 대해 노조는 시민의 눈으로, 환자의 눈으로, 그리고 노동자의 눈으로 바라보았다. 병원이 가는 방향이 잘못됐을 때는 매의 눈으로 감시하고, 기어이 제기해서 바로잡아 왔다. 그렇게 경북대병원노동조합은 끊임없이 저항해 왔다. 노동현장의 불합리에 맞서 노동조합은 일상적으로 조합원과 소통하며 간담회, 교육을 통해 투쟁을 만들어 냈다.

또 경북대병원노동조합은 크고 작은 모든 투쟁에서 토론을 통해 결의를 모아냈다. 파업에 돌입할 때 간부들은 밤을 새우며 격렬한 토론을 거쳤다. 파업을 끝낼 때도 전 조합원이 2박 3일을 토론해야 투쟁을 끝낼 수 있다. 이런 과정에서 간부들은 고비마다 헌신적으로 활동

했다. 그랬기 때문에 노동조합
은 조합원들에게 "항상 정의
롭고 옳다"는 조직적인 믿음
을 줄 수 있었다. 조합원들 역
시 "우리 투쟁은 항상 정의롭
다"는 자부심을 가질 수 있었
다. 자연스레 조합원들은 기꺼
이 단결했고 주저 없이 투쟁에

나섰다. 그 투쟁은 결국 승리를 일궈냈다.

　　물론 경북대병원노조도 많은 한계를 안고 있다. 공공운수노조 의
료연대 대구지역지부에서 중심적인 역할을 하고 있지만, 여전히 기
업별노조의 테두리에 갇혀있는 지점도 없지 않다.

　　경북대병원노조는 2008년 출범한 의료연대 대구지역지부에서
비정규직 정규직화와 조직화 등을 포함한 주요한 사업에 앞장서 결
합하며 주축을 담당하고 있다. 대구지역지부 안에서 규모나 역량 측
면에서 경북대병원분회가 상대적으로 큰 비중을 차지하기 때문에 당
연하게 담당해야 할 몫이기도 하다. 그러나 이러한 실정은 조합원들
은 물론 사업을 집행하는 분회와 지부의 간부·전임자로서도 경북대
병원분회와 대구지역지부의 역할이 모호하다는 한계를 느낄 수 있
다. 이는 이후 대구지역지부 활동의 폭을 넓히고 다양한 사업을 펼치
는 것으로 극복해나가야 할 것이다.

"비정규직과 의료공공성 이야기를 하면, 자연스럽게 단위노조의 한계를 많이 느껴요. 딱히 우리 노조만의 문제라기보다는 사실 정규직 조합원들이 전체적으로 점점 보수화되잖아요. 이런 사회구조에서 오는 한계를 어떻게 극복해나갈 것인지, 그게 우리 조합원들과 함께 오래 갈 수 있는 관건인 것 같아요. 또 우리나라 노동조합 전체의 과제이기도 해서 고민이 많습니다."

(이정현 구술)

한편 경북대병원노동조합은 모든 비정규직을 정규직으로 전환해내는 큰 성과를 낸 데 이어 이제는 민간병원 비정규직노동자 조직화 사업을 진행하고 있다. 이처럼 지역 속으로 활동을 확장하려는 지속적인 고민과 노력을 기울일 때, 경북대병원노조는 더욱 단단해질 수 있을 것이다.

경북대병원노조는 20여 년에 걸친 끈질긴 투쟁 끝에 '비정규직 없는 현장'을 일궈내는 성과를 만들어 낸 바 있다. 이렇게 새로운 병원구성원들이 조합원으로 가입하고 있고, 이는 앞으로 더욱 확대될

것이다. 변해가는 시대와 문
화에 조응해 노동조합은 새
로운 방식의 활동으로 시야
를 넓혀 나가야 한다.

　병원 내부에 조합원들을
향한 위협이 사라지고 노동
조합 활동이 안정된 것은 노
동조합과 조합원들이 지난
세월 동안 불굴의 투쟁을 해왔기에 가능했다. 나아가 이런 현실에 안
주하지 않고 다양한 시도를 통해 조합원의 든든한 울타리로서 더욱
힘 있는 노조로 도약하는 새로운 전환점을 만들어 내는 것 역시 노동
조합의 몫이다.

부록

연도별 임금·단체협약 주요 합의 내용

합의 일시	임금·단체협약 주요 합의 내용
1995년 10월 25일	△ 임금 3% 인상 △ 체력단련비 연 100% 인상 △ 급식비 월 3만 원 인상 △ 장기근속수당_경력연수에 따라 월 1~5만 원 인상하되 경력연수별 인상액은 공무원 수당규정에 의거 △ 교통비 월 3만 원 지급 △ 효도휴가비 년 10만 원 인상 △ 별정수당_기능직에게 95년 9월 1일부터 월 2만 원 지급 △ 특별상여금 10만 원 지급 △ 적정인력 확보 노력 △ 정식직원 결원 시 조속히 정식직원으로 충원 △ 환자·보호자의 편의시설 확충 위해 노사협의회에서 노력 △ 용역 도입 시 노조와 협의 △ 내부공채는 재직직원 우선 발탁을 위해 금번 1회에 한함
1996년 6월 11일	△ 임금 5% 정도 인상(공무원 보수표에 의함) △ 효도휴가비 급여의 50%+50,000원(연 2회) 지급 △ 교통비 월 2만 원 인상 △ 가계보조비 월 2만 원 인상 △ 위험근무수당 월 1만 원 인상 △ 지정진료수당 월 1만 원 인상
1997년 7월 31일	△ 급여 5% 인상(공무원 보수표에 의거) △ 교통비 월 5만 원 인상 △ 하계휴가비 년 10만 원 인상 △ 귀향보조비 설·추석 각 5만 원 인상 △ 진료지원수당 3만 원 인상 △ 시설편의 제공 △ 고용안정위원회 설치 △ 정리해고_긴박한 경영상 필요시, 해고회피 노력, 공정한 해고기준, 노조와 성실하게 협의

1997년 7월 31일	△ 근로시간_교대근무자 연속 7일, 밤근무자 연속 3일 금지, 다음 근무까지 16시간 이상 휴식 보장 △ 임신 중 여성조합원에게 검진휴가 1일 부여 △ 육아휴직_생후 24개월 미만 영아를 가진 남·여조합원 1년 무급 △ 하기휴가 연 4일 △ 소집훈련_소집 종료시간이 밤 12시 초과 시 다음날 오전 11시 까지 출근 △ 청원휴가_본인·배우자의 조부모사망 3일, 본인의 외삼촌 사망 1일 △ 경조금_배우자사망 30만 원으로 인상, 자녀사망 20만 원으 로, 본인 및 배우자 부모 사망 20만 원 △ 재정자립기금_1억5천만 원 노조에 지원 △ 의료민주화_TV무료시청, 환자·보호자 휴게실 설치
1998년 7월 16일	△ 기본급 동결 △ 수당 중 월 1만 원 인상해 통상임금 항목으로 △ 단협 전문에 '전국보건의료산업노동조합' 명시 △ 근무시간 중 조합활동 보장 △ 인사 원칙 및 경영 참가 신설 △ 고용안정위원회_구조조정이 불가피한 경우 조합원의 고용안 전에 최대한 노력하며, 근무시간 및 형태 변경 시에는 조합과 협의 △ 조합창립기념일 휴일, 근무시 휴일수당 지급
1999년 5월 14일	△ 기본급 동결 △ 수당 중 월 2만 원 인상해 통상임금 항목으로 △ 근무상한연령(일반직 2급 이상 60세, 3급 이상 57세, 기능직 57세) △ 체력단련비 99년도 125% 삭감분은 8월에 75%, 11월에 50% 지급 △ 승진고과 등 인사제도 개편 시 노사 협의 △ 임금체계 변경은 노사 합의 △ 인력_임단협 체결 후 노사 공동으로 인력 충원에 관해 관련 법 규에 의거 인력실태를 병동재배치 완료 시점까지 적정인력에 대해 진단하되 인력부족 심각하다고 판단되는 파트는 5월 30 일까지 우선 조치

1999년 5월 14일	△ 중고등학교 재학 중 자녀에게 자녀 수 제한 없이 학비 지급 △ 경조금_본인 결혼 15만 원, 본인·배우자 회갑 15만 원 △ 비정규직 처우_진료비 감면은 현행대로 하되 6월 이상 임시직 도 본인에 한하여 진료비 감면 △ 병동재배치 이후 체력단련실 설치 △ 주택자금, 자녀대학학자금 융자는 노사협의회 협의, 2000년 부터 시행토록 노력 △ 퇴직금중간정산 원할 경우 이후 계속근로연수는 정산 시점부 터 새로 기산되나 승진·승급·정근수당·연차휴가 등 여타 근로 조건에 대해 불이익처우 아니함 △ 기능직으로서 국가자격증 소지자에 대해 대우 향상토록 함
2000년 7월 8일 (34일 파업)	△ 기본급 3% 인상 △ 가족수당 배우자 15,000원, 그 외 가족 5,000원 인상 △ 수당 월 30,000원 인상(항목은 추후 결정) △ 공무원 인상 시 추가 인상이 있을 경우에 그에 상응하여 인상 △ 하계휴가비 100,000원 인상 △ 상반기 보전본 150,000원 지급 △ 전문 및 제1조에 전국민주노동조합총연맹 명칭은 노동조합에 서 합법단체임을 소명하는 자료를 제출하면 삽입 △ 조합원 교육시간은 연간 상반기 4시간, 하반기 4시간 △ 용역·위탁 도입 시 노동조합과 사전협의 △ 정규직 결원 시 현재 비정규직 우선 임용 및 고용보장을 원칙 으로 하며 특별한 사유가 없을 경우에는 입사순으로
2001년 6월 25일	△ 기본급 5.5% 인상 △ 상여금 400% 중 200%를 기본급으로 산입 △ 조합원 교육시간 연간 1일 △ 선임된 교섭위원 중 1명에 한해 교섭 전 기간 조합활동 인정 △ 기능직 4등급에서 7년 이상자는 3등급으로 자동승진 △ 타 직종 배치전환은 원칙적으로 불가, 부득이한 경우 사전에 본인·노조와 협의 △ 부서 통폐합 시 3개월 이전 노조 통보 및 인력배치 계획은 노 조와 사전협의 △ 직원 신규채용 시 공채를 원칙으로 △ 기능직은 직종에 따른 정원제로 하며 동일업무 종사 시 동일 직종으로 본다

2001년 6월 25일	△ 교대근무자의 인수인계, 교육시간을 근무시간으로 인정 △ 각부서의 근무시간 변경 시 노사 협의 △ 주5일제 근무는 법 개정 이후 실시, 구체적 시행방법은 노사 협의회에서 구체 논의 △ 매년 1월, 4월, 7월, 10월에 승급 해당 조합원에게 1호봉씩 정기승급 시행 △ 근무복은 연간 동하복 지급, 간호부서는 근무화 연 1착 지급 △ 조합원에게 육아에 필요한 수유·탁아시설 확대 운영 △ 진료비 감면은 본인·배우자는 60%, 본인·배우자의 직계존·비속은 40%로 한다. 　*퇴직금누진제는 추후 협의
2002년	△ 2001년 급여조정수당(2.9%) 기본급 산입 △ 기본급 8.5%를 2002년 1월부터 소급인상(2002년 공무원 보수표에 의함), 공무원 추가 인상 시 그에 상응해 인상 △ 근무시간 중 조합활동 인정 △ 병원은 근로자참여및협력증진에관한법률에 따라 관련 자료를 노조에 제공 △ 병원은 산별 중앙교섭이 이루어질 수 있도록 노력 △ 대의원에 대한 타부서 전보에 대해서는 사전에 노조와 협의 △ 기능직 임금 격차 해소방안으로 기능직 자동승진 연한 단계적 축소 △ 현 비정규직 중 금년 5~10명, 2003년까지 20명, 2004년까지 20명을 TO 확보해 정규직으로 임용 △ 교내근무 등 물규직 노농으로 노농형태 변경할 경우 사전에 노조와 협의 △ 설·추석 당일 근무표에 의해 근무하는 교대근무자에게는 통상임금의 50% 가산해 지급 △ 병원 개원기념일을 유급휴일로, 근무 시 휴일수당 지급 △ 통상임금 범위에 장기근속수당 포함 △ 병원 직원 및 1년 이상 고용 예정된 비정규직(계약직) 최저임금은 총액기준 월 85만 원으로 △ 자녀가 대학에 입학할 경우 축하금 10만 원 지급 △ 야식 중 본인부담금 폐지 △ 병원지정 탁아시설 이용 자격자가 지정보육시설 이외의 보육시설 이용 시 월 3만 원씩 지원

2002년	△ 경조금 확대 △ 병원은 노조 재정자립금으로 1천2백만 원 지급 △ 교대근무자의 야간근무가 월 9일 이상일 때 sleeping off 부여를 원칙으로 하되 해당 사례가 많으면 야간근무 일수에 대해 재논의 △ 장애인 및 의료보호 환자의 교수진료 등 공공의료사업 확대, 공공의료 강화를 위해 노사 공동 노력 △ 병원 내 매점에서 담배 판매 금지 △ 2001년 전직자 중 전직 시점에서 대우수당 수급해당자는 소정의 격려금을 지급하고, 기능직에서 일반직으로 전직한 자의 호봉승급 시기 도래 시 정상적으로 승급
2003년 7월 25일	△ 기본급 5.5% 인상 △ 직급보조비, 교통보조비 월 지급액을 직급별 차등 인상 △ 급식보조비 월 1만 원 인상 △ 명절휴가비 연 50%(25%×2회) 인상 △ 응급실 간호사 3명, 남조무사 1명 충원 △ 특수병동에 간호사 2명 및 야간근무 분담을 위한 대체간호사 1명 충원 △ 내과 외래 처방전 입력자 1명 추가 배치 △ 진료보조자는 유자격자 채용 원칙 △ HELP 근무 발생하지 않도록 하며 부득이 발생 시 사전에 노조와 협의 △ 응급의료센터 근무자에게 응급의료센터 근무수당 월 5만 원 지급 △ 비정규직(계약직)원 하계휴가비 10만 원 증액 △ 상급단체에서 주최하는 대의원대회 참석 대상자는 매회 5명 이내로 하되 연간횟수에 포함 △ 상향평가제 도입을 인사제도개선위원회에서 논의 △ 교육·훈련 배치 및 승진 등 인사조치 시 성(별)에 의한 차별 하지 않는다 △ 직종 간 배치전환은 검진센터, 치과 등 포함한 부서를 대상으로 한다 △ 교대근무자 보호조치 △ 설·추석 명절 당일 근무자는 통상임금의 50%를 가산하여 지급하되 당직근무자는 당직수당 50% 가산

2003년 7월 25일	△ 대체직원·용역직원도 선택진료비 및 건강검진비를 각 20%씩 감면 △ 1개월 이상 근무한 대체직원에게는 4대 보험 가입 △ 새마을금고[42] 경북대병원노조와 동일하게 적용
2004년 8월 3일 (24일 파업)	△ 총액 10.7% 인상 △ 근무시간 중 조합활동 인정 △ 산업안전보건위원회 위원 활동보장 신설 △ 주택자금대출 상환 기한을 2년 거치 5년 분할 상한으로 인정 △ 비정규직 단계적 정규직화와 처우개선(현 비정규직원 중 2001년 12월 31일 이전 채용자 86명을 금년 내 정규직으로 임용토록 최대한 노력) △ 근로시간 단축에 따른 인력충원 △ 토요일 외래진료는 50% 이하로 축소 운영, 근무자에 대해서 연장근로수당 지급 △ 2003년 지급한 봉급조정수당을 기본급에 반영(2.5%) △ 미사용한 연차휴가는 수당(통상임금 150%)로 보상 △ 2004년 파업에 대한 민·형사상 책임을 묻지 않는다 △ 2004년 파업에 참가한 조합원에 대해 인사상 불이익을 주지 않는다
2005년 9월 15일	△ 기본급 3.33% 인상(공무원보수표와 동일하게 적용) △ 급식보조비 월 3만원 인상 △ 교통보조비를 전 직급 동일하게 월 15만 원 지급 △ 보건수당 신규자에게도 지급 △ 급여명세서에 개인별 시급 명시 △ 자동화 및 신기술 도입 시 고용보장 △ 다인병실 확보 △ 인력충원 △ 현 비정규직 중 53명(2002년 임용자) 금년 내 정규직 임용되도록 최대한 노력

---

42 이후 새마을금고 단협은 경북대병원노조와 동일하게 적용하는 데 매년 합의한다.

2005년 9월 15일	△ 간접고용 비정규직_6개월 이상 계속 근무하고 있는 용역직원 본인부담금 30% 감면 △ 현 일반직 6급 2005년 말까지 전원 5급으로 승진시키고 2006년부터 일반직 6급 폐지, 기능직 4등급은 2005년 말까지 전원 3등급으로 승진시키고 2006년부터 기능직 4등급 폐지 △ 감시카메라 설치 시 사전에 노조와 협의, 촬영된 내용은 인사고과에 반영하지 않는다 △ 산전산후 휴가자 임금 변경 △ 청원휴가 변경 △ 자녀 대학입학축하금 30만 원에서 80만 원으로 인상(자녀 수 제한 없음) △ 직원식당 개선
2006년 11월 13일 (2일 파업)	△ 공무원 임금체계 준용_상여금 200%·정근수당 100%를 기본급에 산입_상여금 폐지, 명절휴가비 연2회 지급하되 월 기본급의 60% 각 지급, 체력단련비 연 200% 지급, 정근수당은 연 2회 지급하되 월 기본급의 0~50% 지급하고 공통분 100%는 기본급에 산입, 관리업무수당은 월 기본급의 9% 지급, 대우수당은 월 기본급의 4.8% 지급 △ 월 소정근로시간은 현행 유지하되 기본급 조정으로 인한 통상임금의 합리적인 적용을 위해 통상임금 항목에서 급식보조비, 교통보조비 제외 △ 진료지원수당을 월 5만원 인상 지급 △ 병원식당은 우리농축산물 사용 △ 환자 프라이버시 보호 △ 인력충원 △ 간호조무사 인수인계 참여 △ 중대질환자 야간근무 면제 △ 강제휴무 부여 금지 △ 조무사 보수교육 △ 비정규직_2003년 채용자는 금년, 2004년 채용자는 2007년 말까지 정규직 임용되도록 노력, 2005년 이후 채용자는 만 3년 되는 시점부터 정규직 임용되도록 노력, 비정규직 임금 책정시 군 경력 포함해 산정 △ 40세 이상 직원 암 검진 시 유방암 검사 추가

2006년 11월 13일 (2일 파업)	△ 총 50명 범위에서 위탁보육시설 이용 자녀 수 직원당 2명까지 인정, 탁아지원은 남자직원도 동일하게 적용 △ 직원 자녀가 대학교에 재학하는 경우 2명에 한해 학기당 50만 원의 학자금 지원, 2007년부터 적용하며 기존의 대학입학 축하금은 폐지 △ 진료환경 개선 시 직원의 수유공간 및 탈의·교육·회의공간 확보에 노력 △ 상급단체 전임자 대우를 상시 전임자와 동일하게
2007년 10월 1일	△ 기본급 1.6% 인상 △ 급식보조비 월 3만 원 인상 △ 체력단련비 연 기본급의 25% 인상 △ 하계휴가비 20만 원 인상 △ 의료공공성_중환자실 보호자대기실 개선, 다인병상 확대 △ 비정규직_계약직 만2년 시점 정규직화 노력, 중환자실 결원 대체자리 점진적 정규직으로 채용, 임시직의 임금·근로조건 개선, 병원은 비정규직 차별 처우를 목적으로 비정규직만의 단독직군화 또는 업무분리 하지 않음 △ 노동안전_직원 건강관리 위한 내부공간 확보, 근골격계질환 예방 위한 환경개선 △ 야식 질 향상 △ 인력 24명 충원
2008년 12월 2일	△ 기본급 1.8%, 체력단련비 연 36% 인상, 교통보조비 월 2만원 인상 △ 가족수당 확대 △ 의료서비스를 위한 현행 3등급 간호 인력 유지 △ 외래 점심시간 당직근무 금지 △ 일반휴직 분할적치 사용 △ 정년은 국가공무원법 개정시 그에 따름 △ 정기승급 보장 △ 육아휴직 보장 △ 배치전환 최소 7일 전 공고(부득이한 경우 3일 전) △ 출산휴가 3일(1일은 무급) △ 야간당직근무자 야식 제공 △ 다인병상 확대 △ 치과 이전 관련 인력·근무환경은 노사 각 5인 이내 협의체 구성해 해결

2008년 12월 2일	△ 병원식당 모든 식재료는 우리 농축산물 사용 및 유전자 변형 식품 사용하지 않는 것을 원칙으로
2009년 11월 9일	△ 임금 동결 △ 환자 대면하는 진료보조자는 유자격자 채용 △ 교대근무자 보호조치 △ 주사·채열 환자 중 어린이와 노약자에게 지혈용 반창고 지급, 응급수술 이외 야간수술 최대한 자제 △ 칠곡병원_ 개원 최소한 3개월 전에 인력·배치전환 등 노사협 의, 원장 등 새 집행부 구성 후 복지공간 협의, 외주·용역은 개 원 3개월 전에 논의하되 진료와 직접 관련된 간호보조 업무는 병원 직원으로 한다 △ 간호부 3교대 근무자의 10% 이내인 연장자(45세 이상)에 한 해 배치전환 등을 통해 야간근무일수 줄일 수 있도록 노력
2010년 11월 27일 (9일 파업)	△ 임금 동결 △ 2011년 1월에 격려금(기본급 30%+정액 30만원) 지급 △ 근로시간면제 적용자(풀타임 근무자 4명 인정, 파트타임으로 사용할 경우 8명 이내) 신설 △ 조합전임자 통상근무 인정 △ 근로시간 면제절차 신설 △ 칠곡병원에 조합활동에 필요한 사무실 제공 △ 병원은 사생활 침해 발생할 수 있는 개인정보 수집 및 감시카 메라 설치 시 노조와 협의, 촬영내용은 인사고과에 반영 않음 △ 정신과병동 축소하되 적정인력 유지 노사 협의 △ 교대근무자 보호조치 △ 본인·배우자 회갑 휴가 3일(이전 5일에서 개정) △ 본원 직원식당은 2010년 지하식당 완공 시 직영으로 운영 △ 칠곡병원 보육시설은 2011년 완공 목표로 노력, 인력운영 등 추후 논의 △ 장의용 소모품 지급
2011년 12월 12일 (7일 파업)	△ 기본급은 2011년 공무원봉급표 준용 △ 교통보조비 폐지하되, 진료지원수당을 상근임원 월 5만 원, 일 반직1~2급은 월 3만 원, 일반직 3~5급 및 기능직은 월 4만 원 인상

2011년 12월 12일 (7일 파업)	△ 체력단련비 월 기본급의 3%로 조정 △ 통상임금에 급여, 위험근무수당, 별정수당, 직급보조비, 장기 　근속수당 포함 △ 대우수당을 월 기본급의 4.1%로 조정 △ 대민지원수당을 연 20만 원 인상 △ 근무시간 중 조합활동 △ 인사_계약직 임용 시 일반직과 기능직의 경력인정기준에 따 　라 호봉 확정, 일반직과 기능직의 호봉확정 시 2차 의료기관 　의 정규직 경력을 환산율 60%로 인정, 계약직 발령 후 만 1년 　이 되는 시점에 정규직으로 임용 △ 직장 내 성희롱 및 폭행 금지 △ 근로시간_연속하여 5일 밤근무는 연속하여 3일을 초과할 수 　없음, 교대작업 일정은 미리 통보 △ 임금협약 체결 전 정년퇴직자의 임금인상 차액 및 퇴직금 인 　상 차액을 정산해 지급 △ 임시직 임금은 기능 3등급의 70%로 △ 직원들 심신안정을 위한 휴양시설 마련에 최대한 노력 △ 필수유지업무제도로 인해 발생한 일체의 민형사상·인사상 책 　임 면책
2012년 11월 23일	△ 기본급은 2012년 공무원 봉급표 준용 △ 근로시간 면제 적용자 근무자 5명 인정, 파트타임으로 사용할 　경우 10명 이내 △ 2013년부터 선택적복리후생제도 도입 △ 복리후생_직원 진료비 감면, 노조에서 추천한 4명 중 순위에 　따라 2명 포상, 2013년부터 임시직 및 업무지원직 임금 개선 △ 인력 충원 △ 칠곡병원_근무성적평점 4항 삭제, 승급제한 사유 제외하고는 　근무년수 1년에 대하여 1호봉씩 승급 △ 입원환자 차량 1대 입원 당일 8시간 무료주차, 청원휴가 사유 　가 근무당일 퇴근 후 발생할 경우 익일부터 가산 적용 등 △ 일시격려금 30만원 2012년 내에 지급 △ 복리후생비로 급식보조비를 2012년 4월 1일부터 월 2만원 소 　급 인상

2013년 12월 5일	△ 기본급 2013년 공무원 봉급표 준용 △ 위험수당 월 1만원, 급식수당 월 2만원 인상 △ 난임여직원 임신시술휴직 1년이내(무급) △ 급식보조비 매월 20만7천원 지급 △ 선택적복리후생제도_가족포인트 신설 △ 복리후생_진료비 감면 △ 인력_간호사 정규직 30명 정원 확보, 핵의학 주사업무 임시직 　 1명 충원 △ 상시지속적업무 비정규직_2015년까지 점진적 정규직화 △ 치과병원 배치전환은 동일부서 4년 이상인 자를 대상으로 실 　 시 △ 칠곡병원 계약만료 퇴사자 2명은 본원 임시직으로 1년간 근무 　 후 업무지원직으로 전환, 고용시기는 노사간 협의해 최대한 　 빠른 시일 내에 실시
2014년	연말까지 35일 파업투쟁(~2015년 지명파업까지 계속) 병원, 단 체협약 일방 해지 통보
2015년 5월 18일	△ 공무원봉급표 준용 총액 기준 3.8% 인상 △ 유일교섭단체 인정 △ 교섭위원 교섭일 노조활동 인정 △ 노조 전임자 3명 △ 시설 편의 제공 △ 노조 홍보활동 보장 △ 공정인사 원칙 △ CCTV는 진료업무 및 안전과 관련해 필요시만 추가 △ 배치전환 원칙 △ 용역·위탁 도입 시 경영상 이유로 인한 해고 필요한 경우 노조 　 와 사전 협의 △ 통상임금 범위에 진료지원수당, 대우수당, 체력단련수당, 급 　 식수당 포함 △ 2016년 말까지 본원과 칠곡분원 인근에 직장보육시설 설치· 　 운영 △ 방만경영 개선 관련 기타 합의 △ 단협 이외 치과 수요 야간진료시 일반직 시간외근무 여부 본 　 인 의사에 따름

2015년 5월 18일	△ 영상의학과 배치전환 원칙 △ 상시지속적 기능직 해당 업무 종사자 업무지원직으로 전환 가능 및 임금 인상
2016년 9월 28일	△ 공무원봉급표 준용 총액 기준 3.0% 인상 △ 계약직 직원 발령 즉시 정규직 발령(단 1년간 시보 운영, 임금은 현행유지) △ 10년마다 일반휴직 부여 △ 육아휴직 2년(1년 유급, 1년 무급) △ 병가인정 확대(사생활 보호가 필요한 경우, 전문 병원 및 상급 종합병원의 전문적인 치료를 위한 경우 등 합리적 사유가 있는 경우 타 병원 진단서 인정) △ 근무복 세탁물 처리업체에 위탁해 세탁, 세부절차는 노사가 협의해 3년 이내에 시행토록 상호 노력
2017년 11월 15일	△ 공무원봉급표 준용 총액 기준 3.5% 인상 △ 급식보조비 월 14,000원 인상 △ 인력 충원(간호사 14명, 간호조무사 18명, 도우미 13명) △ 배치전환 원칙 △ 생리휴가 우선 사용 △ 병원 행사 및 교육 강제 금지 △ 2018년부터 칠곡병원 응급수당 지급

경북대학교병원노동조합 역대 집행부 명단

*전임자는 <u>밑줄</u>

경북대학교병원노동조합 초대(1대) 집행부 (1988년 8월~)

- 위원장: 권수정
- 사무국장: 김순자
- 교육홍보부: 박혜경 김현숙 이미아
- 법규부: 권춘희
- 조사통계부: 윤점숙
- 총무부: 강홍성
- 부위원장: 전경태 허미라
- 회계감사: 하영애 정영란
- 남성부: 장남식
- 쟁의지도부: 윤해중 윤점숙
- 조직부: 이미자

경북대학교병원노동조합 2대 집행부 (1988년 10월~)

- 위원장: <u>최추희</u>
- 사무국장: 김은주
- 부위원장: 이종해 이미자
- 회계감사: 황현섭

경북대학교병원노동조합 3대 집행부 (1990년 10월~)

- 위원장: <u>황현섭</u>
- 회계감사: 최추희 강홍성
- 부위원장: 김용석

경북대학교병원노동조합 4대 집행부 (1992년 10월~)

- 위원장: <u>하상록</u>   • 사무국장: 황현섭   • 회계감사: 강홍성
- 교육선전부: 석혜경 김수경 박은선 장은정
- 문화부: 김경자 김은주 박영란 정윤주
- 조사통계부: 이정현 김영희
- 조직부: 백분남 권수정 김병호 장은정
- 총무부: 박향자 이영호 신현준 강의정
- 편집부: 김용석
  * 파업 유보로 1994년 7월부터 황현섭 비상대책위원회 위원장

경북대학교병원노동조합 5대 집행부 (1994년 8월~)

- 위원장: 김수경
- 부위원장: 허동실(행정기능직종) 심정임(간호직종) 성희락(의료기술직종)
- 사무국장: 이영호
- 교육선전부 박은선 문화부 이은혜
- 회계감사: 구정일 최동익
- 조사통계부: 김영희 조직부 최윤정

경북대학교병원노동조합 6대 집행부 (1996년 9월)

- 위원장: 이정현
- 사무국장: 최동익
- 문화부: 김영희 이선호 박일홍
- 조사통계부: 박영호
- 총무부 유승준
- 부위원장: 황현섭 권혁대 박선영
- 회계감사: 이영숙 이경희
- 의료부: 한도희
- 조직부: 박은선
- 후생복지부: 조성환

* 1998년 1월 산별 전환(2월 27일 보건의료노조 출범)

→ 전국보건의료산업노동조합(보건의료노조) 대구경북본부 경북대병원지부

보건의료노조 경북대학교병원지부 7대 집행부 (1998년 9월~)

- 지부장: 유승준 *2000년 파업투쟁으로 지도부 구속 기간 김영희 비대위원장
- 부지부장: 김영희 백분남 박득근 이정현
- 사무장: 김수경
- 회계감사: 최추희 강혜진
- 교육선전부: 박은선
- 문화부: 박혜정 박지은
- 복지사업부: 박선영
- 조사통계부: 임연남 이용운
- 조직부: 우성환 김미자
- 총무부: 김경희

보건의료노조 경북대학교병원지부 8대 집행부 (2001년~)

- 지부장: 김영희
- 사무장: 김경희
- 교육부: 공태환 이영옥
- 복지사업부: 박선영 정진원
- 조사통계부: 박혜정 이정민
- 충무부: 임수창 이은희
- 부지부장: 이종인 백분남 김경자
- 회계감사: 박득근 강혜진
- 문화부: 박지은
- 의료부: 이남희 후진
- 조직부: 김미자 오정숙
- 운영위원: 이정현 김수경 최추희

보건의료노조 경북대학교병원지부 9대 집행부 (2003년~)

- 지부장: 이정현
- 사무장: 김영희
- 교육부: 김경희
- 복지사업부: 오정숙
- 조직부: 박우서 이영숙 윤정향

- 부지부장: 김수경 정광석 백분남
- 회계감사: 하상록 심정임
- 문화부: 박지은 우성환
- 산업안전부: 김은자
- 총무부: 강혜진 이상미

보건의료노조 경북대학교병원지부 10대 집행부 (2005년~)

- 지부장: 이정현
- 사무국장: 박지은
- 대외협력부 박우서
- 법규부: 이영숙 김범조
- 조직부: 심정임

- 부지부장: 황현섭 박순해 김영희
- 회계감사: 우성환 도기록
- 문화부: 박혜정 배성민 조유진
- 복지사업부: 박은정
- 총무부: 김경희 이상미

* 2005년 12월 16일 전국보건의료산업노조 탈퇴
 → 2006년 9월 1일 의료연대노조 출범

전국공공서비스노동조합 경북대학교병원분회 11대 집행부 (2007년~)

- 분회장: 김영희
- 사무장: 심정임
- 교육부: 이영숙
- 복지사업부: 남기옥 심미건
- 총무부: 이혜영

- 부분회장: 박우서 박지은
- 회계감사: 박순해
- 문화부: 박혜정 배성민
- 선전부 박은선 서경애

* 2008년 3월 19일 의료연대 대구지역지부 출범

대구지역지부 경북대학교병원분회 12대 집행부 (2009년 ~)

- 지부장: 이정현
- 부분회장: 이종인(수석) 김미혜 박혜정 백문선 은진영 이은동
- 교육부: 노기수
- 문화부: 김민수
- 복지부: 정승현

- 분회장: 우성환

- 대외협력부: 김현기
- 법규부: 김범조
- 산업안전부: 배재상

- 선전부: 서경애
- 조사통계부: 김대일
- 총무부: 김아영
- 정보통신부: 김현용
- 조직부: 배성민 권상육

대구지역지부 경북대학교병원분회 13대 집행부 (2011년~)

- 지부장: 이정현
- 분회장: 우성환
- 부분회장: 김영희(수석) 박은선 구본용 이현화 이은동 박혜정 정필경 강의정
  이송은 김민순 장말순
- 사무장: 김대일
- 노동안전부: 김경희
- 문화부: 차애란
- 복지사업부: 박선영
- 여성부: 김미혜
- 정책부: 이정현
- 조직부: 배성민 이미애
- 교육부: 이건창
- 대외협력부: 박우서
- 법규부: 정희두
- 선전부: 서경애
- 정보통신부: 조민재
- 조사통계부: 강대식
- 총무부: 방수진

대구지역지부 경북대학교병원분회 14대 집행부 (2013년~)

- 지부장: 우성환 *2014년 김영희 지부장직무대행 분회장: 김영희
- 부분회장: 구본용 장말순 임연남 박혜정 김영식 서정애 배성민 김현자
- 사무장: 김대일
- 교육선전부: 강대식
- 대외협력부: 김성철
- 복지부: 송경하
- 정책부: 김경희 황현섭
- 총무부: 방수진
- 조사통계부: 김민주
- 노동안전부: 조민재
- 문화부: 이송은
- 여성부: 박은선
- 조직부: 이미애 김민수

대구지역지부 경북대학교병원분회 15대 집행부 (2015년 1월~)

* 장기파업으로 선거 못해 2015년 2월 6일부터 9월 1일까지 우성환 비대위원장
- 지부장: 이정현 *11월 지부장 선거까지 지부장·분회장직무대행, 선거 후 분회
  장 직무대행

- 부분회장: 이건창 배성민 김영식 조효정 장말순 임연남
- 교육부: 강대식 윤정식
- 대외협력부: 백경환 조정운
- 미조직비정규부: 강연주 배기숙
- 선전부: 서미라 박민영
- 정책부: 김경희 이웅희
- 총무부: 송경하 김현기, 방수진
- 칠곡선전부: 김다솜
- 지도위원: 황현섭 김수경 최추희 우성환
- 노동안전부: 이재옥 장은정
- 문화부: 김민수 손주환 권동오
- 복지부: 이창호
- 여성부: 김민경 이혜련
- 조직부: 김민수, 이순중
- 칠곡교육부: 백소현
- 칠곡조직부: 김승화, 김도희

대구지역지부 경북대학교병원분회 16대 집행부 (2017년 1월~)

- 지부장 이정현 *지부장이 분회장 직무대행
- 부분회장: 박선영 이건창 김영식 배성민 장말순 방수진 김도희(칠곡)
- 사무장: 이순중
- 노동안전부: 이재옥
- 문화부: 김민수
- 복지부; 정성용 선전부 서미라
- 조직부: 전상범
- 칠곡교육부: 백소현
- 칠곡조직부: 김승화
- 교육부: 강대식
- 대외협력부: 조정운
- 미조직비정규부: 배기숙
- 정책부: 김경희 류광우 박은선
- 총무부: 송경하
- 칠곡노동안전부: 박규성
- 지도위원: 황현섭 김수경 최추희 우성환

경북대학교병원노동조합 연보

[1988년]

8월 25일	노동조합 결성 보고대회
8월 26일	노동조합 설립 신고
8월 29일	노동조합 창립총회 및 노조결성 보고대회(90명 참석)
8월 30일	1차 임시총회
9월 6일	임금인상 토론회
9월 8일	1차 임금인상 결의대회
9월 10일	조합원 단합을 위한 야유회(안동 하회마을)
9월 30일	조합원 교육(노동조합과 노동자의 권리)
10월 1일	임시노조사무실 개설(신축건물 6층)
10월 5일	쟁의행위 돌입을 위한 총회(전체 250명 중 132명 참석, 130명 찬성)
10월 6일	파업 돌입
10월 10일	파업5일째, 파업 농성장소를 안내센터에서 외래 수납계로 옮김
10월 11일	파업 6일째 교섭 타결
10월 27일	6차 총회
12월 4일	확대간부회의(단체협약 가안과 규약 제정 건)
12월 23일	조합원 교육
12월 29일	대구노동자 송년의 밤(경북대학교 대강당)

[1989년]

1월 5일	전조합원 긴급회의(간호조무사 발령 건)
1월 23일	단체협약에 대한 단체교섭 결의 및 전진대회

2월 1일	단체교섭 결렬, 병원장실 앞 농성
2월 10일	위원장 노동청 단식농성 돌입
3월 3일	1차 대의원대회
3월 4~5일	조합원 단합대회(팔공산 고려산장)
3월 13일	준법투쟁으로 리본달기 시작
3월 24일	쟁의발생 신고 결의
3월 30일	단체협약 체결
9월 22일	정기총회

[1990년]

3월	일용직근무자에 대한 연월차 미지급 소송 시작
9월 27일	정기총회, 최추희 미지급임금소송 결심공판
12월 8일	대구 사무직 노동조합 모임(동산의료원·의료보험·건축설계·경북대병원)
12월 21일	미지급임금소송 선고공판

[1991년]

1월 9일	평간호사회 신년회
2월 14일	임금일방지급 항의방문
3월 6일	서울대병원노동조합 방문(법인화 관련)
3월 14일	노활추 준비위 모임
3월 29일	법인화 설명회
5월 22일	노동청 항의방문(퇴직금 문제)
8월 22일	노활추 모임
10월 4일	미지급임금소송 재판
10월 7일	정기총회
11월 22일	노동조합 현판식

우리 하나 경북대병원노동조합 30년사 1988~2017

[1992년]

1월 10일	임금협상 및 단체협약 체결을 위한 조합원 간담회
2월 9일	병원노련 대경지부 임단투 수련회
2월 18일	임금요구안 작성을 위한 조합원 설문조사
2월 25일	임금 및 단협을 위한 임시총회
2월 27일	대의원대회(요구안 확정)
3월 13일	대의원대회
4월 20일	임시총회(임금인상에 대한 보고대회)
4월 24일	총액임금제 대책위 철야농성
5월 7일	임금 타결
6월 22일	공사화 대책 직종별 모임
8월 20~21일	임원단 선거
9월 14일	집행부 단합대회
9월 28일	정기총회(4대 하상록위원장 취임), 전노협 가입
10월 5일	풍물패 모집 공고

[1993년]

2월 2일	최주희 전 위원상 재판(3자 개입 건)
3월 10일	소식지 〈징소리〉 창간호 배포
3월 25일	경북대병원 공사화
4월 26일	강연회(법인병원과 노동조합)
9월 6~10일	5년차 정기총회 기념 문화대동제
9월 10일	정기총회
12월 6일	1994년 임단투 설문지 배포

[1994년]

1월 17일	1994년 임금 일방인상 3% 지급
1월 28일	노동조합 사무실 이전개소식
2월 18일	임금인상분 반납 결의대회
2월 25일	확대간부수련회
3월 7일	대의원대회
3월 10~12일	1994년 임금 일방인상 지급 저지를 위한 철야농성
5월 25일	1994년 임단투승리 조합원 결의대회 및 임시대의원대회(쟁의 발생 결의)
5월 27일	임단투 승리를 위한 간부 결의대회
6월 21~22일	쟁의행위 찬반투표
6월 23일	임금인상투쟁 완전승리를 위한 파업전진대회
6월 28일	직권중재안(수당 3억186만 원) 떨어짐
7월 1일	조합원 대토론회
7월 4일	임시대의원대회(직권중재안 수용 결정, 하상록위원장 사퇴 성 명서 발표)
9월 1일	임시대의원대회
9월 28일	전조합원 탁구대회
9월 30일	6년차 정기총회
12월 6~7일	운영위 수련회(1995년 임단투 기조)
12월 22일	단체협약 찬반투표

[1995년]

1월 9일	임시대의원대회(1995년 사업계획 토론, 공동교섭 교육)
2월 7일	병원장 항의방문(노사합의 불이행)
2월 28일	가나안농군학교 입소 거부 조합원 서명운동(~3월 4일, 5백명 참여)

3월 4일	임시대의원대회(위원장 폭행 위협 및 가나안농군학교 입소 반대투쟁)
3월 6일	가나안농군학교 출발차량 저지농성 및 조합원 중식집회(150여 명 참석)
3월 30~31일	총회 찬반투표, 임단협 요구안 교섭 위임 결정
4월 4일	합동대의원대회(교섭권 위임장 전달, 공동교섭 공문 발송)
4월 18일	'95년 공동교섭 의의와 공동요구안 설명, 공동교섭 회피 규탄' 기자회견
5월 18~19일	철야농성
5월 24일	임투 전진대회(420명 참석)
6월 13~16일	간부 철야농성
6월 20일	중식시간 피켓시위, 환자·보호자 선전전(본부 유인물)
6월 21일~	매일 중식시간 식당과 병원장실 앞 피켓시위
6월 23일	중식집회(100여 명 참석)
7월 18~20일	로비 철야농성
7월 21일	조합원 중식 거부 로비 집회(270여 명 참석)와 동조단식
7월 25일	14차 교섭에서 잠정합의
9월 23일	전조합원 체육대회
9월 27일	조합원 언대를 위한 일일호프
9월 29일	7년차 정기총회
12월 23일	긴급임원대책회의(병원 연말성과급 일방처리 건)
12월 26일	일방지급 사과 요청을 위한 병원장 항의방문

[1996년]

1월 17일	조합원 간담회(대의원 구성 및 임단협 요구안 의견 수렴)
1월 29일	도서목록 배포
2월 13일	〈징소리〉 간담회(노보에 대한 의견 교환)

3월 26일	인주철병원장 취임 관련 대자보 부착
4월 12일	임시대의원대회(임당수련원)_임단협 요구안 검토 및 심의
5월 29일	국립대병원 노조 대표자회의_재경원·노동부 항의방문
5월 31일	조합원 간담회(~6월 13일, 임금·단협 교섭안에 대한 의견 수렴)
6월 11일	임단협 마무리 교섭
9월 18일	창립 8주년 기념행사 및 6대 집행부 출범식
10월 24일	8년차 정기대의원대회
10월 28일~	노동법 개정 및 개악 반대, 불법용역 반대 서명운동 시작
11월 4~7일	노동법개악 저지 1차 간부 철야농성
11월 7~15일	전조합원 교육 실시
11월 10일	전국노동자대회(41명 참석), 총파업 쟁의발생 결의
12월 2~4일	노동법개악 반대 로비 간부철야농성, 전조합원 중식집회
12월 10일	노동법개악 반대 총파업 찬반투표
12월 13일	총파업 결의 전조합원 중식집회, 위원장 구속결단식 및 간부 철야농성
12월 27일	총파업 결의 조합원 철야농성 및 총파업 전야제
12월 28~31일	노개투 1차 총파업

[1997년]

1월 6일	노개투 2단계 파업 전진대회, 조합원 철야농성
1월 7~15일	노개투 2차 총파업
6월 3~5일	1997년 공투 완전승리를 위한 간부철야농성
7월 9~15일	1997년 공투 완전승리를 위한 간부철야농성
7월 31일	1997 임단협 잠정합의
8월 8일	임단협 합의안 조인식
9월 23일	간호조무사(교대근무자) 시간외 수당 청구문제 간담회

10월 13~17일	총파업 임금손실분 지급
10월 22~24일	9년차 정기총회 및 창립기념식
11월 5일	병원장·간호부 항의방문(교대근무자 시간외근로산정 일방변경)
11월 27일	교대근무자 시간외근로산정 일방변경 공청회
12월 5일	IMF대응 합동간부회의
12월 9~13일	전조합원 교육
12월 22~24일	총파업으로 인한 연월차삭감액 지급
12월 26일	병동근무자 근무시간 일방 변경에 대한 병원장실 항의방문

[1998년]

1월 5일	IMF 대응 합동간부토론회
1월 15일	경제위기를 빌미로 한 근기법·단협 위반 및 임금체불 노동청에 진정
2월 4일	경제위기 대응방안에 대해 영양실·원무과 간담회
2월 10~12일	산별조직형태변경 조합원투표
2월 20일	임시대의원대회_산별노조 발기인 선출
2월 27일	의료산별 발족식
3월 27일	근로자파견제 시행령 저지를 위한 노동청 항의방문
4월 1일	구급차 근무형태 변경(24시간 격일근무로)
5월 18일	구급차 근무형태 변경 철회(8시간 3교대 환원)
6월 19일	재정사고 보고 및 특별회계감사위원회 구성
6월 23~26일	부당노동행위 근절 및 임단투 승리를 위한 확대간부 철야농성
7월 13~15일	파업찬반투표
8월 3일	임시직 해고자 김은주동지 복직
8월 25~27일	2대 지부장 선거

10월 3일~	수술실 부당배치 전환 반대투쟁(~11월 5일
11월 17~21일	전조합원 교육
11월 23~25일	배치전환 관련 조합원 설문

[1999년]

2월 19일	응급센터 개원 및 국립대병원 1차 중앙교섭을 위한 피켓팅
2월 24일	일방적 구조조정 철폐를 위한 전국동시다발 철야농성
4월 1일	2차 중앙교섭을 위한 집회(교육부 앞)
4월 10~30일	임단협 승리를 위한 조합원 간담회
5월 4일	조합원과 '가벼운 호프'
5월 7일	일방적 구조조정 반대 및 임단협 승리를 위한 로비농성 선포식
5월 18일	매일신문 항의방문(경북대병원 노사협상 관련 오보)
6월 20일	남북노동자축구대회 지역예선전
8월 9일	연말 특별상여금, 퇴직금 중간정산제 관련 노동청 진정조사 작업
10월 13~16일	가을문화제 및 환자 위안의 밤

[2000년]

1월 4일	인사누락에 대한 병원장 항의방문 및 인사누락자 간담회
2월 9~12일	인사 관련 설문지 배포 및 수거
2월 15~17일	공정인사 쟁취 중식피켓팅 및 인사누락자 회의
3월 15~16일	정기대의원대회 및 수련회
4월 4일	공정인사 쟁취 2000년 임단협 승리를 위한 조합원 전진대회
4월 6일	비정규직 간담회
4월 11~16일	전조합원 교육(310명 참여)
4월 26일	간호부 실명제 거부투쟁

5월 2~10일	무인카메라 철거 요구 서명 투쟁
5월 18일	비정규직 간담회(노조 가입 결의)
5월 23일	쟁의행위 찬반투표(85% 투표, 76% 찬성)
5월 30일	총파업승리를 위한 파업 전야제
6월 1일	비정규직 정규직화를 위한 전조합원 34일간 총파업(~7월 3일)
6월 3일	구속결의삭발식(유승준지부장, 이정현부지부장, 우성환조직부장)과 총파업승리결의대회
6월 15일	시민대책위발족(대구지역40개 단체)
7월 4일	34일 파업 이후 현장복귀(400여 명)
7월 5~6일	임단협 잠정합의안 찬반투표
7월 14일	리본달기(체포영장 철회, 직권중재 철폐)
8월 17일	체포영장발부자(이정현, 김영희, 김수경) 자진출두(이정현부지부장 구속)
9월 19일	유승준지부장 연행
9월 25일	비상대책위원회 발족
10월 5일	유승준지부장 석방
11월 7~9일	3대 지부 임원선거
12월 5~9일	8차례 전조합원 교육(노동시간단축과 근로기준법 개악)

[2001년]

1월 1일	인사 누락자와 간담회 및 병원장 항의방문
2월 1일	연월차수당미지급 고소장 접수, 2000년 특별상여금 미지급 진정서 접수
2월 5~7일	능력급인사 저지, 퇴직금 사수, 체불임금 지급을 위한 간부 철야농성
2월 15일	전조합원 중식집회
2월 19~23일	1차 로비농성(능력급인사 저지, 연봉제 저지, 퇴직금누진제 사수)

3월 5~7일	2차 로비농성(능력급인사 저지, 연봉제 저지, 퇴직금누진제 사수)
3월 15~16일	정기대의원대회
5월 2~9일	상반기 전조합원 교육(10회 진행)
5월 15일	임단투전진대회 및 투본발대식, 간부 철야농성 돌입
5월 29일	교섭보고대회 및 로비농성 선포식
6월 12일	총파업 승리를 위한 임시총회 전야제
6월 13일	임단협 잠정합의 및 교섭보고대회
6월 15일	국립대병원지부 퇴직금누진제 사수 공동집회(교육부 앞)
8월 29~30일	국립대병원지부 수련회(임단투 평가)
11월 6~10일	하반기 전조합원 교육(9회 진행)
11월 21일	하반기 전조합원 간담회(~12월 3일)
12월 5~7일	김대중정부 노동정책 불신임 및 노동법 개악시 총력투쟁 결의 투표

[2002년]

1월 16일	2000년 파업투쟁 관련 항소심, 병원 조정접수 규탄 중식집회
3월 27일	임시대의원대회(임단협요구안 확정)
4월 30일	대의원대회(조정신청 결의)
5월 7일	조정신청
5월 8일	임단투 승리를 위한 중식집회
5월 14일	로비농성 돌입 중식집회
5월 15일	교육부 면담투쟁
5월 15~17일	쟁의행위 찬반투표
5월 23일	파업 돌입, 임시총회 1일차 잠정합의
5월 28~29일	잠정합의안 찬반투표

5월 31일	임단협 조인식
7월 26일	입원료 등급 악용한 인원감축 반대 환자·보호자 선전전
5월 28일	중식집회(인원감축, 부당인사)
9월 23일	간부 로비농성 돌입
9월 26일	중식집회(공권력투입 규탄, 보건의료노조 사수)
10월 7~12일	하반기 전조합원 교육
10월 14일	임시대의원대회, 간부 로비농성 돌입
10월 16일	보건의료노조 4시간 파업

[2003년]

1월 16일	임원선거 및 개표
2월 4일	임시대의원대회(강제 연월차 사용, 새마을금고직원 노조가입 건)
2월 10일	간호부 면담(강제연월차 사용 건)
2월 11일	영양실 간담회(외주 대응책), 새마을금고직원 노조가입
2월 11일	신규간호사 오리엔테이션(노동조합 소개)
2월 27일	4대지부 출범식
4월 22일	임단협 설문지 인쇄 및 배포
4월 26일	연월차 강제 건 노동청에 진정서 제출
6월 30일	국립대병원 지부장 회의, 조정신청 접수
7월 9일	로비농성 돌입 및 중식집회
7월 9~11일	파업 찬반투표
7월 14일	간부 연월차투쟁
7월 15일	파업전야제
7월 16일	잠정합의 및 선전전
7월 22~23일	잠정합의안 찬반투표
7월 25일	임단협 조인식

8월 6일	간호부 항의방문(강제연월차 관련)
11월 4~14일	하반기 전조합원 교육
11월 25일	손배가압류 철폐와 노동탄압 분쇄를 위한 로비농성
11월 26일	중식집회 및 로비농성 해단식

[2004년]

2월 9일	노동조합 사무실 이전개소식 및 현판식
2월 10~28일	1차 근골격계질환 검진(4차례)
3월 19일~	2차 근골격계질환 검진(~4월 초)
3월 29일~	전조합원 교육(~4월 9일, 465명 참석)
4월 20일	근골격계질환 집단산재요양신청 및 기자회견
4월 27일	근골격계산재환자 요양투쟁 돌입
4월 29일	산재승인지연 규탄과 산재환자 탄압중단 촉구 민주노총 집회
5월 6일	산재승인 촉구 근로복지공단 농성 시작
5월 8일	산재신청자 전원 승인
5월 31일	로비농성 돌입
6월 1~3일	산별총파업 찬반투표
6월 10일	총파업 출정식 및 1차 상경투쟁(~6월 12일)
6월 14~16일	2차 상경투쟁
6월 23일	산별파업 잠정합의, 지부 파업돌입 기자회견
7월 1일	하상록 비정규직특위장 단식농성 돌입
7월 2일	조합원 10명 단식농성 돌입
7월 4일	잠정합의
8월 28일	산별협약 10장 2조에 대한 토론회
10월 27일	일방적 규정변경 관련 통상근무 퇴근 후 조합원총회
10월 28일	동절기근무와 휴가사용 관련 규정개정 무효 위한 지부장 단식농성 돌입

11월 2일	비정규직 법안 관련 총파업 찬반투표(~3일)
11월 5일	지부장 단식 해단식
12월 20~22일	국가보안법 철폐 단식농성

[2005년]

1월 5~7일	병원장실 항의방문(기능직 4등급 철폐 건)
3월 2~4일	임원선거
4월 25일	비정규 개악법안 저지 국회 앞 상경투쟁
4월 27~	임단협 요구안 설문지 배포
5월 17~27일	상반기 조합원 하루교육
6월 1일	임시대의원대회(요구안 확정)
6월 13~15일	병원 사무국장·간호부장 직선제 설문조사
6월 22일~	다면평가 반대 전직원 서명
6월 25일	상반기 문화기행(창녕 우포늪)
7월 15일	치과 시차근무 건으로 노동청 진정
8월 18일	임시대의원대회(조정신청 결의)
8월 25일	임단협 잠정합의
9월 12~13일	임단협 잠정합의안 찬반투표
10월 18~28일	하반기 조합원 하루교육
11월 8~10일	비정규권리보장입법 쟁취를 위한 민주노총 총파업 찬반투표
12월 12~14일	조직형태변경 전조합원 찬반투표(보건의료노조 탈퇴)
12월 16일	임시대의원대회(규약 제정 건)
12월 19일	조직형태변경 신고
12월 21일	경북대병원노동조합 신고필증 받음

[2006년]

2월 20~24일	근무형태 및 근무시간 변경 반대서명
2월 21~24일	용역도입과 직원식당 외주위탁 반대, 노사합의 이행 촉구 1차 로비농성
2월 27일	간호부장 면담(간호조무사 병동인력 축소 건)
3월 6일~	식당외주 반대, 근무형태변경 반대 배지달기 및 서명 시작
3월 20일	간호조무사 인력축소에 따른 배치전환 거부 서명 시작
4월 10~12일	비정규직법안 개악 저지를 위한 간부 철야농성
4월 12일	비정규직법안 개악 저지를 위한 전조합원 중식집회
4월 22일	문화기행(청도 들꽃기행)
5월 10일	문화기행(경주와 감포)
5월 22일	상반기 조합원 하루교육(~6월 3일)
5월 27일	5병동 8층 통합 반대농성
7월 13일	산별노조 건설, 한미FTA·공공기관구조조정 저지, 임단협 승리 중식집회
7월 18~21일	조직형태변경 찬반투표
8월 10일	비리경영 척결과 임단투 승리를 위한 중식집회
9월 1~11일	인력충원 없는 응급병동 개원 저지를 위한 농성 돌입
10월 20일	로비농성 돌입, 투쟁본부 발대식
10월 31일	임단협 21차 교섭, 파업전야제
11월 1일	파업 투쟁 1일차
11월 7~8일	임단협 잠정합의안 찬반투표
11월 21일~	하반기 조합원 하루교육(~12월 2일)
12월 12~15일	노동법개악 저지 공공연맹 집단 단식(분회장·사무장 결합)

[2007년]

1월 26일	간호부장 면담(8-8-8, 진료보조 무자격자 채용 건)
2월 2일	의료연대 대구지역지부(준) 합동 간부수련회
3월 20일	노동자배움터 조직활동가 1강 교육
3월 21일	8-8-8 반대서명
3월 28~30일	분회 2대 임원·대의원 선거
4월 3~5일	산안위원 유해요인 현장조사
4월 19일	병원장 면담(8-8-8 반대 서명지 전달)
6월 10일	간병분회 중식로비농성장 구사대 침탈
6월 20일	간병분회공대위 발대식
7월 12일	문화기행(안동 하회마을·한지공장)
7월 21~31일	상반기 조합원 하루교육
9월 29~31일	간부 로비 철야농성
10월 1일	임단협 조인식
11월 5~15일	하반기 조합원 하루교육
11월 22~23일	의료서비스 평가 환자·보호자 선전전
12월 10일	새마을금고 임단협 조인식
12월 27일	병원 사무국장 면담(청소용역노동자 고용승계 건)

[2008년]

1월 25일	대구지역지부 건설 대의원간담회
1월 26일	간병인분회 월례교육 및 대구지역지부 건설 간담회
2월 12~18일	대구지역지부(준) 선전전
2월 23일	간병인분회 총회
3월 19일	의료연대 대구지역지부 발기인대회 및 출범식
4월 17일	대구지역지부 정기대의원대회(한국가스공사 경북지회 강당)

4월 25일	공공노조 대경본부 및 의료연대 대구지역지부 사무실 개소식
5월 2일	의료상업화 저지, 공공성 보장 대구지역공대위 준비회의
5월 16일	대구지역지부 의료공공성학교(팔공산 유스호스텔)
5월 24일	문화기행(안동서부권 일원)
7월 9일	영리병원도입 저지와 병원인력 확보 공공노동자결의대회(세종문화회관)
7월 17일	의료공공성 환자·보호자 및 직원 대상 선전전
8월 22~23일	의료연대분과 운영위 수련회
9월 17일	대구지역지부 상집간부회의 및 간부교육
10월 9일	국립대병원분회장 간담회
11월 17~28일	하반기 전체 조합원교육(팔공산 대구은행연수원)
12월 1~2일	의료공공성 강화를 위한 환자·보호자 선전전
12월 11일	경북3개의료원 불법경영책임자 처벌, 의료공공성 확충 요구 기자회견
12월 24,26일	(여성노조 소속)경북대병원 청소용역노동자 정년 연장 건 집회참석

[2009년]

3월 10~12일	임원선거
3월 27일	의료연대분과 합동 간부수련회(팔공산)
4월 30일	사회공공성 강화 지역선전전 및 문화제(2.28공원)
5월 13일	영리병원 반대 환자·보호자 선전전 및 서명운동
9월 18일	중식집회
10월 5~16일	전조합원 하루교육(팔공산 평산아카데미)
10월 22일	투쟁본부 결성
11월 3~5일	출근선전전 및 현장순회
11월5일	파업전야제, 확대간부 철야 끝장토론

11월 6일	파업 1일차

[2010년]

1월 5일	노동청 방문(간병인 부당해고 및 체불임금 관련)
1월 27일	의료민영화 반대 선전전 및 서명전
2월 22일	신규직원 노동조합교육
3월 19일	중식선전전(직원식당 외주 용역 반대)
4월 12~23일	전조합원 하루교육
4월 26일	여성노조 간담회와 중식선전전(청소노동자 부당노동행위로 회사 고소, 쟁의조정신청)
4월 30일	칠곡병원 신규 간담회(칠곡병원 개원 시 문제점 대응방안)
5월 17~28일	로비농성, 피켓팅 및 현장순회
5월 24일	임시대의원대회(칠곡병원 개원 반대, 임·단협 성실 교섭 촉구)
6월 1일	환자·보호자 설문(식당 외주 및 의료민영화 관련)
7월 15일	임시대의원대회(조합원 가입 확대 및 중식집회 조직 건)
8월 19일	임시대의원대회(임단협 교섭 보고, 중식집회 조직 건, 간담회 조직 건)
8월 25일	칠곡병원 외주용역 반대 및 임단협 투쟁 선포 기자회견
9월 16일	임시대의원대회(칠곡병원 인력 대책, 인터넷 원격교육 관련)
10월 5일	산안위 칠곡병원 근무환경 조사
10월 11~26일	조합원 하루교육
10월 14일	간호조무사 외주 대책위 회의(간호조무사 외주반대 대책)
10월 28일	로비농성 돌입(임·단협 투쟁 방안 및 외주화 반대 서명)
11월 18~26일	파업
12월 9일	일일호프(진석타워 2층)
12월 31일	중식선전전(합법파업에 노조 죽이기 웬말이냐)

[2011년]

1월 14일	간부수련회(임·단협 평가, EMR 관련 논의)
1월 19일	노사협의회(칠곡병원 배치전환)
2월 24일	간병분회 중식집회(칠곡)
3월 21일	여성노조 면담(청소노조 관련)
4월 28일	간병분회 집중집회
5월 26일	임시대의원대회 및 4대 집행부 출범식
6월 27일	조합원교육(~7월 8일)
7월 15일	대의원대회(요구안 확정)
7월 22일	중식집회 및 로비농성 돌입
9월 22일	조합원 교육(~10월 7일)
10월 17일	칠곡병원 로비농성 돌입
10월 26일	로비농성 돌입 및 쟁의행위 찬반투표(~10월 28일)
11월 1일	의료공공성 쟁취 기자회견(칠곡)
11월 2일	투쟁본부 발대식 및 중식집회, 단체복 입기
11월 9일	파업 돌입
11월 28일	임단협 조인식

[2012년]

1월 8일	영양실 비민주적 부서운영 대책 및 조직화 방안 간담회
3월 14일	단협 일방해지, 노조무력화 규탄 조합원 중식집회
4월 16~27일	조합원교육
5월 10일	동산의료원·경북대병원 임단협 공동전술을 위한 전임자회의
5월 11일	대의원대회(요구안 확정)
6월 8일	칠곡병원 일일호프
6월 19일	청소노동자 모임

6월 28~29일	민주노총 경고총파업 및 간부수련회
7월 2일	종합병원 공공성 강화 프로젝트 현장 순회간담회
7월 5일	경북대병원 청소노동자노동조합 창립총회
8월 31일	임시대의원대회 및 조합원 중식집회
9월 6일	칠곡병원 비정규직 2차 모임
10월 25일	임단협투쟁 발대식 및 로비농성
10월 31일	공공기관 총파업, 노동탄압 주범 대구지방노동청 규탄 대구경북집중집회
11월 13일	파업전야제
11월 20~21일	임단협 잠정합의안 찬반투표
11월 23일	임단협 조인식
12월 17일	새마을금고 임단협 조인식

[2013년]

1월 14일	칠곡병원 비정규직투쟁 선포 기자회견
2월 5일	대의원대회 및 칠곡병원 집중집회
4월 19일	칠곡병원 비정규직투쟁 100일 문화제
4월 26~27일	Occupy 칠곡경북대병원
6월 10~21일	상반기 전조합원 하루교육
7월 5일	대의원대회(요구안 확정)
9월 10일	임단협 교섭 상견례
10월 8일	임단협 5차교섭 및 임단협투쟁 선포식
10월 10~23일	하반기 전조합원 하루교육
11월 12~14일	쟁의행위 찬반투표
11월 20일	파업전야제
12월 2~4일	잠정합의안 찬반투표

12월 5일	임단협 조인식
12월 27일	새마을금고 임단협 조인식

[2014년]

2월 17일	신규직원 교육
2월 26일	새마을금고 총회
3월 7일	대구지역지부 대의원대회
5월 22~일	간부수련회
6월 26일	파업전야제
6월 27일	의료민영화 반대 하루 총파업
7월 17일	의료민영화 반대 문화제
7월 22일	서울상경 하루 총파업
10월 8일	공공운수노조 국립대병원 가짜 정상화 대응회의
10월 14일	노동시간 연장 및 휴일수당 삭제 근로기준법 개악 규탄 기자회견
11월 7일	칠곡병원장 면담
11월 27일	파업 1일차(교육_부채폭탄 제3병원)
12월 4일	경북대학교병원 노동자 파업투쟁 승리 민주노총 대구지역본부 결의대회
12월 17일	끝장교섭 타격투쟁(10시간 교섭)
12월 18일	파업출정식과 기자회견(불법진료 중단, 의료법 위반 조병채병원장 고발)
12월 26일	필수유지 조합원들과 함께하는 집회
12월 30일	지역집중결의대회(김영희 분회장 삭발식)
12월 31일	파업전술 지명파업으로 변경, 지명파업자 결의 및 지침발표

[2015년]

1월 14일	일일총파업 출정식 및 부서별 상황공유
1월 29일	임금소급분 지급(파업조합원 10원)
2월 6일	임단협 투쟁승리를 위한 대의원대회(팔공산유스호스텔) - 김영희분회장 병휴직으로 우성환비대위원장 선출
3월 25일	상반기 조합원 교육(~4월 16일)
4월 22일	돈벌이 위해 환자부담 가중 편법행위 남발 경북대병원 폭로 기자회견
4월 27~28일	간부·대의원 연가투쟁 및 기자간담회(파업 현황과 쟁점)
4월 28일	파업전야제
4월 29일	교섭 후 총파업 유보, 간부·대의원회의
5월 7일	우성환 비상대책위원장 단식농성 돌입
5월 13일	잠정합의 후 전임자회의에서 교섭내용 및 상황 공유
6월 17일	메르스 관련 대구지역 병원 노동조합 대책회의
7월 27일	메르스 이후 간호사의 직업안전과 감염예방을 위한 정책토론회
9월 8일	노사합의 불이행 규탄, 임금피크제 강압 중단 기자회견(국회)
9월 11일	국립대병원 노동조합 공동결의대회
9월 24일	새마을금고 2014년 임금 조인식
10월 7일	국립대병원 집단교섭 기자회견
10월 20~23일	임금피크제 설명회 대응 (본원·칠곡)
10월 26일	임금피크제 강제 동의서명 불법천국 경북대병원 규탄 기자회견
11월 6일	긴급 중식집회(임금피크제 무효, 이송반 철회)
12월 1일	현장선전전(노동개악 저지)

[2016년]

1월 27일	2014년 파업 고소고발 건 재판
2월 22일	국립대병원노동자 모성보호 후퇴시키는 교육부 규탄 기자회견(광화문)
3월 25일	병원 개원식 피켓팅(현장간부 해고철회)
3월 26일	서울대-경북대 공동투쟁 회의
4월 19일	신설 복무규정 인권침해·차별 규탄 및 국가인권위 진정 기자회견
5월 24일	노조투쟁 승리를 위한 부서별 치맥데이(~6월 1일)
5월 30일	성과연봉제·강제퇴출제 저지 철도노조 결의대회(동대구역)
6월 3일	불법이사회 무효 및 성과연봉제·강제퇴출 저지 공공운수노조 결의대회
6월 30일	부당해고 철회, 성과퇴출제 저지, 임단협 투쟁승리 전조합원 전진대회
7월 13일	성과연봉제·강제퇴출제 반대 시민선전전(동대구역)
7월 15일	경북대학교 치과병원분회 창립총회
8월 30일	조병채병원장 퇴진 기자회견
9월 27일	임단협투쟁 승리 파업전야제(국채보상운동공원)
9월 28일	임단협 잠정합의
11월 23일	박근혜 퇴진 시국촛불(대구백화점 앞)
12월 28일	재벌총수 구속, 전경련·새누리당 해체 결의대회(대구백화점 앞)

[2017년]

1월 4~6일	출근카드 RFID 거부 서명
1월 17일	간호부장 면담(간호간병서비스 개선방안, 인력부족 환자 중증도 문제)
1월 19일	칠곡 신규조합원 환영회

우리 하나 경북대병원노동조합 30년사 1988~2017

2월 2일	조병채 병원장 연임 반대 기자회견
2월 9일	2014년 파업 고소고발 6명 결심재판(우성환 전 지부장 법정 구속)
3월 30일	국회 '공공기관 묻지마 해고' 토론회 참가
4월 6일	우성환 전 지부장 보석 석방
4월 11일	민들레분회 파업 출정식
4월 14일	병원장 직선제 서명 마무리(792명 취합)
6월 19일	국회토론회 '국립대병원장 임명절차 투명성 확보 방안'
6월 24일	문화기행(울산 고래박물관)
6월 29일	민들레분회(청소노동자) 총파업 돌입
7월 11일	민들레분회 파업 13일차 2016년 임단협 잠정합의
8월 9~10일	공공기관 비정규직 정규직직 전환 가이드라인 전직원 설명회
8월 16일	병원장 면담(2014년 파업 관련 탄원서, 비정규직 정규직화 등)
9월 12일	공공기관 비정규직 정규직 전환 규탄 기자회견
10월 23일	조합원 하루교육(~11월 10일, 김천 대방연수원)
11월 15일	임단협 잠정합의

참고자료

* 구술 인터뷰
- 강혜진(경북대병원노동조합 대의원)_2021년 3월 30일 구술
- 김수경(경북대병원노동조합 5대 위원장)_2019년 11월 13일 구술
- 김영희(경북대병원지부 8대 지부장)_2021년 3월 30일, 5월 4일 구술
- 우성환(경북대병원분회 전 분회장)_2021년 5월 4일 구술
- 이영숙(경북대병원노동조합 11대 교육부장)_2021년 3월 30일, 5월 4일 구술
- 이정현(공공운수노동조합 의료연대본부 대구지부장, 경북대병원노동조합 전 위원장)_2019년 6월 4일, 2021년 3월 30일, 5월 4일 구술
- 임연남(경북대병원노동조합 현 부분회장)_2021년 3월 30일 구술
- 최추희(경북대병원노동조합 2대 위원장)_2019년 11월 13일 구술
- 황현섭(경북대병원노동조합 3대 위원장)_2019년 11월 13일 구술

- 이건창(경북대병원 노동조합 2000년 당시 핵의학과 계약직 2년차)_2021년 9월 서면증언
- 강효묵(경북대병원 노동조합 2000년 당시 방사선종양학과 계약직 4년차)_2021년 9월 서면증언
- 노기수 (경북대병원 노동조합 2004년 당시 핵의학과 계약직) 2021년 9월 서면증언

강혜진   이영숙   이건창   노기수

∗자료집·선전물·보도자료
• 경북대병원노동조합, 〈활동보고서〉, 각 연도
• 경북대병원노동조합, 각종 회의자료, 노보, 선전물 등
• 경북대병원노동조합, 각종 보도자료

∗단행본
• 전국노동조합협의회백서발간위원회·노동운동역사자료실, 〈전국노동조합협
  의회 백서〉, 책동무 논장, 2003
• 김영수 김원 유경순 정경원, 〈전노협 1990~1995〉, 한내, 2013
• 김영수 정경원, 〈신새벽_서울대병원노동조합 20년사〉, 한내, 2013
• 보건의료산업노조, 〈돈보다 생명을! 보건의료노조 20년 20대 사건의 기록〉,
  매일노동뉴스, 2018

∗참고 논문
• 김상숙, '1980년대 대구지역 여성 노동운동가들의 노동운동 경험과 의식',
  〈지역사회학 제15권 제4호〉, 2014